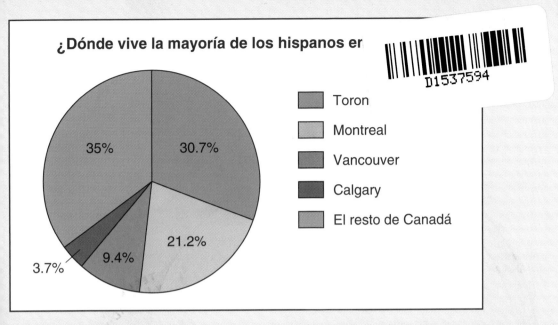

¿Dónde vive la mayoría de los hispanos er

- 35%
- 30.7%
- 21.2%
- 9.4%
- 3.7%

Legend:
- Toron
- Montreal
- Vancouver
- Calgary
- El resto de Canadá

ESTADOS UNIDOS

OCÉANO ATLÁNTICO

GOLFO DE MÉXICO

LAS BAHAMAS

La Habana

CUBA

HAITÍ

Santo Domingo

PUERTO RICO

San Juan

ISLAS VÍRGENES

MÉXICO

Puerto Príncipe

REPÚBLICA DOMINICANA

ANTIGUA
GUADALUPE
DOMINICA
MARTINICA
SANTA LUCÍA
SAN VICENTE

ANTILLAS MENORES

BARBADOS

BELICE
Belmopan

JAMAICA

Kingston

MAR CARIBE

GUATEMALA
Guatemala

HONDURAS
Tegucigalpa

San Salvador
EL SALVADOR

NICARAGUA
Managua

GRANADA

Puerto España

TRINIDAD Y TOBAGO

San José

Panamá

COSTA RICA

PANAMÁ

SUDAMÉRICA

Spanish for Global Communication

Intercambios

First Canadian Edition

Guiomar Borrás A.
Thunderbird, The American School
of International Management

James M. Hendrickson

Stephen Henighan
University of Guelph

Antonio Velásquez
McMaster University

THOMSON

NELSON

Australia   Canada   Mexico   Singapore   Spain   United Kingdom   United States

THOMSON

NELSON

Intercambios:
Spanish for Global Communication
First Canadian Edition

by Guiomar Borrás A., James M.
Hendrickson, Stephen Henighan, and
Antonio Velásquez

Associate Vice-President,
Editorial Director:
Evelyn Veitch

Senior Acquisitions Editor:
Cara Yarzab

Marketing Manager:
Heather Leach

Senior Developmental Editor:
Katherine Goodes

Photo Researcher and
Permissions Coordinator:
Cynthia Howard

Production Editor:
Tannys Williams

Copy Editor and Proofreader:
Carolina de la Rocha

Indexer:
Nancy Mucklow

Production Coordinator:
Helen Locsin

Design Director:
Ken Phipps

Interior Design:
Susan Gerould, Perspectives

Cover Design:
Peggy Rhodes

Cover Image:
Betsy Everitt

Compositor:
Nelson González

Printer:
Transcontinental

Library and Archives Canada
Cataloguing in Publication

Intercambios : Spanish for global
communication / Guiomar Borrás
A. ... [et al.].–4th ed.

ISBN 0-17-641531-9

1. Spanish language–Textbooks
for second language learners–
English. I. Borrás Álvarez,
Guiomar

PC4129.E5I57 2005   468.2'421
C2005-902110-1

For my wonderful friends and loving family.
For all my hard-working students at University of Toronto, University of Guelph, and McMaster University.

Antonio

To all Canadian students travelling or working in Latin America

S.H.

CONTENIDO

PASO 1   Nuevos amigos en México
■ Setting: México

LECCIÓN 1   ¡Bienvenidos a Monterrey!

LECCIÓN 2 ¿Te gusta estudiar y trabajar en la universidad?

LECCIÓN 3 ¡Necesito un trabajo como interno para junio!

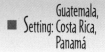

PASO 5 ¡Buen viaje!

■ Setting: Spain, Cuba, Canadá

LECCIÓN 14   ¡Lo siento, pero no me siento bien!

LECCIÓN 15   ¿Qué podríamos hacer nosotros por nuestro medio ambiente?

Apéndices

TO THE INSTRUCTOR

Intercambios: Spanish for Global Communication is a short, complete introductory language program. The main purposes of the program are to develop students' listening, speaking, reading, and writing skills in Spanish, and to help students understand Spanish-speaking communities in Latin America, Spain, Canada, and the U.S. Highly integrated components in the program provide many opportunities to learn and practise Spanish vocabulary, sayings, phrases, pronunciation, and language structures in culturally authentic situations, and situations relevant to students' lives.

What's New in the First Canadian Edition?

Based on extensive feedback from instructors across the country, we have produced a unique Canadian edition of **Intercambios** that reflects the contexts in which Canadian students live and learn about the language and customs of the Spanish-speaking world. The Canadian edition of **Intercambios** will make Spanish more immediate and relevant to students than ever before. Instructors will find the new **Intercambios**, adapted to Canadian cultural references, easier to use in the classroom. The new edition also includes improved and expanded coverage of the basics of grammar and vocabulary.

New Features in the Student Textbook

- **New Dialogues.** The new dialogues form a continuous story that entices students to learn by identifying with the experiences of three young Canadians who study and travel in Latin America and Spain. Concise and engaging, the dialogues unite a recognizable Canadian context with up-to-date Spanish

usage. Supported by *Notas de texto* sections that provide illuminating cultural notes on the featured country, the dialogues draw on Canada's diverse heritage to help students understand the varied cultural environments of the Hispanic world.

- **Personalization.** After the *En contexto* reading and in the *¿Comprendió usted?* section, we have included personalized questions related to students' lives and experiences.

- **Vocabulario.** In the *Vocabulario esencial* section, we have arranged the vocabulary according to topics. For instance in *Lección 4*, the home is presented and divided into family members and sections in the house. We have also added more relevant vocabulary, such as more adjectives to be used with the verb **ser** in *Lección 1* and more adjectives to be used with the verb **estar** in *Lección 4*.

- **Scope and Sequence.** The sequence of structures presented in *Gramática esencial* has been revised to provide more concise grammar explanations, fuller coverage of Spanish verb tenses, additional examples, and many new exercises and activities. In addition, some of the language structure has been presented either earlier or later in response to instructors' feedback. For instance, interrogative expressions are now in the preliminary chapter to facilitate classroom expression, the section on colours has been moved from *Lección 11* to *Lección 2* so that students will be able to use adjectives of colour earlier in the course. To satisfy the requirements of introductory Spanish courses at many Canadian universities and colleges, the past participle, the present perfect tense and the past perfect (pluperfect) tense have been added to *Lección 14* and *Lección 15*, respectively.

- **Exercises and Activities.** In the *Practiquemos* section, exercises and activities have been added and revised to make the progression from mechanical to meaningful to personalized and open-ended more relevant and clear. A new exercise called *Situaciones* has been added in each chapter to encourage students to get together in small groups to discuss and solve different situations by using specific vocabulary, grammatical structures, and functions.
- **Perspectivas.** At the end of each *Paso*, the *Perspectivas* section presents engaging readings, relevant to students' lives, on topics such as etiquette to be used on the Internet, ecotourism in Central America, shopping online, trade between Canadá and Mexico, and facts about Colombia. The *Perspectivas* section also contains reading (*¡A leer!*) and writing (*¡A escribir!*) subsections to teach students specific reading strategies and how to develop writing skills through a process approach.
- **Cultura.** The Canadian edition of **Intercambios** features many new *Cultura* boxes and *Conexión cultural* blurbs that will help students appreciate Canada's unique relationship with Latin America. *Cultura* boxes and profiles present prominent Hispanic Canadians to help students understand the growing role of Hispanic people and culture in daily life. The profiles of immigrant communities concentrate on those that are especially salient in Canadian society, including Canadians of Chilean and Central American heritage. By including a chapter on Cuba, the Canadianized **Intercambios** adds a Spanish-speaking country with which millions of Canadians are familiar but which is usually overlooked by U.S. Spanish textbooks. All the *Cultura* boxes are now in Spanish. The *Reto cultural* sections, which encourage students to play an active role by putting their knowledge of the Hispanic world to use, have been revised to reflect the realities faced by Canadian students learning about the Spanish-speaking world.

THE ANCILLARY PROGRAM

For Students:

The **Student Workbook/Laboratory Manual** has been revised to reflect the content of the Canadian edition. It includes many exercises and activities to develop students' proficiency in written and spoken Spanish and to strengthen their cultural knowledge. Written practice in the *Cuaderno de ejercicios* segment of each *Lección* is clearly divided into grammar, vocabulary, culture, reading, and writing practice, and precedes listening and speaking practice in the *Actividades y ejercicios orales* segment. ISBN 0-17-640767-7

The **Student Lab Audio CD** consists of over 30 minutes of listening practice per lesson. The audio program provides a variety of listening comprehension exercises and activities, in addition to pronunciation practice for the first ten lessons, to which students respond in the Workbook/Laboratory Manual. The themes and functions are practised with creative and meaningful listening tasks suitable for first-year students. *En contexto* dialogues from the main text are also recorded to provide students with additional input opportunities. ISBN 0-17-640769-3

Free with each text, the **Interactive Multimedia CD-ROM** focuses on helpful and interactive practice, targeting the vocabulary and grammar from the main text. A user-friendly interface and a variety of activity types make this CD-ROM an important component in the *Intercambios* package. ISBN 0-17-610276-0

The **Spanish Resource Centre** integrates self-scoring practice exercises and task-based Internet activities that connect students to the locations they're studying in the textbook. Activities give students all they need to know to surf the Web to learn about the cultures of the Spanish-speaking world! Resource areas for students and instructors alike provide links to online dictionaries, cultural resources, and authentic Spanish-language sites. http://www.intercambios.nelson.com

For Instructors:

The **Instructor's Annotated Edition** is a black and white version of the student text with instructor's support in the margins. Marginal notes with teaching suggestions, notes for expanding on activities, notes on the exercises, and answers to exercises are among the many features instructors will find in this manual. ISBN 0-17-640768-5

The **Instructor's Resource CD** contains key supplements designed to assist instructors teaching introductory Spanish:

- **Teaching Notes** are extracted from the *Instructor's Annotated Edition* for quick reference.
- **Computerized Testing Program** evaluates linguistic and communicative competence for each lesson in the test. It consists of two tests for each lesson and answer keys. The tests are provided as Word files and are easy to customize.
- **Workbook/Laboratory Manual Answer Key** gives instructors the choice of offering the answers to students.
- **Lab Audio CD** transcript allows instructors to follow the CD while students listen.

ISBN 0-17-640770-7

The **Thomson Heinle Spanish Transparency Bank** contains more than 100 full-colour overhead transparencies, including maps of all the Spanish-speaking countries as well as vocabulary displays and pictorial situations that help students practise corresponding language functions, vocabulary, and grammar presented in the text. Specific cross-references to the transparency program are provided in the margins of the *Instructor's Annotated Edition*. ISBN 0-8384-0987-3

The **Flex-File Resource Kit** functions as an extension of the textbook with worksheets that are cross-referenced at specific points in the Canadian *Instructor's Annotated Edition*. They contain extra presentation and practice of many of the grammatical structures presented in the text, as well as expansion vocabulary. The *Flex-Files* also contain fun communicative activities in the *Extensión communicativa* sections, and worksheets for use with the *Intercambios* video in *Vamos a mirar*, also compatible with the Canadian text. Available through your Thomson Nelson sales representative.

The *Intercambios* **Video Tape** is a text-specific Spanish-language video compatible with the Canadian edition of *Intercambios*. Care has been taken to make the video comprehensible for beginning students. It includes a variety of formats: semi-scripted functional situations, person-on-the-street interviews, and documentary-style scenes highlighting cultural images throughout Spain and Latin America. Activities for use with the video are found in the *Vamos a mirar* section of the *Flex-Files*. Available through your Thomson Nelson sales representative.

The **Photo Op! Images of World Culture (Spanish) CD-ROM** is a selection of hundreds of beautiful shots from Thomson's Image Resource Bank, all shot-on-location images that are not only visually appealing, but motivating and culturally authentic. Bring your PHOTO-OP! CD-ROM into your smart classroom and project the images, print them out on your colour printer and add them to your transparency bank, order a few for the language lab, and have students write photo essays—the opportunities are endless! ISBN 0-8384-1024-3

Intercambios
Spanish for Global Communication

? Who said a complete, fun-to-use, visually appealing, ancillary-rich introductory text has to be more than 500 pages long? *Intercambios* users don't think so!

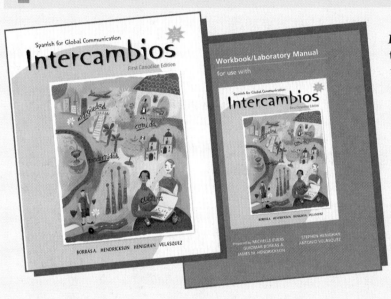

Intercambios is *the* short introductory Spanish program for students who wish to *rapidly* put their new language to practical use. Short chapters with a consistent format allow you to progress through the material efficiently, spending more time on what's important and less time figuring out what material you'll need to skip.

? What do instructors like about *Intercambios*? It really is short *and* complete!

Other "short books" are 50 to 100 pages longer! With 15 straightforward lessons, *Intercambios* allows you to *spend more time communicating* with your students, and gives your students more time to *master the essentials* of the language.

Language

Scope and Sequence

With an essential approach focused on *high-frequency vocabulary* and *structures and functions* that *students need* in order to communicate, *Intercambios* gives you the time to customize your course.

and Culture

Countries and cultures

Each *Paso* is set in a different Spanish-speaking country. *Intercambios* provides a wealth of insights into Hispanic cultures and often asks students to compare Hispanic perspectives and practices with their own.

PASO
5

¡Buen viaje!

Océano Atlántico

Los cubanos son de orígenes muy diversos. Muchos cubanos son de descendencia africana. También hay cubanos de herencia española, canaria (de las Islas Canarias), indígena, china y judía. La mayoría de los cubanos proviene de una mezcla de etnias diferentes.

Golfo de México

La Habana **CUBA** BAHAMAS

Mar Caribe HAITÍ REP. DOM.

JAMAICA

Bandera de Cuba

España tiene varias regiones y cada una de ellas tiene su propia comida y a veces hasta su propia lengua. Por ejemplo, en el País Vasco se habla euskera, en Cataluña se habla catalán, en Galicia se habla gallego, en Valencia se habla valenciano, en Castilla y León se habla español o castellano, al igual que en las otras regiones como Andalucía, Extremadura, Navarra y Asturias.

Mar Cantábrico FRANCIA ITALIA

Santiago de Compostela
PORTUGAL **ESPAÑA** ★ Madrid

Mar Mediterráneo

MARRUECOS ARGELIA TUNICIA

Bandera española

Las playas de Cuba

Las calles de La Habana

En el primer diálogo, Pierre Lemieux y sus padres hablan de reservar habitaciones de hotel en España. Ellos van a pasar sus vacaciones en Madrid y en Santiago de Compostela. Más adelante, viajamos a Cuba, donde Sara Chang trabaja en un proyecto de desarrollo. Francisco visita a Sara en La Habana. Cuando Francisco se enferma, ellos tienen que ir a una clínica. Al final, regresamos a Canadá donde los estudiantes se reúnen en un congreso estudiantil en la Universidad Dalhousie en Halifax. Lisa, Sara y Pierre hablan de sus planes para el futuro.

Baile Folklórico de Galicia

Paso 5 doscientos noventa y nueve 299

298 doscientos noventa y ocho Paso 5

NEL NEL

in Context

A storyline follows three young Canadians, Sara Chang from Vancouver, Lisa Turner from Toronto, and Pierre Lemieux from Montreal, as they study, work, and travel in Latin America and Spain. The people they meet and the places they visit provide a helpful context for learning new vocabulary, functions, and structures.

Intercambios works!

Students *learn basic concepts fast* and practise them throughout the course. **Intercambios** can be completed easily in either a semester or quarter system. The clear interior design makes it easy to locate and focus on important material.

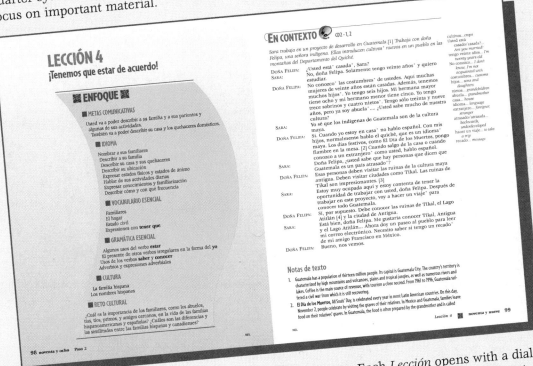

En contexto. Each *Lección* opens with a dialogue advancing the story of Sara, Lisa, and Pierre's adventures in Latin America and Spain. These dialogues contextualize targeted vocabulary and model targeted grammar. The *Notas de texto* that follow provide cultural information relevant to the dialogue.

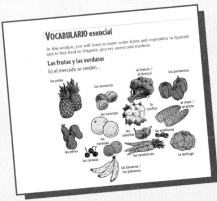

***Vocabulario esencial* and *Gramática esencial*.** Vocabulary and grammar presentations are easy to locate and study from. Each presentation is followed by a *Practiquemos* activity set. Exercises and activities move from receptive to productive and personalized practice and conversation.

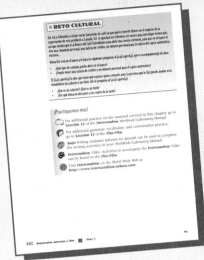

Cultura and *Reto cultural*.

Whether it be in the *Notas de texto* following chapter-opening dialogues, in the brief *Cultura* essays throughout each chapter, or embedded in exercises and activities, **Intercambios** incorporates cultural information without overwhelming students. The all new *Reto cultural* at the end of each *Lección* is an opportunity for students to demonstrate what they've learned about Hispanic cultures.

Practiquemos más.

At the end of each *Lección*, students are pointed to other program components for further practice. Each *Lección* is cross-referenced to the Workbook/Lab Manual, Web site, and CD-ROM.

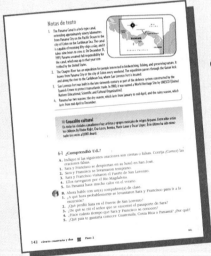

Conexión cultural

blurbs will enable students to learn about Canada's relations with Spanish-speaking countries as well as about Hispanic culture in Canada.

El Observatorio del Caracol y El Castillo, Chichén Itzá, México

Perspectivas. Following each *Paso*, you'll find dynamic *Perspectivas* spreads with high-interest cultural readings on topics like Internet etiquette, Canadian-Mexican trade, facts about Colombia, and ecotourism in Central America. **Intercambios** takes a strategy- and process-driven approach to the reading and writing assignments in the *Perspectivas* sections.

Note to Student

Learning Spanish Successfully

Welcome to **Intercambios.** This program was carefully designed with you in mind. It contains many different components that are all integrated to help you learn Spanish successfully, efficiently, and enjoyably. Being proficient in two or more languages can be rewarding to you personally and professionally. But learning to communicate in a language other than your native language takes patience, concentration, and practice.

Be patient. It takes time and patience to learn another language, so take your time and be patient with yourself as you learn to communicate in Spanish. At first, you may feel that spoken Spanish sounds faster than English (it isn't) or that some sounds in Spanish seem a bit strange to your ear. But as you become accustomed to listening to Spanish in class and on the **Intercambios** audio program, that strange feeling will fade. Remember that nobody is perfect! Because you are a beginning student of Spanish, your instructor won't expect you to speak with near-native pronunciation, to write grammatically perfect sentences, or to always use the most appropriate words to express your thoughts and feelings. Making errors is a normal part of learning any skill for the first time, especially communicating in another language. So be tolerant of your mistakes, laugh at them, and learn from them. And most importantly—be patient with yourself.

Concentrate on the message. Research shows that good language learners focus their attention on understanding the meaning of a message. Rather than concentrating on individual words or translating word for word, try to get the gist or general idea of the speaker or writer. As you listen to or read Spanish, focus your attention on what the speaker or writer is trying to express. For example, ask yourself, "What is the most important information that he or she wants me to understand?" Your ability to understand spoken or written Spanish also depends on your personal motivation. Most of the exercises and activities in the **Intercambios** program were written to encourage you to share personal information with your classmates. For instance, you will talk and write about your family and friends, how you spend your free time, what foods you like and dislike, and where you plan to take your next vacation.

Spanish is not French! If you studied French in high school, you will recognize similarities between these two languages of Latin origin. Some of these similarities will make learning Spanish easier. But be careful!

Pay attention to the following subjects:

- **Vocabulary.** Although Spanish words and French words sometimes look similar, they are pronounced very differently. And many Spanish words do not look anything like their equivalents in French. Take the time to learn Spanish words rather than relying on French words that you may know.

- **Pronunciation.** Spanish is phonetic: each letter is pronounced the same way in every situation; you do not pronounce combinations of letters, as you do in French. Students who studied French in high school need to pay special attention to "e" and "r." Beginning students sometimes have a tendency to use the French pronunciation of these sounds when speaking Spanish. Listen carefully to your instructor's Spanish pronunciation and try to imitate it. You will soon find that Spanish is not a difficult language to speak—in fact, it is easier to pronounce than French!

- **Accents.** Where French uses a variety of accents, Spanish uses only the acute accent (´). In French, an accent changes a letter's pronunciation; but in Spanish, in most cases, the accent simply tells you on which syllable of the word you should place the stress. For example, the accent in *bolígrafo* (pen) tells you to stress the second syllable. (For the use of the tilde (˜), which appears only over the letter "n," see "El alfabeto español" in Apéndice A, or ask your instructor.)

- **The Advantages.** Once you train yourself to distinguish between these two languages, your knowledge of French will help you learn Spanish more quickly and efficiently. A familiarity with both languages will give you a valuable window into Canada, the rest of the Americas, and the world.

Practise, practise, practise! A major goal of the *Intercambios* program is to help you become more proficient in Spanish. You will have plenty of opportunities to practise listening, speaking, reading, and writing Spanish in the same ways that Hispanics use the language in everyday situations: meeting people, talking with friends, ordering food in a restaurant, reading the newspaper, writing a letter to a friend, listening to the radio, and so forth. Of course, you should try to practise Spanish outside of class whenever you can with your classmates, with international students on your campus, and with other native speakers in your community. If your area has a Spanish-language radio station, listen to it frequently, even if you understand very little at first. If you have access to Spanish-language television programs, watch the soap operas and children's programs because they are easier to understand than many of the other programs. Many Spanish-language movies are now available on DVD; watching one or two of them every week will significantly improve your proficiency in Spanish.

With patience, concentration, and practice, you will become more proficient in Spanish . . . with *Intercambios*.

Acknowledgements

We wish to thank the following people at Thomson Nelson and those who contributed to the production of the *Intercambios*, First Canadian edition, program: Katherine Goodes for her invaluable cooperation and encouragement; Chris Carson for believing in us; Cara Yarzab for her support; Tannys Williams and Carolina de la Rocha for their patience and attention to detail; and also everyone who was involved in this wonderful project from the very beginning.

We also wish to thank all the instructors who have reviewed and commented on the manuscript of this Canadian edition:

Marzena Walkowiak, *McMaster University*

Heriberto Pagés, *Humber College*

Ping Mei Law, *York University*

Barbara Hilding, *Okanagan University College*

Bernard Schulz-Cruz, *Okanagan University College*

Mónica Ruíz, *Red River College*

Gordon Berg, *Seneca College*

Rosario Gómez, *University of Guelph*

Li McLeod, *University of Regina*

LECCIÓN PRELIMINAR

❖ ENFOQUE ❖

■ COMMUNICATIVE GOALS

You will be able to meet your classmates, express your nationality, name the different geographical regions of the world, and ask and follow directions in relation to class activities.

■ LANGUAGE FUNCTIONS

Greeting others
Discussing nationality and country of origin
Communicating in the classroom

■ VOCABULARY THEMES

Greetings
Nationalities
Countries
Commands for activities in the classroom
Objects in the classroom
Numbers 0–30

■ GRAMMATICAL STRUCTURES

Definite and indefinite articles
Gender of nouns
The contractions **al** and **del**
Number of nouns
The verb form **hay**
Sentence negation

■ CULTURAL INFORMATION

Spanish around the world

SARA: ¡Buenos días!
MARINA: ¡Buenos días, Sara!
SARA: ¿Qué tal?
MARINA: Muy bien, gracias. ¿Y tú?
SARA: Bien, gracias. Adiós.
MARINA: Chao.

Saludos

The following are different ways you can greet people:

—¡Buenos días, Antonio!	*Good morning, Antonio!*
—¡Buenos días, Raúl!	*Good morning, Raúl!*
—¿Cómo estás?	*How are you?*
—Muy bien, gracias. ¿Y tú?	*Very well, thanks. And you?*
—Bien, gracias. Adiós.	*Fine, thanks. Bye.*
—Chao.	*Bye.*

Here are ways to meet people:

—¡Hola! ¿Cómo te llamas?	*Hello! What is your name?*
—Me llamo Alex. Y tú, ¿cómo te llamas?	*My name is Alex. And what is your name?*
—Me llamo Teresa. ¿De dónde eres?	*My name is Teresa. Where are you from?*
—Soy de Alberta. ¿Y tú?	*I'm from Alberta. And you?*
—Yo soy de Terranova.	*I'm from Newfoundland.*

> **■ Conexión cultural**
> En las Américas casi (*almost*) 295 millones de personas son hispanohablantes.

—¡Buenos días!
—¡Hola! ¿Cómo estás?

VOCABULARIO esencial

In this section, you will learn how to greet and meet people.

Buenos días.

Buenas tardes.

Buenas noches.

¿Cómo te llamas?	*What is your name?*	**¿De dónde eres?**	*Where are you from?*

¿CÓMO TE LLAMAS?

ME LLAMO ANITA.

SOY DE QUEBEC.

SOY DE SASKÁTCHEWAN.

¿Cómo estás?   *How are you?*

Estoy muy bien.

Estoy más o menos.

Estoy mal.

¡Hola!	*Hello!*
¿Qué tal?	*What's up?*
Adiós.	*Good-bye.*
Chao.	*Bye.*

Interrogative Expressions

Here are more useful words and expressions for asking questions in Spanish.

¿Qué?	*What?*
¿Cuál? ¿Cuáles?	*Which one? Which ones?*
¿Cómo?	*How?*
¿Cuándo?	*When?*
¿Dónde?	*Where?*
¿Por qué?	*Why?*

All of these words take an accent when they are used to ask a question and drop the accent when they are used to make a statement.

EXAMPLE: ¿Cómo te llamas?   *What's your name?*
           Me llamo María como mi madre.   *My name is María, like my mother.*

Other useful expressions for asking questions or practising Spanish.

¿Cómo se dice?	*How do you say?*
¿Qué quiere decir....?	*What does this mean?*
Más despacio, por favor	*More slowly, please*
Perdón	*Excuse me*
Por favor	*Please*
Lo siento	*I'm sorry*
¿En qué página estamos?	*What page are we on?*

¡Practiquemos!

P-1 Saludos. Answer the following greetings properly.

MODELO: —Adiós.
          —Chao.

1. ¡Hola!
2. ¡Buenas noches!
3. ¡Buenos días!

4. ¿Qué tal?
5. ¡Buenas tardes!
6. Adiós.

P-2 ¿Cómo te llamas? You want to meet your new fellow classmates. Ask several of them their names.

MODELO: —¡Hola! ¿Cómo te llamas?
          —Me llamo Anita. ¿Y tú?
          —Me llamo Sonia.

P-3 ¿De dónde eres? You want to know more about your classmates. Ask where several of them are from.

MODELO: —¿De dónde eres?
          —Soy de Vancouver. ¿Y tú?
          —Soy de Lethbridge, Alberta.

P-4 ¡Hola! Learn more about your classmates: Move around the class and ask classmates their names. When you find a person who is from a province or territory listed below, write that person's name on the line. Continue until you have found the names for all the provinces and territories. Be ready to answer questions from your instructor.

MODELO: Saskátchewan

— ¡Hola! ¿Cómo te llamas?
— Me llamo Eric .
— ¿Eres de Saskátchewan?
— Sí.

Eric (Write the name of the person on the line.)

1. Nueva Escocia _____
2. Terranova y Labrador _____
3. Columbia Británica _____
4. Quebec _____
5. Ontario _____
6. Territorios del Noroeste _____
7. Isla Príncipe Eduardo _____
8. Territorio del Yukón _____
9. Alberta _____
10. Manitoba _____
11. Nueva Brunswick _____
12. Nunavut _____

VOCABULARIO esencial

In this section, you will learn the nationalities of people from different parts of the world and from Spanish-speaking countries.

Nacionalidades de algunos países (some countries) del mundo

Norteamericanos
canadiense
estadounidense
mexicano(a)

Caribeños
cubano(a)
dominicano(a)
puertorriqueño(a)

Medio-orientales
iraní
iraquí
israelí
libanés (libanesa)

Centroamericanos
costarricense
guatemalteco(a)
hondureño(a)
nicaragüense
panameño(a)
salvadoreño(a)

Europeos
alemán (alemana)
español(a)
francés (francesa)
griego(a)
inglés (inglesa)
portugués (portuguesa)

Sudamericanos
argentino(a)
boliviano(a)
brasileño(a)
chileno(a)
colombiano(a)
ecuatoriano(a)
paraguayo(a)
peruano(a)
uruguayo(a)
venezolano(a)

Africanos y asiáticos
chino(a)
coreano(a)
guineo(a) ecuatorial
japonés (japonesa)

¡Cuidado! *(Be aware!):* Note the words that describe males end in **-o** (mexican**o**, colombian**o**), and the words that describe females end in **-a** (cuban**a**, español**a**).

¡Practiquemos!

P-5 Países y nacionalidades. Say each national group of people along with their country.

MODELO: Panamá
        Los panameños son de Panamá.

1. Chile	**5.** El Salvador	**9.** Argentina
2. México	**6.** Honduras	**10.** Estados Unidos
3. España	**7.** Guatemala	**11.** Portugal
4. Bolivia	**8.** Puerto Rico	**12.** Inglaterra

P-6 Personas famosas del mundo. Say where the following people are from and give their nationality. Remember that the masculine words end in **-o** and the feminine in **–a**.

MODELOS: el presidente Vicente Fox / México
       El presidente Vicente Fox es de México. Es mexicano.

       la autora Isabel Allende / Chile
       La autora Isabel Allende es de Chile. Es chilena.

1. la actriz Kate Winslet / Inglaterra
2. la cantante Gloria Estefan / Cuba
3. el escritor Carlos Fuentes / México
4. la actriz Penélope Cruz / España
5. el cantante Ricky Martin / Puerto Rico
6. la cantante Shakira / Colombia
7. el futbolista Ronaldo / Brasil
8. el político Sergio Marchi / Canadá
9. el beisbolista Sammy Sosa / República Dominicana
10. el actor Andy García / Cuba

P-7 Más personas famosas. Match the following famous world figures with their importance.

MODELO: Conchita Martínez
       Conchita Martínez es una tenista de España.

Personas famosas	**Importancia**
1. Paul Martin	es una líder política indígena de Guatemala
2. Pedro Martínez	es una actriz de México.
3. Rigoberta Menchú	es un beisbolista de la República Dominicana.
4. Cameron Díaz	es una actriz de los Estados Unidos.
5. Isabel Allende	es una autora contemporánea de Chile.
6. Salma Hayek	es el Primer Ministro de Canadá.

Sergio Marchi

Rigoberta Menchú

  P-8 Las capitales de Centroamérica y del Caribe. Say the capital of each country, using the map on the next page.

MODELO: Belice
La capital de Belice es Belmopan.

1. Guatemala
2. El Salvador
3. Honduras

4. Nicaragua
5. Costa Rica
6. Panamá

7. Cuba
8. República Dominicana
9. Puerto Rico

P-9 Las capitales de Sudamérica. Using the map, match each country with its capital.

MODELO: Chile
La capital de Chile es Santiago.

1. Venezuela
2. Colombia
3. Ecuador
4. Perú
5. Bolivia

6. Chile
7. Argentina
8. Uruguay
9. Paraguay
10. Brasil

P-10 ¿Cierto o falso? Read each sentence. Then look at the maps on the next page and answer true **(cierto)** or false **(falso)** to the following statements. If a statement is false, restate it as a true sentence.

1. La capital de España es Barcelona.
2. La capital de Portugal es Lisboa.
3. Portugal y España forman una península.
4. Las Islas Baleares pertenecen a Portugal.
5. La capital de Guinea-Ecuatorial es Malabo.

> "No soy de Atenas. No soy de Grecia.
> Soy ciudadano del mundo". *Sócrates*

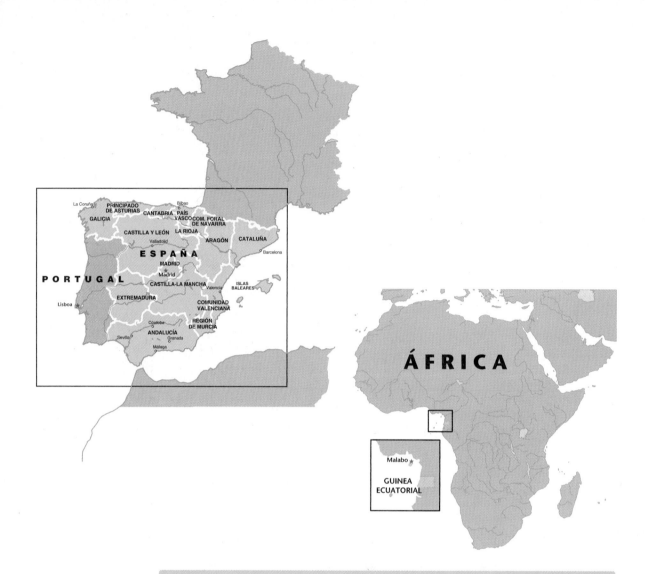

PRINCIPADO
DE ASTURIAS
La Coruña
GALICIA
CANTABRIA
Bilbao
PAÍS
VASCO
COM. FORAL
DE NAVARRA
CASTILLA Y LEÓN
LA RIOJA
Valladolid
ARAGÓN
CATALUÑA
E S P A Ñ A
Barcelona
MADRID
P O R T U G A L
Madrid
CASTILLA-LA MANCHA
ISLAS
BALEARES
EXTREMADURA
Valencia
COMUNIDAD
VALENCIANA
Lisboa
Córdoba
REGIÓN
DE MURCIA
ANDALUCÍA
Sevilla
Granada
Málaga

Á F R I C A

Malabo
GUINEA
ECUATORIAL

■ Conexión cultural

María Nsue es autora de *Ekomo*, una de las primeras novelas escritas en español en la Guinea Ecuatorial.

CULTURA

■ El español: lenguaje global

CD1 - 13, 14

Más de 400 millones de personas hablan español en todo el mundo. Es la lengua de España, México, Cuba, Puerto Rico, La República Dominicana, todos los países de Centroamérica, menos Belice y de todas las naciones de Sudamérica pero no de las Guyanas ni de Brasil. También, más de 30 millones de personas hablan español en los Estados Unidos y medio (*half*) millón en el pequeño (*small*) país africano, Guinea Ecuatorial.

El español se deriva del latín y también tiene influencias de otras lenguas como el griego y el árabe. Cuando los conquistadores llegaron a América en el siglo XVI, las lenguas indígenas también contribuyeron al enriquecimiento del vocabulario del español que se conoce (*is known*) hoy en día (*nowadays*).

Casi (*almost*) medio millón de habitantes de origen hispano hablan español en Canadá. También es una de las lenguas extranjeras (*foreign*) más populares entre estudiantes universitarios. Aprender el español es muy importante porque facilita la comunicación con más de medio billón de personas en todo el mundo.

Bailarines folklóricos de México

P-11 **¿Español o inglés?** Cognates are words that have a similar meaning and spelling in two or more languages. Spanish and English have a lot of cognates since Spanish and much of English are derived from Latin. Read the following words and identify the cognates by expressing each word in English.

arquitectura	arte	auto
base	béisbol	combinación
cultura	doctor	ejemplo
estudiante	famoso	fútbol
gigante	historia	Los Ángeles
patio	televisión	tímido
tradicional	variedad	zoológico

VOCABULARIO esencial

The following phrases will help you when communicating in class.

Escriba en la hoja de papel.

Escuche a la profesora.

Lea el libro.

Levántese del asiento.

Siéntese en el asiento.

Abra el libro en la página 4.

Cierre el cuaderno.

Mire el pizarrón.

Dígale (Pregúntele) a su compañero(a)...

Muéstreme su tarea.

Más objetos de la clase

el borrador	*eraser*	**la silla**	*chair*
el escritorio	*desk*	**la tarea**	*homework*
la mochila	*backpack*	**la tiza**	*chalk*

¡Practiquemos!

P-12 ¿Cómo se dice... ? Think of a word that you want to know in Spanish and ask your instructor.

MODELO: *¿Cómo se dice* trash can?
Trash can *se dice* **basurero**.

P-13 Combine. Match the commands (**siéntese, levántese, muéstreme, abra**) with the different objects from the class. There can be more than one answer for each item.

1. Siéntese en _____
2. Muéstreme _____
3. Cierre _____
4. Abra _____
5. Lea _____
6. Escriba en _____
7. Escuche _____
8. Mire _____

a. el cuaderno
b. el libro
c. el asiento
d. el pizarrón
e. la tarea
f. la hoja de papel
g. a la profesora
h. al profesor

GRAMÁTICA esencial

Definite and Indefinite Articles

In this section you will learn to specify people, places, and things.

A noun names a person (**Isabel**, **autora**), a place (**Paraguay**, **país**), a thing (**bolígrafo**, **borrador**), or a concept (**clase**, **español**). In Spanish, all nouns are classified as having a gender—either masculine or feminine. Even though the nouns are either masculine or feminine, there is no direct correlation with biological genders. A noun is often preceded by a definite article *(the)*, which can be singular (**el**, **la**) or plural (**los**, **las**) or by an indefinite article *(a, an)*, which can be singular (**un**, **una**) or plural (**unos**, **unas**). Definite and indefinite articles must match the gender (masculine or feminine) of the nouns they modify.

How to determine gender of nouns

1. In Spanish, nouns referring to males and most nouns ending in **-o** are masculine. Nouns referring to females and most nouns ending in **-a** are feminine.

   el/un amigo   *the/a (male) friend*
   la/una profesora   *the/a (female) professor*

   Two common exceptions to this rule are **el día** *(day)* and **la mano** *(hand)*. Other common exceptions include nouns of Greek origin that end in **-ma**, such as **el problema**, **el programa**, **el poema**, **el sistema**.

   el/un día   *the/a day*
   la/una mano   *the/a hand*

2. Most nouns ending in **-l** or **-r** are masculine, and most nouns ending in **-d** or **-ión** are feminine.

   el/un españo**l**   *the/a Spanish person*
   el/un profeso**r**   *the/a (male) professor*
   la/una universida**d**   *the/a university*
   la/una lecc**ión**   *the/a lesson*

3. Some nouns do not conform to the rules stated above. One way to remember the gender of those nouns is to learn the definite articles and the nouns together: **la clase**, **el día**.

How to form the contractions *al* and *del*

The definite article **el** combines with the words **a** *(to)* and **de** *(of, from)* to form the words **al** and **del**. The feminine forms do not contract (**a la**, **de la**, etc.)

El libro es **de** + **el** =   El libro es **del** profesor.   *The book is the*
   del profesor.   *professor's.*
Háblele **a** + **el** = **al** profesor.   Háblele **al** profesor.   *Speak to the professor.*

Do not contract **a** or **de** with **el** when the definite article is capitalized since it is part of the proper noun.

Lima es la capital **del** Perú.   BUT: San Salvador es la capital **de El** Salvador.

¡Practiquemos!

P-14 Geomundo. Complete the following sentences with an appropriate singular definite article (**el**, **la**). Use the contraction **del** when necessary.

1. _La_ lengua oficial de los Estados Unidos es _____ inglés.
   _____ lengua oficial de Francia es _____ francés.
   _____ lengua oficial de Argentina es _____ español o castellano.
   En Portugal y en Brasil, _____ lengua oficial es _____ portugués.
2. Costa Rica es _____ país más democrático _____ Centroamérica.
   _____ democracia y _____ educación son dos aspectos importantes en _____ sociedad costarricense.

3. México es _____ país más misterioso _____ Norteamérica por _____ historia de las pirámides y por _____ cultura indígena.

P-15 ¿Sabe usted? Complete the following sentences with the appropriate singular indefinite article (**un** or **una**) plus the appropriate word in parentheses.

MODELO: Corea es... (país / continente).
         Corea es un país.

1. Kiwi es... (fruta / isla).
2. El Caribe es... (océano / mar).
3. Managua es... (persona / ciudad).
4. La Paz es... (capital / montaña).
5. Fuji-Yama es... (montaña / isla).
6. San Juan es... (capital / país).
7. El portugués es... (lengua / provincia).
8. Nueva Escocia es... (provincia / continente).

P-16 Un país sudamericano. Complete the following paragraph with the appropriate definite and indefinite articles. Use contractions (**al**, **del**) when necessary.

Ecuador es _____ país _____ sur de Colombia, en Los Andes, que es _____ cadena de montañas más importante _____ continente. _____ capital _____ Ecuador es Quito, _____ ciudad maravillosa. _____ lengua oficial _____ país es _____ español.

Plural of Nouns
How to make nouns plural

In Spanish, all nouns are either singular or plural. Definite and indefinite articles must match the gender (masculine or feminine) and the number (singular or plural) of the nouns they modify.

To make Spanish nouns plural, add **-s** to nouns ending in a vowel (**a**, **e**, **o**).
Otherwise, add **-es**.

Singular	Plural	Singular	Plural
la tarea	**las** tareas	una clase	**unas** clases
el borrador	**los** borradores	un profesor	**unos** profesores

Two additional rules for making nouns plural:

For nouns ending in **-án**, **-és**, **-ón**, or **-ión**, drop the accent mark before
adding **-es**.

el/un alem**án**	**los/unos** alem**anes**
el/un japon**és**	**los/unos** japon**eses**
la/una lecc**ión**	**las/unas** lecc**iones**

For nouns ending in **-z**, drop the **-z** before adding **-ces**.

| el/un lápi**z** | **los/unos** lápi**ces** |
| la/una lu**z** | **las/unas** lu**ces** |

¡Practiquemos!

CD1 - 12 **P-17 En la clase de español.** Write the plural of all the things we find in
our classroom along with their respective articles.

MODELO: borrador   *los borradores*

1. profesora _____
2. estudiante _____
3. libro _____
4. lápiz _____
5. bolígrafo _____
6. hoja _____
7. asiento _____
8. cuaderno _____
9. pizarrón _____
10. tarea _____

P-18 Geografía. Complete the following sentences by using the plural form
of the words in the right-hand column.

MODELO: Yukón y Nunavut son... territorio
         Yukón y Nunavut son territorios.

1. Everest y Logan son...	montaña
2. Europa, África y Asia son...	continente
3. París, Moscú y Auckland son...	ciudad
4. Colorado y Nuevo México son...	estado
5. El Atlántico y el Pacífico son...	océano
6. México, Japón y Francia son...	país
7. Ontario, Alberta y Quebec son...	provincia
8. Las provincias marítimas y el Oeste son...	región

VOCABULARIO esencial

In this section you will learn the numbers 1–30.

Los números 0–30

0 cero		**16** dieciséis (diez y seis)	
1 uno		**17** diecisiete (diez y siete)	
2 dos		**18** dieciocho (diez y ocho)	
3 tres		**19** diecinueve (diez y nueve)	
4 cuatro		**20** veinte	
5 cinco		**21** veintiuno (veinte y uno)	
6 seis		**22** veintidós (veinte y dos)	
7 siete		**23** veintitrés (veinte y tres)	
8 ocho		**24** veinticuatro (veinte y cuatro)	
9 nueve		**25** veinticinco (veinte y cinco)	
10 diez		**26** veintiséis (veinte y seis)	
11 once		**27** veintisiete (veinte y siete)	
12 doce		**28** veintiocho (veinte y ocho)	
13 trece		**29** veintinueve (veinte y nueve)	
14 catorce		**30** treinta	
15 quince			

- The numbers 16–19 and 21–29 can be written as one word or as three words. Spanish-speaking people prefer to use one word, especially in the case of numbers 16–19.
- **Uno** drops the final **-o** before a masculine singular noun, ***un* estudiante**. This also happens with the number 21: *veintiún* **estudiantes**. **Una** remains the same: ***una* estudiante** or *veintiuna* **sillas**.

 P-19 En la clase. In this classroom, there are many things and people. Describe what you see to your classmate and write the numbers.

MODELO: 13 libros de español
trece libros de español

1. 1 profesor _____
2. 27 estudiantes _____
3. 20 mochilas _____
4. 15 cuadernos _____
5. 3 tizas _____

6. 12 libros _____
7. 10 bolígrafos _____
8. 29 asientos _____
9. 2 pizarrones _____
10. 21 tareas _____

P-20 Números de teléfono. Write out the following telephone numbers and practise them aloud with a classmate.

MODELO: 985-4321

Nueve ocho cinco cuatro tres dos uno

1. 862-9665 **3.** 719-4389 **5.** 285-8319 **7.** 978-7285
2. 642-8902 **4.** 356-0412 **6.** 590-1673 **8.** 439-5978

P-21 ¿Cuál es tu número de teléfono? Ask your classmate what his/her phone number is.

MODELO: —¿Cuál es tu número de teléfono?
—Mi número es el _____.

P-22 Matemáticas. Solve the following math problems. Use **y** (+) and **son** (=).

MODELO: 5 + 3 = 8

Cinco y tres son ocho.

1. 4 + 9 = **5.** 15 + 5 =
2. 5 + 7 = **6.** 27 + 3 =
3. 3 + 1 = **7.** 8 + 8 =
4. 18 + 7 = **8.** 21 + 3 =

The Verb Form *hay*

A useful Spanish verb form is **hay**, which means *there is* and *there are* (or *is there* and *are there* in questions). Use **hay** to indicate the existence of people, places, and things; remember that *a singular or plural noun may follow* **hay**.

—¿Cuántas personas **hay** en tu clase de español?	*How many persons **are there** in your Spanish class?*
—**Hay** una profesora y veintisiete estudiantes.	***There is** a teacher and twenty-seven students.*
—¿**Hay** unos estudiantes japoneses?	***Are there** some Japanese students?*
—No **hay** japoneses, pero **hay** tres estudiantes de Taiwán.	***There are** no Japanese students, but **there are** three from Taiwan.*

How to make a sentence negative

To negate a Spanish sentence, place the word **no** in front of the verb.

—¿**No hay** europeos en tu clase?	***Aren't there** Europeans in your class?*
—Sí, hay una, pero ella **no es** estudiante. ¡Es la profesora!	*Yes, there is one, but **she's not** a student. She's the teacher!*

¡Practiquemos!

P-23 En la mochila. Tell a classmate what you have in your backpack and show it to him/her.

MODELO: *En la mochila, hay un lápiz, hay dos bolígrafos, hay cuatro libros, hay tres cuadernos, hay dos tareas, hay un borrador...*

P-24 ¿Y usted? State some facts about your province, city, school, and Spanish class.

MODELO: *En mi provincia no hay montañas.*

1. En mi provincia hay (no hay)...
   a. montañas.
   b. ciudades *(cities)* importantes.
   c. islas *(islands)*.
   d. un océano.
   e. un mar *(sea)*.
   f. un río *(river)* importante.

2. En mi ciudad hay (no hay)...
   a. un restaurante cubano.
   b. una cafetería mexicana.
   c. dos restaurantes italianos.
   d. un supermercado *(supermarket)*.
   e. estudiantes internacionales.
   f. un equipo de fútbol *(soccer team)*.

3. En mi universidad hay (no hay)...
   a. un gimnasio.
   b. una cafetería.
   c. un laboratorio de lenguas *(language lab)*.
   d. clases de japonés.
   e. profesores internacionales.
   f. estudiantes internacionales.

4. En mi clase de español hay (no hay)...
   a. exámenes.
   b. computadoras.
   c. mapas en español.
   d. centroamericano-canadienses.
   e. chileno-canadienses.
   f. tizas y borradores.

¡Practiquemos más!

For additional practice on the material covered in this chapter, go to **Lección preliminar** of the *Intercambios* *Workbook/Laboratory Manual*.

For additional grammar, vocabulary, and conversation practice, go to **Lección preliminar** of the *Flex-Files*.

Atajo *Writing Assistant Software for Spanish* can be used to complete the writing activities in your *Workbook/Laboratory Manual*.

Intercambios *Video:* Activities to accompany the *Intercambios* *Video* can be found in the *Flex-Files*.

Visit *Intercambios* on the World Wide Web at **http://www.intercambios.nelson.com**.

ASÍ SE DICE

Sustantivos *Nouns*
el día *day*
el (la) estudiante *student*
el (la) profesor(a) *professor*

Para saludar *To greet*
Buenos días. *Good morning.*
Buenas tardes. *Good afternoon.*
Buenas noches. *Good night.*
¡Hola! *Hello! Hi!*
¿Qué tal? *What's up?*

Para contestar *To answer greetings*
Estoy muy bien. *I'm very well.*
Estoy más o menos. *I'm not so well.*
Estoy mal. *I'm not well.*
Bien, gracias. *Fine, thanks.*

Para despedirse *To say good-bye*
¡Adiós! *Good-bye!*
¡Chao! *Bye!*

Para conocer a la gente *To meet people*
¿Cómo te llamas? *What is your name?*
Me llamo... *My name is . . .*
¿De dónde eres? *Where are you from?*
Soy de... *I'm from . . .*
¿Cómo estás? *How are you?*

Ciudadanía *Nationality*
Caribeños *Caribbeans*
cubano(a) *Cuban*
dominicano(a) *Dominican*
puertorriqueño(a) *Puerto Rican*

Centroamericanos *Central Americans*
costarricense *Costa Rican*
guatemalteco(a) *Guatemalan*
hondureño(a) *Honduran*
nicaragüense *Nicaraguan*
panameño(a) *Panamanian*
salvadoreño(a) *Salvadoran*

Norteamericanos *North Americans*
canadiense *Canadian*
estadounidense *from the United States*
mexicano(a) *Mexican*

Sudamericanos *South Americans*
argentino(a) *Argentinean*
boliviano(a) *Bolivian*
brasileño(a) *Brazilian*
chileno(a) *Chilean*
colombiano(a) *Colombian*
ecuatoriano(a) *Ecuadorian*
paraguayo(a) *Paraguayan*
peruano(a) *Peruvian*
uruguayo(a) *Uruguayan*
venezolano(a) *Venezuelan*

Europeos *Europeans*
alemán (alemana) *German*
español(a) *Spanish*
francés (francesa) *French*
griego(a) *Greek*
inglés (inglesa) *English*
portugués (portuguesa) *Portuguese*

Medio-orientales *Middle Easterners*
iraní *Iranian*
iraquí *Iraqi*
israelí *Israeli*
libanés (libanesa) *Lebanese*

Africanos y asiáticos *Africans and Asians*
chino(a) *Chinese*
coreano(a) *Korean*
guineo(a) ecuatorial *Equatorial Guinean*
japonés (japonesa) *Japanese*

Para comunicarse en la clase *To communicate in the class*
Abra. *Open.*
Cierre. *Close.*
Dígale a su compañero(a)... *Tell your male/female classmate . . .*
Escriba. *Write.*
Escuche. *Listen.*
Háblele a... *Speak to . . .*

Lea. *Read.*
Levántese. *Stand up.*
Mire. *Look.*
Muéstreme. *Show me.*
Pregúntele a su compañero(a)... *Ask your male/female classmate . . .*
Siéntese. *Sit down.*

Objetos de la clase *Objects from the class*
el asiento *seat*
el basurero *trash can*
el bolígrafo *pen*
el borrador *eraser*
el cuaderno *notebook*
el escritorio *desk*
la hoja de papel *piece of paper*
el lápiz *pencil*
el libro *book*
la luz *light*
la mochila *backpack*
la página *page*
el pizarrón *blackboard*
la silla *chair*
la tarea *homework*
la tiza *chalk*

Expresiones *Expressions*
¿Cómo se dice...? *How do you say. . . ?*
Se dice... *You say. . .*
¿Qué significa...? *What's the meaning of. . . ?*
Significa... *It means . . .*
hay *there is/are*
¿Dónde? *Where?*
¿Qué? *What?*
¿Cuál es tu número de teléfono? *What's your telephone number?*

Los números *Numbers*
(See page 17.)

Nuevos amigos en México

CANADÁ

ESTADOS UNIDOS

Océano Atlántico

MÉXICO

Golfo de México

CUBA   REP. DOM.

HAITÍ   PUERTO RICO

BELICE

GUATEMALA   HONDURAS

EL SALVADOR   NICARAGUA

Mar Caribe

Océano Pacífico   COSTA RICA

PANAMÁ   VENEZUELA

COLOMBIA

ESTADOS UNIDOS

Monterrey

Saltillo

MÉXICO

Golfo de México

Guadalajara

Ciudad de México   Cancún

EL SALVADOR

NICARAGUA

Océano Pacífico

NEL

Jóvenes del D.F.

Faro de Comercio y Catedral, Monterrey, México

La Pirámide de la Luna, Teotihuacán, México

Tres estudiantes canadienses, Pierre Lemieux, Lisa Turner y Sara Chang, conocen a los estudiantes mexicanos Francisco Ramírez, su hermana Marina Ramírez y su amigo Emiliano Guzmán en Monterrey. Emiliano le presenta a Lisa a su tío mientras Francisco invita a Sara a una conferencia del escritor mexicano Carlos Fuentes.

LECCIÓN 1
¡Bienvenidos a Monterrey!

▧ ENFOQUE ▧

■ COMMUNICATIVE GOALS

You will be able to greet others, introduce yourself and others, and describe yourself and your family.

■ LANGUAGE FUNCTIONS

Greeting others
Introducing yourself and others
Saying where you and others are from
Describing people
Saying good-bye

■ VOCABULARY THEMES

Greetings
Personal introductions
Personal titles
Leave-taking expressions

■ GRAMMATICAL STRUCTURES

Subject pronouns
Present tense of the verb **ser**
Agreement of descriptive adjectives

■ CULTURAL INFORMATION

Customs for greeting and meeting others
Addressing others: **tú** and **usted**

■ CULTURAL CHALLENGE

When you are visiting a Spanish-speaking country and a person wants to introduce you to another person, what form, **tú** or **usted (Ud.)**, will that person use? When and with whom do you use these two forms?

Why is it important for you to be introduced by a respected person to a new group?

EN CONTEXTO  CD1 - 18, 19

En la cafetería de la universidad, en Monterrey, México. [1]

FRANCISCO:	Buenas tardes, Sara. Me llamo Francisco Ramírez. Soy el hermano de Marina.
SARA:	Mucho gusto°, Francisco.
FRANCISCO:	El gusto es mío°. Éste es° mi compañero de clase, Emiliano Guzmán.
SARA:	Encantada°. Me llamo Sara Chang. Soy de Vancouver, en Canadá. ¿De dónde son ustedes?
EMILIANO:	Francisco es de Monterrey y yo soy de la capital, la Ciudad de México.
SARA:	Mi compañero de clase° se llama Pierre Lemieux.
FRANCISCO:	Encantado, Pierre. ¿Eres de Canadá?
PIERRE:	Sí, soy de Montreal.
LISA:	Y yo soy de Toronto. Me llamo Lisa Turner. Soy estudiante de negocios.
FRANCISCO Y EMILIANO:	Hola. Bienvenidos° a Monterrey.

(Más tarde)

LISA:	Los muchachos son muy simpáticos.
SARA:	Sí, ¡y Francisco es muy guapo!

Mucho gusto. *Nice to meet you.*
El gusto es mío. *The pleasure is mine.*
Éste es *This is*
Encantada(o) *Delighted*
compañero(a) de clase *classmate*
Bienvenidos *Welcome*

Nota de texto

Monterrey is the capital of the state of Nuevo León. It has a population of 2,154,441 and is located in north-eastern Mexico, 962 kilometres north of Mexico City, but only 240 kilometres from the United States border. The North American Free Trade Agreement (NAFTA) has positioned Monterrey as an important financial, cultural, and industrial bridge between Mexico and the international community since it is considered a principal link between the Mexican and the United States border.

■ Conexión cultural

¿Sabías que *(Did you know that)* existe una comunidad de menonitas de origen canadiense en México? Emigraron al norte de México entre 1920 y 1940. Los descendientes de ellos inmigraron a Canadá en los años 80 y 90.

1-1 ¿Comprendió usted? Read each statement. Then answer **cierto** (*true*) or **falso** (*false*). If the statement is false, correct it according to what you read.

1. Sara es de México.
2. La familia Ramírez es colombiana.
3. Monterrey es la capital de México.
4. Lisa es estudiante de matemáticas.
5. Emiliano es amigo de Francisco.

VOCABULARIO esencial

In this section you will learn how to greet people and make introductions.

Para saludar y conocer a la gente   *(To greet and meet people)*
Situaciones formales

Más saludos

Encantado. (men say this)	*Delighted.*
Encantada. (women say this)	*Delighted.*
Mucho gusto.	*Nice to meet you.*
El gusto es mío.	*The pleasure is mine.*
Quiero presentarte a mi amigo(a)...	*I want to introduce you to my friend . . .*

¡Practiquemos!

1-2 ¡Mucho gusto, profesor(a)! Your instructor is going to greet you, ask your name, and ask where you are from. Answer him/her, using the following example and phrases appropriately.

MODELO: —Buenas tardes. Soy Javier Gómez. ¿Cómo se llama usted?
—*Me llamo Pierre Lemieux.*
—Encantado, Pierre.
—*Mucho gusto, profesor.*
—El gusto es mío. ¿De dónde es usted?
—*Soy de Montreal, Quebec, en Canadá.*

Personal titles

The following personal titles and their abbreviations are used in formal interactions between people.

señor (Sr.)	*Mr., sir*	**doctor (Dr.)**	*Doctor (male)*
señora (Sra.)	*Mrs., ma'am*	**doctora (Dra.)**	*Doctor (female)*
señorita (Srta.)	*Miss*		

Some Spanish speakers use the titles **don** and **doña** when speaking or referring to a highly esteemed or older person. These two titles are used with the first name of a man **(don)** or a woman **(doña)** to convey a feeling of affection and respect, while maintaining formality.

Buenas tardes, don Ernesto.	*Good afternoon, Ernesto.*
Buenas noches, doña Carmen.	*Good evening/night, Carmen.*

Situaciones informales

¡Practiquemos!

1-3 ¡Hola! ¿Qué tal? Greet several of your classmates and introduce yourself to them by modifying the following conversation.

ENRIQUE: ¡Hola! ¿Qué tal?
LISA: Bien. ¿Y tú?
ENRIQUE: Muy bien, gracias. Me llamo Enrique. ¿Cómo te llamas?
LISA: Me llamo Lisa.
ENRIQUE: Mucho gusto, Lisa.
LISA: El gusto es mío. ¿De dónde eres, Enrique?
ENRIQUE: Soy de Caracas, Venezuela. ¿Y tú, Lisa?
LISA: Soy de Toronto, Ontario, en Canadá.

A: ¡Hola! ¿Qué tal?
B: _____. ¿Y tú?
A: _____, gracias. Me llamo _____. ¿Cómo te llamas?
B: _____.
A: ¡Mucho gusto!
B: _____. ¿De dónde eres, _____?
A: Soy de _____. Y tú, ¿_____?
B: _____.

1-4 En una recepción. Imagine that you are attending a reception for students and faculty at a Mexican university. Create short conversations with one or more classmates, using the following cues.

1. **A:** ¡Hola! ¿Qué tal?
   B: _____. ¿Y_____?
   A: _____, gracias.

2. **A:** ¡Hola! Me llamo _____. ¿Y tú?
   B: Me llamo _____.
   A: _____.
   B: _____.

3. **A:** ¿De dónde eres?
   B: Soy de _____. ¿Y tú?
   A: Soy de _____.

4. **A:** ¡Hasta mañana!
   B: _____.

1-5 Los amigos. Introduce one of your friends to a classmate, following the model.

MODELO: LISA: *Nancy, quiero presentarte a Enrique.*
NANCY: *¡Hola, Enrique!*
ENRIQUE: *¡Hola! Mucho gusto, Nancy.*
NANCY: *¡Encantada!*

A: _____, quiero presentarte a _____.
B: ¡Hola, _____!
C: ¡_____! _____, _____.
B: ¡Encantado(a)!

CULTURA

■ Saludos entre amigos y conocidos

En general, la gente hispana es bastante amigable, afectuosa (*affectionate*) y respetuosa con otras personas en situaciones sociales o de negocios (*business*). Cuando una persona saluda a otra por primera vez (*first time*), generalmente le da la mano; por ejemplo, dos jóvenes del sexo opuesto. Pero si desarrollan una amistad (*develop a friendship*), se saludan con un abrazo (*hug*) y un beso en la mejilla (*a kiss on the cheek*). Los jóvenes del mismo sexo, si son varones (*males*), también se dan la mano la primera vez y después es común un abrazo acompañado de una leve palmadita en la espalda (*light tap on the shoulder*); si son mujeres (*females*), se dan un beso.

Estas dos mujeres estudian en la universidad y son amigas.

Los hombres y las mujeres de negocios cuando son presentados (*introduced*) por primera vez, dicen sus nombres completos mientras (*while*) se dan la mano. Saludar con la cabeza (*head*) o con un movimiento de las manos no es suficiente; de hecho (*in fact*), si tú no le das la mano a una persona de origen hispano cuando te la presentan, él o ella puede pensar que eres poco amistoso (*unfriendly*), o maleducado (*ill-mannered*).

En una conversación, los hispanos se acercan más (*get closer*) a la otra persona que de costumbre en Norteamérica. Echarse atrás (*backing away*) puede interpretarse como rechazo (*rejection*). No debes sorprenderte si un conocido (*acquaintance*) o amigo hispano te toca (*touch*) el brazo (*arm*) durante la conversación.

La familia y los amigos son muy importantes para la cultura hispánica. Por esta razón, cuando una persona de respeto presenta a otra como buen amigo o buena amiga a un grupo, el grupo tiende a respetar y a recibir bien a esta nueva persona.

Estas dos personas son hombres de negocios de México.

GRAMÁTICA esencial

Subject Pronouns and Present Tense of *ser*
What are verbs and subject pronouns?

In this section, you will learn to refer to people and indicate where they are from.

A verb is a word that expresses action (e.g., *speaks*) or indicates a state of being (e.g., *is*). A subject pronoun identifies who performs the action of a verb (e.g., ***She** studies in Mexico.*). Study the Spanish subject pronouns along with the present-tense forms of the verb **ser** *(to be)*. Then read how they are used in the examples that follow.

ser *(to be)*		
Singular		
(yo)	soy	*I am*
(tú)	eres	*you are (informal)*
(usted, él, ella)	es	*you are (formal); he/she is*
Plural		
(nosotros/nosotras)	somos	*we are*
(vosotros/vosotras)	sois	*you are (informal)*
(ustedes, ellos/ellas)	son	*you are, they are*

The latin root for **ser** is *essere*, which is like *essence* in English. These are some of the uses of the verb **ser:**

1. Origin
In the following conversation the verb **ser** expresses origin:

—¿De dónde **eres,** Jacques?　　*Where **are you** from, Jacques?*
—**Soy** del sur de Francia.　　*I'm from southern France.*
—Mi familia **es** de Toronto.　　*My family is from Toronto.*
—¡Mi papá **es** de Montreal!　　*My Dad **is** from Montreal!*

2. Nationality
The verb **ser** is also used when expressing nationality:

—Usted y yo **somos** canadienses.　　*You and I **are** Canadian.*
—Ustedes **son** estadounidenses.　　*You **are** from the United States.*

3. Profession or occupation
In the following case, the verb **ser** is used to state one's occupation or profession:

—¿**Eres** estudiante?　　*Are **you** a student? (informal)*
—Sí, **soy** estudiante de francés.　　*Yes, **I'm** studying French.*

—¿**Es** Ud. profesor de español?   ***Are you*** *a professor of Spanish? (formal)*
—Sí, **soy** profesor de español.   *Yes,* ***I'm*** *a professor of Spanish.*

4. Characteristics

The verb **ser** is used to describe personality traits and physical characteristics:

—¿Cómo **eres**?   *How do you describe yourself? (What **are***
                     you *like?)*

—**Soy** trabajador y también **soy**   ***I'm*** *a hardworking person and* ***I'm*** *also*
muy simpático.   *very nice.*

5. Happenings

The verb **ser** is also used to express where events take place.

La clase de español **es** en el salón   *The Spanish class* ***is*** *in room number 15.*
número 15.

> **"**El tiempo es oro**"**. *Anónimo*

How to use subject pronouns

1. In Latin America, **ustedes** is the plural form of both **tú** and **usted.**
2. **Ellos** can refer to males or to a group of males and females; **ellas** refers only to a group of females.
3. Because Spanish verb endings usually indicate the subject of a sentence, subject pronouns (e.g., **yo**, **ella**, **ustedes**) are used less often than in English. However, Spanish speakers do use subject pronouns to clarify or to emphasize the subject of a sentence.

   —¿Son **ustedes** de México?   *Are* ***you*** *from Mexico?*
   —No, señor. Somos de Centroamérica.   *No, sir. We're from Central*
   Ella es de Nicaragua y **yo** soy   *America.* ***She*** *is from Nicaragua*
   de Honduras.   *and* ***I*** *am from Honduras.*

4. In most of Spain, the plural form of **tú** is **vosotros** (referring only to males or to a mixed group of males and females) and **vosotras** (referring only to females).

   Enrique y Luisa, ¿de dónde **sois**   *Enrique and Luisa, where* ***are you***
   voso**tro**s?   *from?*
   Alicia y Beatriz, ¿de dónde **sois**   *Alicia and Beatriz, where* ***are you***
   voso**tra**s?   *from?*

5. In Central America and the Andean region, children often address their parents as **usted**. In Argentina, Uruguay, Paraguay, some parts of Chile, Ecuador, Colombia, and most of Central America, most Spanish speakers use **vos** instead of **tú**. You will be perfectly understood, however, if you use the **tú** form.

¡Practiquemos!

1-6 ¿Quiénes son? *(Who are they?)* Complete the following sentences with appropriate names and the correct verb form: **es** or **son**.

MODELO: _____ → un actor famoso

Benicio del Toro es un actor famoso.

Persona(s)		**Profesión**

1. _____ → un actor famoso
2. _____ → dos actrices famosas
3. _____ → artistas importantes
4. _____ → unos profesores interesantes
5. _____ → un jugador *(player)* de béisbol latinoamericano
6. _____ → un primer ministro muy inteligente
7. _____ → un jugador *(player)* de fútbol
8. _____ → una escritora *(writer)* famosa

1-7 ¿De dónde son? Say where Lisa, her new friends, and some people you know are from, using appropriate forms of the verb **ser**. Express their nationality.

MODELO: Francisco → Monterrey, México

Francisco es de Monterrey, México. Es mexicano.

1. Lisa, tú → Toronto, Ontario
2. Los Ramírez → Monterrey, México
3. Sara Chang → Vancouver, Columbia Británica
4. mi profesor(a) → ?
5. yo → ?
6. nosotros → ?

1-8 ¿Y usted? Complete the following sentences, adding information that applies to you and your parents. Report to the class.

Me llamo _____. Soy de _____. Mi papá se llama _____ y mi mamá se llama _____. Mi papá es de _____ y mi mamá es de _____.

1-9 Entrevista. Interview one of your classmates and report the information gathered to the class. Introduce your classmate to the class.

MODELO: *¿Cómo te llamas?*
¿De dónde eres?
¿Eres estudiante?
REPORTE: *Él/Ella se llama _____. Es de _____ y es estudiante/profesor(a).*

1-10 **¿Dónde** *(Where)* **es la clase?** Your friend Alfredo/Marisa (a classmate) is new to your school and you need to tell him/her the rooms where the following classes take place.

MODELO: la clase de español / salón 24

ALFREDO/MARISA: *¿Dónde es la clase de español?*

TÚ: *La clase es en el salón 24.*

1. la clase de matemáticas / salón 13
2. la clase de biología / salón 7
3. la clase de negocios *(business)* / salón 28
4. la clase de ciencias / salón 14

CULTURA

 CD1 - 25, 26

■ "Tú" o "usted" para dirigirse a otros

Cuando una persona de habla hispana se dirige *(addresses)* a otra persona usa "tú" o "usted". "Tú" es el modo informal de dirigirse a alguien *(someone)*. En general debes usar "tú" cuando conoces a alguien como un amigo, un hermano, una persona de tu misma edad o posición social, un niño o un compañero de clase. En las actividades orales de *Intercambios* usa "tú" para dirigirte a tu compañero o compañera de clase.

"Usted" (abreviado Ud.) es el modo formal para dirigirse a otra persona. Debes usar "usted" con personas con títulos como señor(a), señorita, doctor(a) y profesor(a). Generalmente, los hispanos usan "usted" cuando se dirigen a otra persona que no conocen muy bien, una persona mayor *(older)* que ellos y una persona en posición de autoridad como por ejemplo, un padre *(a parent)*, un supervisor, un juez *(judge)*, el gerente *(manager)* de un banco etc.

Si tú no estás seguro(a) de cuándo debes dirigirte a alguien con "tú" o "usted", es mejor *(better)* usar "usted". Al empezar *(when starting)* una relación de negocios siempre *(always)* usa "usted" si la otra persona no te dice lo contrario, como por ejemplo: "puedes tutearme" (*"you can use the tú form with me"*). Tutearse es cuando las personas se tratan de "tú".

¿Qué debes usar con estas personas, "tú" o "usted"?

1. Tu profesor
2. Tu compañero(a) de clase
3. Tu hermana
4. Tu amigo
5. Una persona que no conoces muy bien
6. Un viejo amigo
7. Tu abuelo
8. Tu novio(a)
9. El presidente de la universidad
10. Una señora de 50 años

GRAMÁTICA ESENCIAL

Agreement of Descriptive Adjectives

In this section you will learn how to describe people more accurately.

Adjectives **(generoso, inteligente)** are words that describe nouns **(amigo)** or pronouns **(ellos, ellas)**. In Spanish, descriptive adjectives must match the gender (masculine or feminine) and number (singular or plural) of the noun or pronoun they describe.

How to match adjectives with their nouns

1. Adjectives ending in **-o** change to **-a** to indicate feminine gender, and add **-s** to indicate plural.

	Singular	Plural	
Masculine	amigo generoso	amigos generosos	generous friends (masculine)
Feminine	amiga generosa	amigas generosas	generous friends (feminine)

2. Most other adjectives (those that end in **-e** or a consonant) have only two forms, singular and plural.

Singular	Plural	
amigo (amiga) inteligente	amigos (amigas) inteligent**es**	intelligent friends (masculine/feminine)

3. When one adjective is used to describe masculine and feminine nouns together, the masculine plural form is the correct one to use.

Sara y Francisco son **estudiosos**.   *Sara and Francisco are **studious**.*

Where to place adjectives

Numerical: precedes noun	Noun	Descriptive: follows noun
2 *(dos)*	*amigos*	*generosos*

1. Most Spanish adjectives follow the nouns they describe.

los amigos **simpáticos**.   *the **nice** friends*
la clase **interesante**.   *the **interesting** class*

2. Spanish adjectives of *quantity*, however, precede the nouns they describe, as in English.

—¿Cuántos estudiantes hay en la clase?   *How many students are there in the class?*
—Hay **veinticinco** estudiantes.   *There are **twenty-five** students.*

Las características físicas

alta   baja

gordo   delgado

joven   anciano

bonita

fea

Otras características

débil	*weak*	**nuevo(a)**	*new*
fuerte	*strong*	**pelirrojo(a)**	*red-haired*
grande	*big, large*	**pequeño(a)**	*small*
guapo(a)	*good-looking, handsome/pretty*	**rubio(a)**	*blonde*
		viejo(a)	*old*
moreno(a)	*dark-complexioned*		

La personalidad

aburrido(a)	*dull, boring*	**honesto(a)**	*honest*
antipático(a)	*unpleasant*	**interesante**	*interesting*
bueno(a)	*good*	**introvertido(a)/**	*introverted/*
conservador(a)	*conservative*	**tímido(a)**	*timid*
cortés	*polite*	**liberal**	*liberal*
descortés	*impolite*	**malo(a)**	*bad*
deshonesto(a)	*dishonest/ indecent*	**mentiroso(a)**	*liar*
		perezoso(a)	*lazy*
encantador(a)	*charming*	**simpático(a)**	*nice*
estudioso(a)	*studious*	**trabajador(a)**	*hardworking*
extrovertido(a)	*extroverted*		

¡Practiquemos!

1-11 ¿Cómo son los estudiantes? Choose the best adjective to describe the students in your Spanish class.

MODELO: La profesora es (trabajador / trabajadora).
La profesora es trabajadora.

1. Joe y María son (estudiosos / estudiosas).
2. Kirsten es (encantador / encantadora).
3. John y James son (tímido / tímidos).
4. Lisa es (rubio / rubia).
5. Ed y Louise son (morenos / morenas).
6. El profesor es (conservador / conservadora).
7. Los estudiantes de fútbol son (grande / grandes).
8. Las estudiantes son (delgados / delgadas).
9. Patrick y Claire son (cortés / corteses).
10. Santiago y Chris son (pelirrojos / pelirrojas).

1-12 ¿Cómo son? Describe the following people, using the appropriate form of the adjective in parentheses. The three dots (...) indicate that you should use an appropriate adjective you know.

MODELO: Doña Carmen es una señora _simpática_.
(simpático)

1. Blanca y Ernesto González son _____. (trabajador)
2. Doña Carmen y Blanca no son personas _____. (perezoso)
3. Lisa es una persona _____. (estudioso)
4. Gerardo y Teresa son _____. (extrovertido)
5. Ernesto es _____. (fuerte)
6. La familia González es _____. (encantador)
7. Mis libros de español (no) son _____. (nuevo)
8. Mi profesor(a) de español es _____. (...)
9. Mis compañeros de clase son _____. (...)
10. Yo soy un(a) estudiante _____ y muy _____. (...) / (...)

1-13 ¿Quién es? Your instructor will describe aloud each person illustrated. Listen to each description; then write the person's name next to the appropriate number.

1. _____

2. _____

3. _____

4. _____

5. _____

6. _____

1-14 ¿Cómo es? Ask two or three of your classmates to describe the following people and places.

MODELO: tu profesor(a) de español

TÚ: *¿Cómo es tu profesor(a) de español?*

COMPAÑERO(A): *Es interesante y trabajador(a).*

1. el (la) compañero(a) de cuarto (roommate)
2. los compañeros de clase (classmates)
3. la universidad
4. la cafetería
5. el (la) profesor(a) de historia / biología / matemáticas
6. el (la) director(a) de la universidad

1-15 ¿Quién (Who) es? In a group of four, try to guess whom your classmate is describing.

MODELO: COMPAÑERO(A): *Es artista, es alta, es bonita y extrovertida...*

TÚ: *Es Jennifer López.*

COMPAÑERO(A): *Es estudioso(a), es estudiante y es pelirrojo(a).*

TÚ: *Es _____ de la clase de español.*

1-16 Opiniones personales. Speak with a classmate. One person asks the following questions, and the other answers them with his or her book closed.

1. ¿Es nuestra *(our)* universidad nueva o vieja? ¿Es bonita o fea? ¿Es conservadora o liberal?
2. ¿Cómo son los estudiantes aquí *(here)*? ¿jóvenes o ancianos? ¿corteses o descorteses?
3. Y los profesores aquí, ¿son simpáticos o antipáticos? ¿honestos o deshonestos?
4. ¿Es nuestra clase de español pequeña o grande? ¿Es buena o mala? ¿Es interesante o aburrida?
5. Y tú, ¿eres un(a) estudiante trabajador(a) o perezoso(a)? ¿Eres extrovertido(a) o tímido(a)?

1-17 La familia de Lisa. Read Lisa's description of her Mexican family. Then, fill in the chart beneath it with the appropriate information from the description.

Me llamo Lisa Turner. Soy de Toronto, Ontario, en Canadá. Tengo veintidós años y ahora soy estudiante de negocios (business) en Monterrey, México. Soy muy estudiosa y trabajadora. Aquí en Monterrey vivo con una familia muy simpática. Mi papá mexicano se llama Ernesto y mi mamá mexicana se llama Blanca. Ernesto es un hombre alto, un poco gordo, cortés, honesto y muy trabajador. Blanca es muy bonita, extrovertida, honesta y muy trabajadora también. Ella es secretaria de la universidad. Gerardo es hijo de Blanca y Ernesto, tiene veintisiete años y es profesor de contabilidad (accounting). Él es liberal, cortés, estudioso y guapo. También tienen una hija de dieciséis años que se llama Teresa. Ella es morena, delgada, alta y muy guapa. Doña Carmen es la mamá de Blanca y es muy extrovertida, conservadora y simpática. Es una familia encantadora.

La familia de Lisa Turner

Nombre	Años	Adjetivos
Lisa	22	*estudiosa, trabajadora*
Ernesto		
Blanca		
Gerardo		
Teresa		
doña Carmen		
la familia González		

1-18 Mi familia y yo. Talk to your classmate, using the cues provided and the appropriate adjectives you have learned.

MODELO: LISA: *Soy joven. No soy perezosa. ¿Y tú?*
            ENRIQUE: *Soy trabajador.*

A: Soy _____. No soy _____. ¿Y tú?

B: Soy _____. No soy muy _____.

A: Mi mamá es _____, pero no es muy _____. ¿Y tu mamá?

B: Mi madre es _____, pero no es _____. (Mi madre no vive.)
(My mother is no longer alive.)

A: Mi padre es _____ y un poco _____. ¿Y tu padre?

B: Mi papá es muy _____ y un poco _____. (No tengo padre.)

A: Mi esposo(a) es _____, pero es un poco _____. ¿Y tu novio(a)
(boy-girlfriend)/esposo(a)/hijo(a)?

B: Mi novio(a)/esposo(a)/hijo(a) es _____ pero es un poco _____.
¿Y tu novio(a)/esposo(a)/hijo(a)?

1-19 Situaciones. Get together in groups of three or four to solve the following situations.

Describa a su profesor(a) de español para convencer *(to convince)* a sus compañeros(as) de estudiar *(to study)* español.

MODELO: *El/La profesor(a) de español es simpático(a), trabajador(a), inteligente.*

Describa su universidad para convencer a sus amigos(as) de estudiar en la universidad.

Descríbales a su novio(a)/esposo(a)/hijo(a) a sus amigos(as).

Usted entrevista *(interview)* a unos compañeros de clase. La entrevista es para el periódico *(newspaper)* de la universidad. Describa a sus compañeros.

1-20 Los signos del zodíaco. Describe two or three people you know, using information from the horoscope. Express your opinions freely, as in the example.

MODELO: *Mi esposa es Libra. Ella es muy atractiva y sincera, pero no es romántica. Yo soy Tauro. Soy tolerante y agradable, pero no soy próspero y no soy extravagante.*

Aries (21 marzo–20 abril): valiente, independiente, impaciente, trabajador

Tauro (21 abril–21 mayo): tolerante, próspero, extravagante

Géminis (22 mayo–21 junio): intelectual, flexible, enérgico, intranquilo

Cáncer (22 junio–23 julio): tímido, práctico, modesto, idealista

Leo (24 julio–23 agosto): responsable, arrogante, dramático, generoso, trabajador

Virgo (24 agosto–23 septiembre): inteligente, lógico, organizado, intolerante

Libra (24 septiembre–23 octubre): atractivo, justo, sincero, romántico, tolerante

Escorpión (24 octubre–22 noviembre): nervioso, determinado, extremista

Sagitario (23 noviembre–22 diciembre): sincero, honesto, optimista, generoso

Capricornio (23 diciembre–20 enero): reservado, organizado, determinado

Acuario (21 enero–19 febrero): original, dinámico, idealista

Piscis (20 febrero–20 marzo): generoso, idealista, extrovertido, modesto, pacífico

■ RETO CULTURAL

En grupos de tres o cuatro, los estudiantes deben hablar de los siguientes (*following*) temas con sus compañeros de clase y tratar de resolver los retos:

- Vas a ir a estudiar a una universidad latinoamericana por un trimestre o semestre y vas a vivir con una familia del país que escogiste (*you chose*). ¿Quién crees que debe presentarte a la familia anfitriona (*introduce you to the host family*)? ¿Por qué?
- Acabas de conocer (*you have just met*) a la familia anfitriona. ¿Qué pronombres (tú o usted) vas a usar con el padre, la madre y los abuelos de la familia? ¿Y con los niños de la familia?
- Acabas de conocer a tus nuevos profesores y a tus nuevos compañeros de clase en tu nueva escuela. ¿Qué pronombres vas a usar para dirigirte a tus profesores o a tus compañeros de clase?
- Prepara preguntas (*questions*) que tú le harías (*you would ask*) a la familia anfitriona, a los profesores y a tus nuevos compañeros de clase? ¿Qué preguntas te harían ellos a ti?

¡Practiquemos más!

 For additional practice on the material covered in this chapter, go to **Lección 1** of the *Intercambios* Workbook/Laboratory Manual.

 For additional grammar, vocabulary, and conversation practice, go to **Lección 1** of the *Flex-Files*.

 Atajo Writing Assistant Software for Spanish can be used to complete the writing activities in your *Workbook/Laboratory Manual*.

 Intercambios Video: Activities to accompany the *Intercambios* Video can be found in the *Flex-Files*.

 Visit *Intercambios* on the World Wide Web at **http://www.intercambios.nelson.com**.

ASÍ SE DICE

▨ Para saludar y conocer a la gente *To greet and meet people*
Hola. ¿Qué tal? *Hi. What's up?*
Bien. Gracias. *Fine. Thank you.*
Buenos días. *Good morning.*
Buenas tardes. *Good afternoon.*
Buenas noches. *Good evening/night.*
¿Cómo te llamas? *What is your name? (informal)*
¿Cómo se llama usted (Ud.)? *What is your name? (formal)*
Me llamo... *My name is . . .*
Quiero presentarte a mi amigo(a)... *I want to introduce you to my friend . . .*
Encantado(a). *Delighted.*
Mucho gusto. *Nice to meet you.*
El gusto es mío. *The pleasure is mine.*
¿Cómo está Ud.? *How are you? (formal)*

▨ Para despedirse *To say good-bye*
¡Hasta luego! *See you soon!*
¡Hasta mañana! *See you tomorrow!*

▨ Títulos personales *Personal titles*
señor (Sr.) *Mr., sir*
señora (Sra.) *Mrs., ma'am*
señorita (Srta.) *Miss*
doctor (Dr.) *Doctor (male)*
doctora (Dra.) *Doctor (female)*
don *Mr. (to show respect to an elder)*
doña *Mrs. (to show respect to an elder)*

▨ Características físicas *Physical characteristics*
alto(a) *tall*
anciano(a) *elderly*
bajo(a) *short (in height)*
bonito(a) *pretty*
débil *weak*
delgado(a) *thin*
feo(a) *ugly*
fuerte *strong*
gordo(a) *fat*
grande *big, large*
guapo(a) *good-looking, handsome/pretty*
joven *young*
moreno(a) *dark-complexioned*
nuevo(a) *new*
pelirrojo(a) *redhead*
pequeño(a) *small*
rubio(a) *blonde*
viejo(a) *old*

▨ Características personales *Personality traits*
aburrido(a) *dull, boring*
antipático(a) *unpleasant*
bueno(a) *good*
conservador(a) *conservative*
cortés *polite*
descortés *impolite*
deshonesto(a) *dishonest/indecent*
encantador(a) *charming*
estudioso(a) *studious*
extrovertido(a) *extroverted*
honesto(a) *honest*
interesante *interesting*
introvertido(a) *introverted*
liberal *liberal*
malo(a) *bad*
mentiroso(a) *liar*
perezoso(a) *lazy*
simpático(a) *nice*
tímido(a) *timid*
trabajador(a) *hardworking*

▨ Pronombres *Pronouns*
yo *I*
tú *you (informal)*
él *he*
ella *she*
Ud. *you (formal)*
nosotros(as) *we*
vosotros(as) *you (informal)*
ellos(as) *they*
usted(es) *you (formal)*

▨ Verbo *Verb*
ser *to be*
(soy, eres, es, somos, sois, son)

▨ Preguntas *Questions*
¿Cómo? *How? What?*
¿Cómo es/eres? *What are you like?*
¿De dónde? *From where?*
¿De dónde es/eres? *Where are you from?*
¿Dónde? *Where?*
¿Dónde es... ? *Where is . . . ? (event taking place)*
¿Quién? *Who?*
¿Quién es? *Who is?*

▨ Otras palabras *Other words*
bien *well, fine*
con *with*
mi(s) *my*
muy *very*
y *and*

▨ Expresión *Expression*
¡Bienvenido(a)! *Welcome!*

LECCIÓN 2
¿Te gusta estudiar y trabajar en la universidad?

▨ ENFOQUE ▨

■ COMMUNICATIVE GOALS

You will be able to learn more about your classmates and their daily activities in the class as well as in the job market.

■ LANGUAGE FUNCTIONS

Saying your telephone number
Saying your age and address
Stating ownership
Expressing likes and dislikes
Describing daily activities

■ VOCABULARY THEMES

Classmates and friends
Academic and job-related subjects
Home/Office terms
Colours
Numbers 31–100
Idioms with **tener (años, calor, frío, hambre, sed, sueño)**

■ GRAMMATICAL STRUCTURES

Present tense of the verb **tener**
Possessive adjectives
Possession with **de(l)**
Present tense of regular **-ar** verbs
Me gusta + infinitive/**No me gusta** + infinitive

■ CULTURAL INFORMATION

University life in Spain and Latin America

■ CULTURAL CHALLENGE

Discuss the similarities and differences among students from Spain, Latin America, and Canada in relation to the following topics: students' living quarters, duration of studies, scholarships, work during courses.

EN CONTEXTO

CD1 - 30, 31

Lisa y Emiliano están en un parque en Monterrey. Hablan° de México, de la universidad y de la comida. [1]

EMILIANO:	¿Te gusta° México, Lisa?
LISA:	Sí, me gusta° mucho. Todo el mundo es cortés y la vida es muy dinámica. La gente es muy simpática, pero° ¡los mexicanos hablan rápido! Necesito escuchar° con cuidado.
EMILIANO:	¿Estudias mucho?
LISA:	Sí, tengo una clase de contabilidad° y una clase de negocios° internacionales. También enseño inglés en una escuela privada. Todos los días camino° a la universidad y después necesito trabajar° en la escuela. No tengo tiempo para descansar. Ahora tengo sueño y también tengo sed.
EMILIANO:	¿Tienes hambre también? ¿Te gusta la comida mexicana? Cuando Francisco y yo tenemos hambre visitamos el restaurante de mi tío Eduardo. Allá compramos° tacos y tamales.
LISA:	¡Qué padre! ¡Vamos, pues°! (*Ellos caminan al restaurante.*) ¿Tienes° muchas cosas en tu mochila°, Emiliano?
EMILIANO:	Sí, tengo° mis bolígrafos, mis cuadernos, mi libro de estadística°, mi libro de computación, mi computadora y cinco discos compactos. Me gusta escuchar música cuando estudio. Nuestros profesores son muy trabajadores y nosotros también trabajamos mucho.... Ah, llegamos al restaurante. (*Un señor está en la puerta° del restaurante.*) Éste es mi tío, Eduardo Guzmán.
TÍO EDUARDO:	Es un placer, señorita.
LISA:	Encantada, señor.
TÍO EDUARDO:	Pase adelante. ¿Es la estudiante de Canadá?
LISA:	Sí, señor, soy de Canadá.
EMILIANO:	¿Tomamos° un café, Lisa? ¿Compramos tacos y tamales?
LISA:	Sí, y después llamo por teléfono a Sara. Ella estudia con Francisco para el examen de ciencias políticas.

Hablan... They speak
Te gusta... Do you like
me gusta... I like it
pero... but
escuchar... to listen to
contabilidad... accounting
negocios... business
camino... I walk
trabajar... to work
compramos... we buy
pues... then
Tienes... Do you have
la mochila... backpack
tengo... I have
la estadística... statistics
la puerta... the door
Es un placer... It's a pleasure
Tomamos... We drink

Nota de texto

Higher education in Mexico could be divided into the following main institutions:

a. Public universities that offer studies in law, the humanities, administration, medicine, and the sciences. Some of these, such as the Universidad Autónoma de San Luis Potosí (UASLP), were founded by religious orders, while others, such as the Universidad Nacional Autónoma de México (UNAM), México's largest university, were founded by the Mexican government.

b. Technological institutes or universities that offer studies in the fields of industrial, mechanical, and electrical engineering, as well as industrial maintenance, production procedures, marketing, electronics, computer science, and sometimes a bachelor's degree in business administration.

c. Private institutions have been growing rapidly due to the quick expansion of the private sector. Between 1980 and 1999 the number of students who had enrolled in private institutions tripled. There are around 320,000 students who have enrolled in these types of institutions, such as the Universidad Iberoamericana (UIA) and the Tecnológico de Monterrey (TEC), which has thirty-three campuses all over Mexico.

Tecnológico de Monterrey (TEC)

■ Conexión cultural

México es el tercer país más visitado por canadienses. Los mexicanos representan el número más grande de inmigrantes latinoamericanos en Canadá.

2-1 ¿Comprendió Ud.? Complete the following sentences with words from the conversation.

1. ¿Qué clases estudia Lisa? Ella estudia _____ y _____.

2. ¿Dónde trabaja Lisa? Ella trabaja en una _____.

3. ¿Qué visitan Francisco y Emiliano cuando tienen hambre? Ellos visitan el _____.

4. ¿Qué tiene Emiliano en su mochila? Él tiene _____.

5. ¿Qué escucha Emiliano cuando estudia? Él escucha _____.

6. ¿Cómo son los profesores de Lisa y Emiliano? Ellos son muy _____.

7. ¿Qué toman Lisa y Emiliano? Ellos toman un _____.

8. ¿Para qué examen estudian Sara y Francisco? Ellos estudian para _____.

CULTURA

 CD1 - 36, 37

La vida universitaria en Latinoamérica y España

Hay algunas similaridades entre estudiantes de países de habla española en relación a la vida universitaria:

Biblioteca, Universidad de México, México D. F.

- En Latinoamérica, la mayoría de estudiantes vive con sus padres o parientes mientras estudian en la universidad; las residencias de estudiantes no son muy comunes. En España, sin embargo, las residencias de estudiantes son más comunes y los estudiantes pueden vivir allí mientras estudian en la universidad.

- En Latinoamérica las escuelas y universidades privadas son normalmente muy caras (*expensive*) y solamente estudiantes que tienen padres con mucho dinero pueden estudiar allí. También hay instituciones públicas que son gratis (*free*) o que no son muy caras.

- Los estudiantes generalmente no trabajan durante el año escolar (*school year*). Pero muchos estudiantes tienen que trabajar en los meses de verano en internados para adquirir (*acquire*) experiencia en sus carreras.

- Cuando un(a) estudiante termina sus estudios (en 4 ó 5 años), recibe el título de "ingeniero(a)", "arquitecto(a)" o "licenciado(a)" en el área que estudió; por ejemplo, licenciado(a) en economía, licenciado(a) en administración. Si el estudiante quiere continuar sus estudios puede recibir una maestría (*Masters degree*) en su materia como por ejemplo maestría en educación. También puede ir a la escuela de medicina y recibir el título de doctor en medicina o hacer un doctorado en otra materia y obtener el título de doctor en filosofía y letras, por ejemplo.

- Las carreras técnicas toman 3 años y los estudiantes pueden graduarse con un diploma de, por ejemplo, técnico en computación.

Preguntas

1. ¿Cuáles crees que son las diferencias más grandes entre los estudiantes universitarios de Latinoamérica, España y Canadá?
2. Los estudiantes de habla española, ¿tienen similaridades con estudiantes universitarios canadienses?
3. ¿Te gustaría estudiar en el extranjero? ¿Dónde te gustaría estudiar? ¿Qué te gustaría estudiar y por qué?
4. ¿Crees que sería difícil para ti adaptarte a la vida universitaria en un país latinoamericano?

 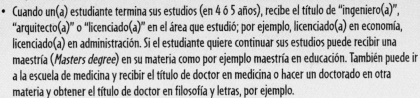

VOCABULARIO esencial

In this section, you will learn to describe your classmates and friends, name the courses you are taking, and state your address, telephone number, and age.

Los amigos

Lisa   Enrique

Enrique es **el compañero de clase** de Lisa. Lisa es **la compañera de clase** de Enrique. Enrique **tiene 28 años.** Lisa **tiene 22 años.**

Trinidad Vargas

Adriana Jaramillo

Adriana Jaramillo y Trinidad Vargas son **compañeras de cuarto.** Adriana y Trinidad **tienen 21 años.**

Adriana   Arturo

Arturo es **el novio** de Adriana. Adriana es **la novia** de Arturo. Arturo **tiene 25 años** y Adriana **tiene 21 años.**

¡Practiquemos!

2-2 Mis amigos. Complete the following sentences. Then read them to your classmate.

MODELO: Mi compañero de clase se llama *Steve.*
        Él es *bajo.*

1. Mi compañero de clase se llama _____.
   Él es _____ (moreno/rubio/pelirrojo).
2. Mi compañera de clase se llama _____.
   Ella es _____ (alta/delgada/baja).
3. Mi compañero(a) de cuarto se llama _____.
   Él (Ella) es _____ (débil/fuerte/grande).
4. Mi mejor amigo se llama _____.
   Él es _____ (guapo/feo/alto/bajo).
5. Mi mejor amiga se llama _____.
   Ella es _____ (bonita/fea/alta/baja).
6. Mi novio(a) se llama _____.
   Él (Ella) es _____ (guapo[a]/joven/delgado[a]/gordo[a]).

2-3 En mi opinión... Express your opinion, using the following descriptive words: **aburrido(a)**, **mentiroso(a)**, **simpático(a)**, **antipático(a)**, **conservador(a)**, **honesto(a)**, **deshonesto(a)**, **estudioso(a)**, **extrovertido(a)**, **tímido(a)**, **trabajador(a)**, **perezoso(a)**, **liberal**, **cortés**, **descortés**.

MODELO: *El amigo ideal es simpático y honesto.*
La novia ideal es extrovertida y romántica.

1. El (La) compañero(a) de clase ideal es...
2. El (La) amigo(a) ideal es...
3. El (La) novio(a) que **no** es ideal es...
4. El (La) compañero(a) de cuarto que **no** es ideal es...
5. La clase de español ideal es...

¿Qué cursos estudia Ud.?

Plan de estudios para la licenciatura en administración de empresas y plan de estudios para la licenciatura en relaciones internacionales

Licenciado en administración de empresas	Licenciado en relaciones internacionales	Las carreras *(Majors)*
introducción a la computación	introducción a la computación	la informática *(computer science)*
Inglés I-II-III-IV	Inglés I-II-III-IV	la ingeniería *(engineering)*
matemáticas	matemáticas	la agronomía *(agriculture)*
contabilidad	administración de empresas	Derecho *(law)*
economía	historia	los negocios *(business)*
psicología	ciencias políticas	el periodismo *(journalism)*
estadística	ecología	la arquitectura *(architecture)*
mercadotecnia	literatura	la educación *(education)*
		la medicina *(medicine)*
		los idiomas *(languages)*

¡Practiquemos!

2-4 ¿Qué cursos estudia Ud? Write a list of the courses you take at school. Ask your professor the name of some of these courses: **¿Cómo se dice _____?**

2-5 Asociaciones. Look at the list of textbooks on the following page. Identify the classes in which these books are most likely to be used.

MODELO: *Intercambios*
Es para una clase de lenguas. (**para** = *for a purpose:* **para una clase de lenguas**)

Libros de texto	Clases
1. ____ *Plantas raras de Costa Rica*	**a.** literatura
2. ____ *Las novelas de Carlos Fuentes*	**b.** ecología
3. ____ *Las teorías de Albert Einstein*	**c.** medicina
4. ____ *Introducción a Microsoft*	**d.** matemáticas
5. ____ *Cardiología*	**e.** economía
6. ____ *Historia de los negocios de Chile*	**f.** informática
7. ____ *Problemas sociales de México*	**g.** ciencias políticas

2-6 Mis estudios y mis libros. What do you study and what are the names of your books?

MODELO: Estudio *español*. Mi libro de *español* se llama ***Intercambios***.

1. Estudio _____. Mi libro de _____ se llama _____.
2. Estudio _____. Mi libro de _____ se llama _____.
3. También estudio _____. Mi libro de _____ se llama _____.

VOCABULARIO esencial

In this section you will learn the numbers 31–100.

Los números 31–100

30 treinta	y uno
40 cuarenta	y dos
	y tres
50 cincuenta	y cuatro
60 sesenta	y cinco
70 setenta	y seis
	y siete
80 ochenta	y ocho
90 noventa	y nueve
100 cien	

- Like **uno** and **veintiuno**, other numbers such as **treinta y uno**, **cuarenta y uno**, etc., drop the **-o** before a masculine noun. Before a feminine noun, **uno** changes to **una**. When counting, **uno** or **treinta y uno** remain the same.

  Cuarenta y un libros *(masculine)*   ***forty-one*** books
  Cuarenta y una revistas *(feminine)*   ***forty-one*** magazines

- After 100 the word "cien" becomes "ciento" and the "y" is not used. For example, 102 = ciento dos.

  Cien estudiantes.   ***One hundred*** students.

  > "Más vale pájaro en mano que cien volando". *Anónimo*

¡Practiquemos!

2-7 A contar. Count by fives from 30 to 100 with a classmate. Then have your classmate count by twos. Change roles when you finish so that you both practise counting.

MODELO: *Treinta, treinta y cinco, cuarenta...*
Treinta, treinta y dos, treinta y cuatro, treinta y seis...

2-8 Información personal. Talk to a classmate and ask for his/her phone number and address.

1. MODELO: —¿Cuál es tu número de teléfono?
—Es el 238-4678 *(dos, treinta y ocho; cuarenta y seis, setenta y ocho).*

   A: ¿Cuál es tu número de teléfono?
   B: _____. ¿Y tu número?
   A: _____.
   B: Gracias.

2. MODELO: —¿Cuál es tu dirección?
—*Calle Sherbrooke, número 3468 (treinta y cuatro, sesenta y ocho)*
Montreal, Quebec H1W 1C8

   A: ¿Cuál es tu dirección?
   B: _____. ¿Y tu dirección?
   A: _____.
   B: Muchas gracias.

2-9 Inventario. Your instructor wants to make an inventory of all the objects in the classroom. Read the inventory to your classmate, who then has to write out the numbers. Change the objects into the plural form.

MODELO: 45 bolígrafo
cuarenta y cinco bolígrafos

1. 60 lápiz
2. 57 asiento
3. 78 cuaderno
4. 34 tarea
5. 41 hoja de papel
6. 66 libro
7. 81 borrador
8. 75 mochila
9. 91 silla
10. 100 bolígrafo

2-10 Más matemáticas. Solve the following math problems, using **y** (+), **menos** (−), and **son** (=).

MODELO: 32 + 2 =
Treinta y dos y dos son treinta y cuatro.

1. 35 + 7 =
2. 41 + 12 =
3. 58 + 6 =
4. 53 + 3 =
5. 48 − 9 =
6. 83 − 13 =
7. 72 − 29 =
8. 67 + 11 =
9. 62 + 4 =
10. 78 + 2 =
11. 33 − 18 =
12. 79 − 47 =
13. 94 − 39 =
14. 86 + 13 =
15. 99 + 1 =

GRAMÁTICA esencial

In this section, you will learn how to state ownership and describe social relationships.

Present Tense of **tener**

One way to indicate ownership or social relationships is to use the verb **tener**, which means *to have*. Its present tense forms are as follows:

---

tener *(to have)*

Singular

(yo) **tengo**	I have
(tú) **tienes**	you have *(informal)*
(Ud., él, ella) **tiene**	you have *(formal)*; he/she has

Plural

(nosotros/nosotras) **tenemos**	we have
(vosotros/vosotras) **tenéis**	you have *(informal)*
(Uds., ellos, ellas) **tienen**	you have *(formal)*; they have

---

Tengo dos amigos en la universidad: Rosa y Pablo.

*I **have** two friends at the university: Rosa and Pablo.*

Tenemos ochenta y cinco libros en el inventario.

*We **have** eighty-five books in the inventory.*

¡Practiquemos!

2-11 **¿Qué tienen?** Tell what these persons have, using **tengo, tienes, tiene, tenemos,** or **tienen**.

MODELO: Don Ernesto *tiene* una esposa simpática.

1. Ernesto y Blanca _____ una familia pequeña.
2. La familia González _____ una casa *(house)* grande.
3. Lisa, tú _____ amigos de otros países.
4. Sara _____ padres simpáticos y trabajadores.
5. Lisa y Enrique _____ dos cursos en la universidad.
6. El profesor Gómez _____ muchos estudiantes.
7. Mis amigos y yo _____ cursos interesantes.
8. Y yo_____...

2-12 **¿Qué tenemos en la mochila?** Check your backpack and write four sentences describing the objects you have (**libros, lápices, bolígrafos, cuadernos, tareas, hojas de papel,** etc.). Try to guess the number and the items a classmate has, as well as your professor.

MODELO: *Yo tengo cinco libros y tengo quince bolígrafos y...*

2-13 **¿Y Uds.?** Ask your classmate if he/she has the following things.

MODELO: —¿Tienes un auto?
　　　　 —*Sí, tengo un Ford que es muy bueno.*
　o　 —*No, no tengo auto, pero tengo una bicicleta.*

La casa de los Ramírez

el techo　　la ventana

la casa

la puerta

el auto

la bicicleta

la motocicleta

el perro　　el gato

El dormitorio de Pierre

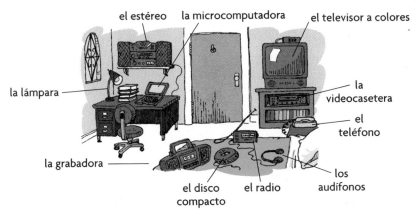

el estéreo　la microcomputadora　el televisor a colores

la lámpara

la videocasetera

el teléfono

la grabadora

los audífonos

el disco compacto　el radio

La oficina del profesor Gómez

la impresora

el estante de libros

la computadora

la silla

la papelera

el escritorio

Expressions with the verb *tener*

An expression, or an idiom, consists of a group of words that cannot be translated literally from one language to another. For instance, in English to do something *once in a blue moon* has nothing to do with the moon being blue, but with something rarely being done.

The following Spanish expressions consist of the verb **tener** + noun. They are usually equivalent to the English *to be* + adjective.

Expresiones con tener		
tener... años	to be . . . years old	
Lisa **tiene 22 años.**		*Lisa is 22 years old.*
tener calor	to be hot/warm	
Tenemos calor en el parque.		*We are hot at the park.*
tener frío	to be cold	
Sara **tiene frío** en las montañas.		*Sara is cold in the mountains.*
tener hambre	to be hungry	
Ellos **tienen hambre** en clase.		*They are hungry in class.*
tener sed	to be thirsty	
Cuando tengo calor, **tengo sed.**		*When I'm hot, I'm thirsty.*
tener sueño	to be sleepy	
Tengo sueño ahora.		*I'm sleepy now.*

 2-14 Y tú, ¿qué tienes? With a classmate, take turns expressing how you each feel in the following places and countries. Be sure to use the verb **tener**.

MODELO: en la clase de biología

—*Tengo sueño* por la mañana. ¿Y tú?
—*No tengo sueño* por la mañana.

1. en la clase de estadística
2. en la clase de matemáticas
3. en la clase de gimnasia
4. en el parque
5. en el desierto
6. en las montañas
7. en la playa *(beach)*
8. en Puerto Rico
9. en Canadá
10. en Panamá

2-15 ¿Cuántos años tienes? Complete the dialogue between Lisa and Enrique about their age. Then ask your classmates their age and make a graph with this information. Discuss the results with the whole class.

LISA: Enrique, ¿cuántos años _____?
ENRIQUE: _____ años. ¿Y tú?
LISA: _____.

A: ¿Cuántos _____?
B: _____. ¿Y tú?
A: _____.

Possessive Adjectives

Another way to indicate ownership or possession is to use possessive adjectives. Possessive adjectives always precede the noun they modify.

Mis compañeras de cuarto son estudiosas.　　　*My roommates are studious.*
Sus profesores son trabajadores.　　　*Their professors are hardworking.*

In Spanish, possessive adjectives must match the gender (masculine or feminine) and number (singular or plural) of the nouns they describe.

1. The possessive adjectives **mi**, **tu**, and **su** have two forms: singular and plural.

	Singular	Plural
my	**mi** amigo(a)	**mis** amigos(as)
your (informal)	**tu** compañero	**tus** compañeros
his, her, its, your (formal), *their*	**su** profesor(a)	**sus** profesores(as)

2. The possessive adjectives **nuestro** *(our)* and **vuestro** *(your)* have four forms: masculine, feminine, singular, and plural. In Spain, **vuestro(a)** *(your)* is used to express the possessive of more than one person in a familiar way; in Latin America, **su** is used instead.

	Masculine	Feminine
Singular	**nuestro** compañero / **vuestro** compañero	**nuestra** profesora / **vuestra** profesora
Plural	**nuestros** compañeros / **vuestros** compañeros	**nuestras** profesoras / **vuestras** profesoras

¡Practiquemos!

CD1 - 34

2-16 ¿De quién? *(Whose?)* Using the information provided, identify the owner of the different objects.

MODELO: Pierre tiene tres cuadernos nuevos.
　　　　　Son sus cuadernos nuevos.

1. Enrique tiene dos motocicletas.
2. El profesor Gómez tiene dos clases de negocios.
3. Tú y Ramiro tienen una clase de matemáticas interesante.
4. Yo tengo unas tareas difíciles.
5. Nosotros tenemos una casa nueva.
6. El profesor Gómez tiene un escritorio organizado.
7. Tú tienes clases importantes.
8. Nosotras tenemos un auto.

2-17 Entre amigos *(Among friends).* Complete the following conversation by describing possession with **mi(s)**, **tu(s)**, or **nuestro(a)(s)**.

LISA: ¿Es grande _____ familia, Enrique?

ENRIQUE: No, _____ familia es pequeña. Somos cinco personas en _____ casa en Venezuela. Y, ¿cómo es _____ familia, Lisa?

LISA: En _____ casa en Toronto somos nueve: _____ padres *(parents)*, _____ tres hermanos *(brothers)*, _____ tres hermanas *(sisters)* y yo.

ENRIQUE: _____ hermanas, ¿cómo se llaman?

LISA: Jean, Karen y Sue. Son muy inteligentes. ¿Cómo se llaman _____ hermanos, Enrique?

ENRIQUE: _____ hermana se llama María Rebeca y _____ hermano se llama Tomás.

LISA: Y _____ padres, ¿son trabajadores?

ENRIQUE: Sí, son muy trabajadores y generosos.

2-18 Posesiones. Write sentences using the appropriate form of the words from each column.

MODELOS: *Nuestra clase de ecología es aburrida. / Nuestra clase de ecología no es aburrida.*

	clase de mercadotecnia		bueno
	autos		moderno
	bicicleta		violento
Nuestro	amigos		trabajador
Nuestra	primer ministro	es (no es)	progresivo
Nuestros	televisor	son (no son)	tradicional
Nuestras	universidad		dinámico
	profesores de psicología		generoso
	clases		aburrido

How to use possessive adjectives and *de*

1. The possessive adjectives **su** and **sus** are equivalent to the English *his, her, its, your, their.* The context of the sentence usually clarifies their meaning.

Aquí tiene usted **su** diccionario, profesor. Gracias.	*Here is **your** dictionary, professor. Thank you.*
¿Tienen **sus** exámenes?	*Do you have **your** tests?*

2. You can clarify or emphasize the meaning of **su** and **sus** by using the word **de** with a subject pronoun: **(de él, de ella, de Ud., de ellos, de ellas, de Uds.).**

Blanca es la mamá **de ella**, no **de él**.   *Blanca is **her** mum, not **his**.*

3. English speakers express possession by attaching an *'s* to a noun. Spanish speakers show this same relationship by using **de** with a noun.

Adriana es la compañera de cuarto **de** Trinidad.   *Adriana is Trinidad's roommate.*

¡Practiquemos!

2-19 Clarificar. Clarify the following potential owners by using the possessive with **de**.

MODELO: Es su oficina. (el profesor Gómez)
   Es la oficina del profesor Gómez.

1. Son sus cuadernos. (Luisa)
2. Son sus bolígrafos. (Ian)
3. Es su casa. (Blanca y Ernesto)
4. Son sus hojas importantes. (el profesor Miranda)
5. Son sus libros de matemáticas. (la profesora Moreno)
6. Es su clase de economía. (Santiago)

2-20 Álbum de fotos. Complete the following conversation with the verb **ser** + **del**, **de la**, **de los** o **de las**.

MODELO: LISA: ¿De quién es el auto?
   ROSA: *Es del* compañero de oficina de mi papá.

LISA: ¿De quiénes son los gatos?
ROSA: _____ amigas de mi mamá.
LISA: ¿Y el perro?
ROSA: El perro _____ amigo de papá.
LISA: ¿De quién es la casa en la foto? ¡Es una casa muy bonita!
ROSA: _____ hermana de mi mamá.
LISA: ¿Son tus amigos?
ROSA: Sí, _____ universidad.

2-21 Conversación. Ask a classmate the following questions, taking turns asking and answering.

Tus amigos *(Your friends)*

1. ¿Cómo se llama tu mejor amigo? ¿Cuántos años tiene él?
2. ¿Cómo se llama tu mejor amiga? ¿Cómo es ella? Por ejemplo, ¿es alta, simpática?
3. ¿Tienes un(a) compañero(a) de cuarto o vives en casa? ¿Cómo es él (ella)?
4. ¿Tienes novio(a) o esposo(a) *(husband/wife)* ahora? ¿Cómo se llama? ¿Cómo es él (ella)?

Tu universidad *(Your university)*

1. ¿Cuántas clases tienes?
2. ¿Qué clases tienes?
3. ¿Cuál es tu clase favorita?
4. ¿Tienes profesores interesantes?
5. ¿Cómo se llama tu profesor(a) favorito(a)?
6. Describe la oficina de tu profesor(a) favorito(a).

GRAMÁTICA esencial

In this section, you will learn how to describe some of your everyday activities.

Present Tense of Regular *-ar* Verbs
How to form the present tense

An infinitive is a nonpersonal verb form, for example, **hablar** *(to speak, to talk).* Spanish infinitives end in either **-ar** (**hablar** = *to speak*), **-er** (**comer** = *to eat*), or **-ir** (**vivir** = *to live*). All Spanish infinitives have two parts: a stem and an ending.

- To form the present tense of Spanish infinitives ending in **-ar,** drop the infinitive ending from the verb and add a personal ending to the stem.

hablar *(to speak, to talk)*	
Singular	
(yo) habl**o**	*I speak*
(tú) habl**as**	*you speak* (informal)
(Ud., él, ella) habl**a**	*you speak* (formal), *he/she speaks*
Plural	
(nosotros/nosotras) habl**amos**	*we speak*
(vosotros/vosotras) habl**áis**	*you speak* (informal)
(Uds., ellos, ellas) habl**an**	*you speak, they speak*

How to use the present tense

Spanish speakers use the present tense to express 1) what people do over a period of time, 2) what they do habitually, and 3) what they intend to do at a later time.

<table>
<tr><td>1. Lisa estudia negocios en México.</td><td>Lisa is studying business in Mexico.</td><td>por in idiomatic expressions: por la noche</td></tr>
<tr><td>2. Estudia mucho por la noche.</td><td>She studies a lot in the evening.</td><td></td></tr>
<tr><td>3. Mañana estudia con Enrique.</td><td>Tomorrow she's studying with Enrique.</td><td></td></tr>
</table>

In this lesson, you have already seen several **-ar** verbs. Study these useful verbs with the following phrases:

caminar a la universidad *to walk to the university*
llegar a clase *to arrive at class*
hablar español en clase *to speak Spanish in class*
tomar exámenes *to take tests*
escuchar música *to listen to music*
necesitar dinero *to need money*
visitar a mi familia *to visit my family*
contestar el teléfono *to answer the phone*
explicar el problema *to explain the problem*

trabajar por la noche *to work at night*
tomar un café *to drink a cup of coffee*
descansar por una hora *to rest for an hour*
estudiar en la biblioteca *to study in the library*
bailar en la fiesta *to dance at the party*
cantar canciones mexicanas *to sing Mexican songs*
comprar en la tienda *to buy in the store*
llamar por teléfono *to call on the phone*
enseñar la lección *to teach the lesson*

por = *for* (a duration of time): **por una hora**

por in idiomatic expressions: **por teléfono**

Me / Te gusta + infinitive

You may also use a special form, **(no) me / te gusta** + infinitive to say what you like or don't like.

—¿**Te gusta** bailar?   ***Do you like*** *to dance?*
—Sí, **me gusta** bailar.   *Yes,* ***I like*** *to dance.*
—No, **no me gusta** bailar.   *No,* ***I don't like*** *to dance.*
—¿**Te gusta** estudiar?   ***Do you like*** *to study?*
—Sí, **me gusta** estudiar.   *Yes,* ***I like*** *to study.*
—No, **no me gusta** estudiar.   *No,* ***I don't like*** *to study.*

¡Practiquemos!

2-22 Mis preferencias. Express your likes (**Me gusta**) and your dislikes (**No me gusta**) to a classmate.

MODELO: *Me gusta hablar por teléfono.*
No me gusta tomar exámenes.

Me gusta... *(I like . . .)* / No me gusta... *(I don't like . . .)*

tomar exámenes

hablar por teléfono

caminar con mi perro

escuchar música

estudiar con amigos

trabajar por la noche

hablar con el profesor en su oficina

estudiar en la biblioteca

2-23 Actividades. Fill in the blanks with the appropriate form of the verb to show what all these people do.

MODELO: Víctor *estudia* (estudiar) biología en la universidad.

1. Nosotros _____ (caminar) a las clases todos los días *(every day)*.
2. Tú _____ (hablar) español en clase.
3. Gabriela _____ (necesitar) dinero para la universidad.
4. José y Ángela _____ (trabajar) en la oficina del profesor García.
5. Yo _____ (tomar) café en la cafetería.

6. Nosotros _____ (descansar) en el parque.
7. Ud. _____ (escuchar) música clásica.
8. Los estudiantes _____ (contestar) las preguntas (*questions*) de la profesora Rosales.
9. Uds. _____ (cantar) canciones cubanas.
10. Tú _____ (visitar) a tus amigos regularmente.
11. Tania _____ (llamar) por teléfono a su novio todos los días.
12. Jaime _____ (comprar) una casa nueva.
13. Ian y Trevor _____ (llegar) temprano (*early*) a clase.
14. Nosotros _____ (tomar) exámenes finales pronto.
15. El profesor Martínez _____ (enseñar) bien economía.
16. Ellas _____ (explicar) su dirección.

2-24 **Arturo y Adriana.** Arturo habla por teléfono con su novia, Adriana. ¿Cómo responde ella?

MODELO: ARTURO: ¿Cómo llegas a la universidad? (en autobús)
    ADRIANA: *Llego a la universidad en autobús.*

Arturo	**Adriana**
1. ¿Estudias mucho o poco?	(mucho)
2. ¿Con quién estudias?	(con Trinidad)
3. ¿En qué lengua hablas con ella?	(en inglés)
4. ¿Tomas muchos exámenes?	(No,... pocos)
5. ¿Trabajas también?	(Sí, en casa)
6. ¿No descansas, Adriana?	(Sí, por la tarde)
7. ¿Escuchas música clásica?	(No,... música rock)
8. ¿Caminas por la noche?	(Sí,... por la noche)

 2-25 **Situaciones.** Get together in groups of three or four to solve the following situations.

MODELO: Descríbale las clases que toma en la universidad a su esposo(a)/ novio(a)/ hijo(a). ¿Cómo son las clases? ¿Cómo son los profesores y los estudiantes?

   Tomo clases de español, contabilidad, matemáticas, historia de la economía y literatura. Mis clases son difíciles pero son interesantes. El profesor de contabilidad es trabajador... y los estudiantes son dinámicos y...

Entreviste (*Interview*) a sus compañeros(as). La entrevista es para la revista (*is for the magazine*) de la universidad. ¿Cómo te llamas? ¿De dónde eres? Describe tu personalidad. ¿Cuántos años tienes? ¿Qué cursos tomas? ¿Cuál es tu clase favorita? ¿Te gusta el (la) profesor(a) de... ?

Ud. habla por teléfono con su mamá o con su compañero(a) de cuarto. Descríbale todas sus actividades diarias (caminar, estudiar, trabajar, tomar, escuchar, descansar, visitar, etcétera).

Los colores

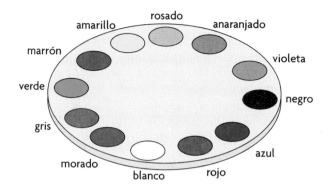

amarillo rosado anaranjado
marrón violeta
verde negro
gris
morado blanco rojo azul

¡Practiquemos!

2-26 Write in Spanish the colours associated with the following items.

1. snow _____
2. the Canadian flag _____
3. the night sky _____
4. a pumpkin _____
5. a business suit _____
6. a peeled cob of corn _____

2-27 Turn to your neighbour and take turns asking each other the following questions. Try to answer in full sentences.

1. Mi camisa es roja. ¿De qué color es tu camisa?
2. El coche de mi mamá es gris. ¿De qué color es el coche de tu mamá?
3. El libro de Juan es azul y su mochila es verde. ¿De qué color es el libro de María? ¿De qué color es su mochila?
4. El gato de mi hermana es negro. ¿De qué color es su perro?
5. El paraguas es anaranjado. ¿De qué color es el impermeable?
6. El sombrero de Eduardo es violeta. ¿Es violeta también su chaqueta?
7. La falda de Elena es rosada. ¿De qué color es su abrigo?

2-28 Adriana. Complete the paragraph with the correct form of the verbs. Some verbs may be used more than once.

tomar
llegar
hablar
caminar
escuchar
estudiar
trabajar
necesitar
descansar

¡Hola! Me llamo Adriana Mercedes Jaramillo R. Soy de Colombia. _____ _____ en el Tecnológico de Monterrey. Mi compañera de cuarto, Trinidad, y yo _____ tres clases: negocios, inglés y economía de México. Ella y yo _____ a la universidad a las nueve de la mañana. Nuestros profesores _____ rápidamente. Trinidad y yo _____ escuchar muy bien en nuestras clases. Los profesores _____ muchas horas en la universidad.

Por la tarde (yo) _____ por una hora. Mis amigos y yo _____ al centro de Monterrey, _____ un café y _____ música mexicana. Me gusta la música de los mariachis.

Por la noche Trinidad _____ un poco en casa, y luego _____ con su amigo Enrique por teléfono cuando él no trabajar. Por la noche, yo _____ mis lecciones, luego _____ por teléfono con Arturo y _____ por una hora.

■ RETO CULTURAL

Habla con tu compañero(a) de clase, quien es un/una consejero/a *(adviser)* de Estudios Extranjeros y pregúntale *(ask him or her)* lo siguiente para resolver los retos que siguen:

Quiero estudiar en Latinoamérica for un trimestre o semestre y quiero saber lo siguiente:
1. ¿Puedo quedarme *(can I stay)* en la residencia universitaria?
2. ¿Puedo trabajar en la universidad como asistente de profesor?
3. ¿Puedo solicitar *(can I apply)* para becas *(scholarships)* en cualquiera *(in any)* de esos países latinoamericanos?
4. ¿Voy a poder pagar los estudios en una universidad privada?
5. ¿Hay estudiantes de otros países como Canadá que estudian allí?

¡Practiquemos más!

 For additional practice on the material covered in this chapter, go to **Lección 2** of the *Intercambios* *Workbook/Laboratory Manual*.

 For additional grammar, vocabulary, and conversation practice, go to **Lección 2** of the *Flex-Files*.

 Atajo *Writing Assistant Software* for Spanish can be used to complete the writing activities in your *Workbook/Laboratory Manual*.

 Intercambios *Video:* Activities to accompany the *Intercambios* *Video* can be found in the *Flex-Files*.

 Visit *Intercambios* on the World Wide Web at **http://www.intercambios.nelson.com**.

ASÍ SE DICE

Sustantivos _Nouns_
el café   _coffee_
la clase   _class_
el examen   _test, exam_
la microcomputadora   _laptop_
la mochila   _backpack_
la música   _music_
la puerta   _door_
el teléfono   _telephone_
la universidad   _university_

Gente _People_
el (la) amigo(a)   _friend_
el (la) compañero(a) de cuarto
   roommate
la novia   _girlfriend_
el novio   _boyfriend_

Cursos _Courses_
las ciencias políticas   _political science_
la computación   _computer science_
la contabilidad   _accounting_
la ecología   _ecology_
la economía   _economy_
la estadística   _statistics_
la historia   _history_
el inglés   _English_
la literatura   _literature_
las matemáticas   _mathematics_
la mercadotecnia   _marketing_
la psicología   _psychology_

Carreras _Majors_
la administración de empresas
   business administration
la agronomía   _agriculture_
la arquitectura   _architecture_
Derecho   _law_
la educación   _education_
los idiomas   _languages_
la informática   _computer science_
la ingeniería   _engineering_
la medicina   _medicine_
los negocios   _business_
el periodismo   _journalism_
las relaciones internacionales
   international relations

Números _Numbers_
treinta   _thirty_
cuarenta   _forty_
cincuenta   _fifty_
sesenta   _sixty_
setenta   _seventy_
ochenta   _eighty_
noventa   _ninety_
cien   _one hundred_

Los colores
amarillo   _yellow_
anaranjado   _orange_
azul   _blue_
blanco   _white_
gris   _grey_
marrón   _brown_
morado   _purple_
negro   _black_
rojo   _red_
rosado   _pink_
verde   _green_
violeta   _violet_

Adjetivos
claro   _light (in colour)_
oscuro   _dark (in colour)_

Expresiones con _tener_
   Expressions with tener
tener   _to have_
tener... años   _to be . . . years old_ (age)
tener calor   _to be hot_
tener frío   _to be cold_
tener hambre   _to be hungry_
tener sed   _to be thirsty_
tener sueño   _to be sleepy_

Para pedir información
   To ask for information
¿Cuántos años tienes?   _How old
   are you?_
¿Cuál es tu dirección?   _What's your
   address?_
¿Cuál es tu número de teléfono?
   What's your telephone number?

Adjetivos posesivos
   Possessive adjectives
nuestro(a, os, as)   _our_
mi(s)   _my_
su(s)   _his, her, its, your (formal),
   their_
tu(s)   _your (informal)_
vuestro(a, os, as)   _your (informal)_

Verbos _Verbs_
bailar   _to dance_
caminar   _to walk_
cantar   _to sing_
comprar   _to buy_
contestar   _to answer_
descansar   _to rest_
enseñar   _to teach_
escuchar   _to listen_
estudiar   _to study_
explicar   _to explain_
hablar   _to speak, to talk_
llamar   _to call_
llegar   _to arrive_
necesitar   _to need_
tomar   _to take, to drink_
trabajar   _to work_
visitar   _to visit_

Gustar _To be pleasing_
me/te gusta + _infinitive_   _to do
   something is pleasing to me/you . . ._
me/te gusta + _estudiar_   _to study is
   pleasing to me/you_

Expresiones _Expressions_
como   _like, as_
Es un placer   _It's a pleasure_
oye   _listen, hey_
por teléfono   _on the phone_
pues   _well, then_
¿verdad?   _isn't that true?_

LECCIÓN 3
¡Necesito un trabajo como interno para junio!

✖ ENFOQUE ✖

■ COMMUNICATIVE GOALS

You will be able to make appointments and invitations, describe more of your daily activities, and discuss some of your upcoming plans.

■ LANGUAGE FUNCTIONS

Telling time
Extending invitations
Making appointments
Expressing likes and dislikes
Accepting and declining invitations
Accepting and declining appointments
Describing daily activities
Expressing wants and intentions

■ VOCABULARY THEMES

Telling time
Days of the week
Months of the year

■ GRAMMATICAL STRUCTURES

Present tense of regular **-er** and **-ir** verbs
Present tense of the verb **querer**
Present tense of the verb **ir** + **a**
Demonstrative adjectives and pronouns
Neuter demonstrative pronouns

■ CULTURAL INFORMATION

Twenty-four-hour system of time
Gestures

■ CULTURAL CHALLENGE

How do you write the date in Spanish? How is this different from the English way you do it? When is the twenty-four-hour system used in Spain and Latin America? When is the twenty-four-hour system used in Canada?

EN CONTEXTO CD1 - 41, 42

Sara, Lisa y Pierre están en casa de los padres de Marina y Francisco.

MARINA: Hoy es el quince de mayo. ¿Qué van a hacer° ustedes después de su semestre en México?

PIERRE: A mí me gustaría vivir más tiempo en Hispanoamérica. Creo que en junio y julio° voy a ir° a Chile. Mi madre es de Chile y quiero ver ese país. Marina, ¿no te gustaría ir a Chile?

MARINA: Sí, pero este verano yo asisto° a clases en la universidad.

FRANCISCO: Lisa y Sara, ¿ustedes tienen planes°?

LISA: Claro que sí°. Yo quiero trabajar en México como interna° para una compañía canadiense. Con el Tratado de Libre Comercio de Norte América (TLCNA o TLC)° muchos canadienses que aprenden español trabajan en México.

PIERRE: Es verdad. Canadá y México también tienen un TLC con Chile.

SARA: Canadá y Estados Unidos también planean acuerdos de libre comercio con Centroamérica. Creo que debemos estudiar con mucho cuidado el impacto de los TLC.

LISA: El TLC es bueno. Muchas personas reciben más trabajo a causa de° este acuerdo. No comprendo por qué no te gusta, Sara.

SARA: No me parece bueno porque abre la puerta° a problemas de medio ambiente°. Eso va a ser un peligro° también para las comunidades indígenas°. Además, creo que estos acuerdos no van a hacer nada bueno para la cultura.

FRANCISCO: No es el momento de discutir° política. Son las siete de la noche. Debemos cenar°. ¿Te gustaría asistir a la conferencia° del escritor° mexicano Carlos Fuentes el sábado, Sara? Él va a hablar° sobre la cultura hispanoamericana.[1]

SARA: Claro que sí, me gustaría ir. ¿A qué hora es° la conferencia?

FRANCISCO: Es a las dos de la tarde.... ¿Qué vas a hacer después del semestre?

SARA: Después del semestre voy a ir a Guatemala a trabajar en un proyecto de desarrollo°.

MARINA: Pero esta noche vamos a pasear° y después vamos a un club a bailar. ¿Ustedes van a ir°?

TODOS: ¡Con mucho gusto!

¿Qué van a hacer?... *What are you (pl.) going to do?*
junio y julio... *June and July*
voy a ir... *I'm going to go*
asisto... *I attend*
¿tienen planes?... *Do you have plans?*
Claro que sí... *Of course*
interna... *intern*
Tratado de Libre Comercio de Norte América (TLCNA or TLC)... *North American Free Trade Agreement (NAFTA)*
a causa de... *because of*
abre la puerta... *opens the door*
el medio ambiente... *the environment*
el peligro... *danger*
comunidades indígenas... *Native (or First Nations) communities*
discutir... *to discuss*
cenar... *to eat dinner*
conferencia... *talk, lecture*
escritor... *writer*
va a hablar... *is going to talk*
¿A qué hora es?... *At what time is it?*
un proyecto de desarrollo... *a development project*
vamos a pasear... *we are going to take a walk*
¿Ustedes van a ir?... *Are you going to go?*

Nota de texto

Carlos Fuentes is one of Latin America's most renowned and eloquent authors. He has written novels, short stories, and essays analyzing the impact of history on modern Latin American culture. The son of a Mexican diplomat, Fuentes was born in Panama in 1928 and spent his early years in the United States, Chile, and Argentina. He attended university in Mexico City and Geneva. He has served in the Mexican Ministry of External Affairs and was the Mexican ambassador to France from 1974 to 1977.

In Latin America, writers have used their writings as a vehicle to criticize and even denounce the social, economic, and political injustices in their respective countries. The writings of Isabel Allende (Chile), Claribel Alegría (El Salvador), Gabriel García Márquez (Colombia), Mario Vargas Llosa (Peru), Carlos Fuentes, Octavio Paz, and Elena Poniatowska (Mexico) exemplify this political consciousness.

3-1 ¿Comprendió Ud.? Answer the following questions about the conversation.

1. ¿Qué quiere hacer Pierre después del semestre?
2. ¿Con cuáles países tiene Canadá tratados de libre comercio?
3. ¿Por qué cree Lisa que los tratados de libre comercio son una buena idea?
4. ¿Por qué cree Sara que los tratados de libre comercio no son una buena idea?
5. ¿A qué hora va a hablar el escritor Carlos Fuentes?
6. ¿Dónde va a trabajar Sara después del semestre?

Now, talk to your classmate and ask him/her the following questions.

7. ¿Qué planes tienes para el sábado? Voy a...
8. ¿Te gustaría trabajar para una compañía canadiense en México? ¿Dónde *(Where)* te gustaría trabajar? Me gustaría trabajar...
9. ¿Qué trabajo te gustaría tener como interno? ¿Dónde y cuándo te gustaría hacer un internado? Me gustaría...

VOCABULARIO esencial

In this section, you will learn how to tell time and to express the days of the week and the months of the year in order to make invitations and appointments.

¿Qué hora es?   *(What time is it?)*

This question can be answered in three ways, depending on the time.

- Use **es** to tell time between 12:31 and 1:30. Otherwise, use **son**.
- After a specific time, use **de la mañana** *(in the morning/a.m.)* from midnight until lunchtime, **de la tarde** *(in the afternoon/evening/p.m.)* until it gets dark, and then **de la noche** *(at night / in the evening/p.m.)*.
- When speaking in general terms, use **por la mañana** *(in the morning/a.m.)*, **por la tarde** *(in the afternoon/p.m.)*, and **por la noche** *(at night/in the evening/p.m.)*. For example, Maria estudia **por la noche**.

1. On the hour

Es la una.

Son las siete.

2. On the quarter or the half hour

Son las siete y cuarto.

Son las siete y media.

Son las ocho menos cuarto.

3. Minutes before and after the hour

Es la una y diez.

Son las ocho menos diez.

—¿A qué hora es el almuerzo?   *At what time is lunch?*
—Es **temprano**. A **mediodía**.   *It's **early**. At **noon**.*
—¿A qué hora es la fiesta del Día de   *At what time is the Halloween party?*
  las brujas?
—Es **tarde**. A **medianoche**.   *It's **late**. At **midnight**.*

Additional information

- To ask or tell when an event occurs, use the word **a**.
  —¿**A** qué hora es la conferencia   *(At) What time is the writer Carlos*
    del escritor Carlos Fuentes?   *Fuentes's conference?*
  —**A** las dos **de la tarde**.   *At two o'clock in the afternoon.*

¡Practiquemos!

 3-2 ¿Qué hora es? Ask a classmate the time. Take turns asking and answering.

MODELO: —¿Qué hora es?
—Son las ocho menos diez.

1.   2.   3.   4.

5.   6.   7.  8.

Los días de la semana y los meses del año *(Days of the week and months of the year)*

—¿Qué día es hoy?	*What day is today?*
—Hoy es lunes.	*Today is Monday.*
martes	*Tuesday*
miércoles	*Wednesday*
jueves	*Thursday*
¿Cuándo visitamos a nuestros amigos?	*When do we visit our friends?*
Visitamos a nuestros amigos el fin de semana.	*We visit our friends on the weekend.*
el viernes por la noche	*on Friday night*
el sábado por la mañana	*on Saturday morning*
el domingo por la tarde	*on Sunday evening/afternoon*

- When writing the date for an invitation or an appointment in Spanish, the day is written first and then the month. On the contrary, when writing the date in English, the month is written first and then the date.
- To say what happens on a certain date, use "el" with the date, e.g., **Hoy es el 4 de octubre**.

				What is today's date?

—¿Cuál es la fecha de hoy? O
¿Qué fecha es hoy?

What is today's date?

—Hoy es el 23 de noviembre del 2006.
(23/11/06)

*Today is November 23, 2006.
(11/23/06)*

—¿Cuál es la fecha de mañana?

What is tomorrow's date?

—Mañana es el 24 de noviembre.
(24/11/06)

*Tomorrow is November 24.
(11/24/06)*

	Lunes	Martes	Miércoles	Jueves	Viernes	Sábado	Domingo
	7:00	1:00	7:00	1:00	7:00	1:00	7:00
	8:00	2:00	8:00	2:00	8:00	2:00	8:00
	9:00	3:00	9:00	3:00	9:00	3:00	9:00
	10:00	4:00	10:00	4:00	10:00	4:00	10:00
	11:00	5:00	11:00	5:00	11:00	5:00	11:00
	12:00	6:00	12:00	6:00	12:00	6:00	12:00

(Octubre, Noviembre, Diciembre / Julio, Agosto, Septiembre / Abril, Mayo, Junio / Enero, Febrero, Marzo)

¡Practiquemos!

3-3 Los planes. Using the planner provided above, write in some of the activities you do and the times that you have to do them. You may use activities from the following list or any other activities you know how to say in Spanish.

1. estudiar ciencias, literatura, español
2. caminar por el parque
3. llamar por teléfono
4. trabajar en la cafetería
5. visitar a mis amigos
6. descansar
7. comprar los libros y los cuadernos

8. jugar deportes en la escuela primaria *(primary school)*
9. llegar a la universidad
10. tomar exámenes
11. estudiar matemáticas
12. hablar con el (la) profesor(a) en su oficina

Then, use your planner and ask your classmate about his/her activities during the week and the times they take place. Take turns asking the questions.

MODELOS: —¿Estudias matemáticas los lunes a las nueve?
—¿Caminas por el parque los sábados por la tarde?
—¿Llamas por teléfono a Luisa los jueves a las cinco?
—¿Qué días trabajas en la cafetería?

3-4 ¿Cuándo es tu cumpleaños? Ask different classmates in what months they celebrate their birthdays and write them in the calendar below. Share your findings with the class.

MODELO: —¿Cuándo es tu cumpleaños?
—Mi cumpleaños es en noviembre.

ENERO [Año Nuevo]	FEBRERO [San Valentín]	MARZO [San Patricio]	ABRIL [Pascua]
MAYO [Día de la Madre] [El cumpleaños de la Reina Victoria]	JUNIO [Día del Padre]	JULIO [Día de Canadá]	AGOSTO [Verano]
SEPTIEMBRE [Independencia de México]	OCTUBRE [Día de Acción de Gracias]	NOVIEMBRE [Ramadán]	DICIEMBRE [Navidad] [Hanukkah]

se usa... is used
horarios... schedules
se cuentan... are
 counted
citas... appointments
comienzan... begin
a la hora... on time
más tarde... later
duda... doubt
¿En punto? On the dot?

CULTURA

■ El sistema de veinticuatro horas

El sistema de veinticuatro horas se usa° en algunos países *(some countries)* para dar la hora en los horarios° de trenes, aviones y autobuses, programas de radio y televisión y también en invitaciones formales y oficiales. Para usar el sistema, se cuentan° las horas consecutivamente comenzando desde la medianoche.

Uso oficial	Uso de conversación
(twenty-four-hour system)	(twelve-hour system)
10:00 diez	las diez de la mañana
13:00 trece	la una de la tarde
23:00 veintitrés	las once de la noche

En España y en Latinoamérica, las entrevistas de negocios, las citas° médicas, los servicios religiosos y los eventos deportivos normalmente comienzan° a la hora°. Pero las cenas y las fiestas frecuentemente comienzan treinta minutos o una hora más tarde°. Si usted tiene duda° a qué hora es la fiesta o la cena, pregunte **¿En punto?**° para llegar a la hora correcta. Hay que preguntar la fecha también. En los Estados Unidos van a dar el mes primero y luego el día; en España y Latinoamérica la persona va a dar el día primero y luego el mes para las invitaciones o citas. En Canadá se usan los dos sistemas.

¿Qué hay en el teatro y en el cine? You
want to go to the theatre and the movies in Mexico. Answer when the activities take place, using the twelve-hour system.

MODELO: En el Museo Universitario, ¿qué día y a qué hora es *La Llorona*?
Es el jueves a las siete de la noche.

1. En el Museo Universitario, ¿qué días y a qué hora es *Romeo y Julieta*?
2. En la Sala José Revueltas, ¿qué días y a qué horas es la película *El Perfume de la Papaya Verde*?
3. En la Sala José Revueltas, ¿qué días y a qué hora es la película *Matilda*?
4. En la Sala José Revueltas, ¿qué días y a qué hora es la película *Triciclo*?

Museo Universitario del Chopo

Exposiciones:
El Laberinto
Instalación de Antonio Ortiz.
El Color del Instante
Pinturas, dibujos, obra en papel y esculturas de Ana Brandón.
Visitas de martes a domingos de 10:00 a 14:00 y de 15:00 a 19:00 hrs.

Teatro:
Romeo y Julieta
De William Shakespeare
Dirección: Magdalena Solórzano
Sábados 13:00 hrs.
La Llorona
De Roberto Blanco Jacinto
Dirección: Arturo Ramírez
Jueves 22   19:00 hrs.

Danza:
Sabadanza en el Chopo
Hora Incierta
Sábados 13 :00 hrs.

Cinematógrafo del Chopo
Ciclo: Patrice Leconte
Francia 1989
Sábado 24 al lunes 26
Funciones 12:00, 17:00 y 19:30 hrs.

Sala José Revueltas

Triciclo
Dirección: Tran Anh Hung
Vietnam-Francia 1995
Martes 20   18:30 hrs.
Miércoles 21   12:00 y 18:30 hrs.
Jueves 22   12:00 y 16:30 hrs.

El Perfume de la Papaya Verde
Dirección: Tran Anh Hung
Vietnam-Francia 1993
Martes 20 y miércoles 21
16:30 y 20:30 hrs.
Jueves 22   20:30 hrs.

El Convento
Viernes 23   12:00, 16:00 y 18:30 hrs.
Sábado 24, domingo 25 y martes 27
16:30, 18:30 y 20:30 hrs.

Cine Club Infantil
Matilda
Dirección: Danny DeVito
EUA 1996
Sábado 24 y domingo 25   12:00 hrs.

> **"Martes trece, ni te cases ni te embarques ni de tu casa te apartes"**. *—refrán popular*

Las preferencias

—¿**Qué te gusta** hacer?   *What do you like to do?*
—**Me gusta...**   *I like to . . .*

—¿**Qué te gustaría** estudiar?   *What would you like to study?*
—**Me gustaría** estudiar medicina.   *I would like to study medicine.*

ir al cine

ver la televisión

leer novelas

bailar en las fiestas

escribir cartas

ver películas en video

pasear con mis amigos

comer con mi familia

¡Practiquemos!

3-5 ¿Te gusta... ? Ask your classmates what is pleasing for them to do, using the illustrations on the previous page as examples.

MODELO: —¿Te gusta escribir cartas?
—No, pero me gusta leer novelas.
—¿Te gusta comer comida italiana?
—Sí, me gusta comer comida italiana.

3-6 ¿Te gustaría... ? Ask your classmates what would be pleasing for them to do during the weekend. Use the illustrations on the previous page.

MODELO: —¿Te gustaría bailar el sábado por la noche?
—¡Claro que me gustaría!
—¿Te gustaría ir al cine el viernes por la noche?
—No, pero me gustaría ver películas en video en casa.

Una cita de trabajo   (A job appointment)

Para pedir información sobre la fecha de una entrevista de trabajo...
(To ask for information about the date for a job interview . . .)

LISA:	Buenos días, señor Fullerton. **Me gustaría tener una entrevista** para **un internado** en su compañía.	*Good morning, Mr. Fullerton. **I would like to have an interview** about **an internship** with your company.*
SR. FULLERTON:	**¡Claro que sí,** señorita Turner!	***Of course,** Ms. Turner!*
LISA:	**¿Qué día y a qué hora,** señor Fullerton?	***What day and at what time,** Mr. Fullerton?*
SR. FULLERTON:	**El 14 de mayo a las nueve y media de la mañana.**	***Friday, May 14, at nine-thirty in the morning**.*
LISA:	Tengo que trabajar en la universidad, pero descanso **a las once y media de la mañana.**	*I have to work at the university, but I have a break **at eleven-thirty in the morning**.*
SR. FULLERTON:	**¡Perfecto! A las** once y media.	***Perfect! At** eleven-thirty!*
LISA:	**¡Excelente! Muchas gracias,** señor Fullerton, por la oportunidad.	***Excellent! Thank you** for the opportunity, Mr. Fullerton.*

Para aceptar una invitación *(To accept an invitation)*

—¿**Te gustaría** ir al cine esta noche?	***Would you like** to go to the movies tonight?*
—Hmm... ¿al cine? Bien.	*Hmm . . . to the movies? Okay.*

Para no aceptar una invitación *(To decline an invitation)*

—¿**Te gustaría** ir a una fiesta?   ***Would you like*** to go to a party?
—¿**Qué día?**   ***On what day?***
—**El 31 de octubre.**   ***On October 31.***
—¡Ay, **lo siento**! Pero tengo un examen.   *Oh, **I'm sorry**. But I have an exam.*

Para aceptar una entrevista de trabajo *(To accept a job interview)*

—La entrevista es **el 14 de mayo**.   *The interview is **on May 14**.*
  ¿**Bien?**   ***Okay?***
—Sí, perfecto.   *Yes, perfect.*

Para no aceptar una entrevista de trabajo *(To decline a job interview)*

—La entrevista es a las diez de la   *The interview is at ten in the morning.*
  mañana.
—¡**Lo siento! Pero** trabajo a las   ***I'm sorry! But*** *I work at nine-thirty.*
  nueve y media.

¡Practiquemos!

3-7 Una invitación. Imagine that you are talking on the phone with a friend. Complete the following conversation.

A: ¿Aló?
B: ¡Hola, _____ ! Habla _____. ¿Qué tal?
A: _____. ¿Y tú?
B: _____. Oye, ¿te gustaría ir a una fiesta?
A: ¿Una fiesta? ¡Perfecto! ¿En qué fecha?
B: El _____ de _____.
A: ¿A qué hora?
B: A la(s) _____. ¿Bien?
A: Sí, perfecto. Muchas gracias. ¡Adiós!

3-8 Una entrevista de trabajo. Lisa wants an interview with Mr. Fullerton. Complete the conversation she has with Mr. Fullerton's assistant to make an appointment.

Lisa: Buenas tardes. Me gustaría hablar con el señor Fullerton.
Secretario: Buenas tardes. Necesita hacer una cita para hablar con él. ¿En qué fecha quiere hablar con él?
Lisa: Pues, me gustaría hablar con él, el _____ de _____.
Secretario: ¿A qué _____?
Lisa: Pues, a las _____ está muy bien.
Secretario: Bueno, su cita con el señor Fullerton es el _____ de _____, a las _____ de la tarde.
Lisa: Gracias.

CULTURA

■ Los gestos°

Los españoles y los latinoamericanos usan muchos gestos con las manos° cuando hablan. Por ejemplo, hay gestos para expresar **tacaño°**, **¡Cuidado!** y **¡Un momento!** Es posible tener una breve conversación con las manos, ¿verdad?

Los turistas de otros países necesitan tener mucho cuidado con los gestos cuando visitan España o Latinoamérica. ¿Por qué? Porque los gestos no son iguales en todas las culturas. Por ejemplo, los canadienses usan algunos gestos que no tienen equivalentes en la cultura hispánica. Y unos gestos en una cultura son incorrectos en otras culturas. Aquí tiene usted algunos gestos del mundo hispano.

gestos... *gestures*
las manos... *hands*
tacaño... *stingy*

¡No!   Vamos a tomar algo.   Un momento.   dinero

¡Cuidado!   ¡Fantástico!   ¡Estás loco(a)!   tacaño(a)

¿Comprendió Ud.? Responda con **cierto** o **falso.**

1. Es importante comprender los gestos cuando las personas visitan Latinoamérica o España.
2. No es posible tener una breve conversación con el uso de los gestos en el mundo hispano.
3. Los hispanos tienen gestos para expresar una variedad de conceptos.
4. Todos los gestos canadienses son iguales que los gestos del mundo hispano.

GRAMÁTICA esencial

Present Tense of Regular -er and -ir Verbs

In this section you will learn to describe some common activities that you and others do.

To form the present tense of most Spanish infinitives ending in **-er** and **-ir**, add a personal ending to their verb stem.

	com + **er**	viv + **ir**		com + **er**	viv + **ir**
Singular			**Plural**		
(yo)	como	vivo	(nosotros/nosotras)	comemos	vivimos
(tú)	comes	vives	(vosotros/vosotras)	coméis	vivís
(Ud., él, ella)	come	vive	(Uds., ellos, ellas)	comen	viven

Study these useful **-er** and **-ir** verbs with the example phrases:

aprender mucho	*to learn a lot*
beber un refresco	*to drink a soft drink*
comer en casa	*to eat at home*
comprender bien	*to understand well*
correr por el parque	*to run by/through the park*
creer en los amigos	*to believe in one's friends*
deber descansar	*ought to (should) rest*
leer un periódico	*to read a newspaper*
*****ver** la película	*to see the movie*

abrir el libro	*to open the book*
asistir a la universidad	*to attend the university*
decidir los planes para el fin de semana	*to decide the plans for the weekend*
describir la rutina diaria	*to describe the daily routine*
discutir con tus hermanos	*to argue with your brothers*
escribir una carta/mensajes electrónicos	*to write a letter/e-mails*
recibir un regalo	*to receive a gift*
vivir en casa	*to live at home*

—¿A qué hora **comes**, Arturo?	*(At) What time **do you eat**, Arturo?*
—En casa **comemos** a las dos.	*At home **we eat** at two o'clock.*
—Tengo un examen de matemáticas mañana.	*I have a math test tomorrow.*
—¿**Comprendes** los ejercicios?	***Do you understand** the exercises?*
—Sí. **Comprendo** los ejercicios muy bien.	*Yes. **I understand** the exercises very well.*
—¿Dónde **vives**, Enrique?	*Where **do you live**, Enrique?*
—**Vivo** en Caracas, Venezuela.	***I live** in Caracas, Venezuela.*

*The verb **ver** has an irregular **yo** form:
    ver: **veo**, ves, ve, vemos, veis, ven

¡Practiquemos!

3-9 Actividades. Fill in the blanks with the appropriate form of the verb to find out what these people do.

MODELO: Tú ___ves___ (ver) la película en la universidad.

1. Nosotros _____ (aprender) mucho en la clase de historia.
2. Luisa y Berta _____ (comprender) español bien.
3. Yo _____ (beber) un refresco.
4. Ellos _____ (comer) en casa los sábados.
5. Yo _____ (ver) las películas en la videocasetera en casa.
6. José _____ (creer) en su amigo Raúl.
7. Tú _____ (correr) por el parque en las mañanas.
8. Ud. _____ (asistir) a las conferencias del escritor Carlos Fuentes.
9. Luis y Marcos _____ (abrir) la puerta de la clase.
10. Uds. _____ (deber) descansar antes del *(before the)* examen.
11. Margarita y Patricia _____ (leer) en la biblioteca de la universidad.
12. Yo _____ (escribir) la tarea por la noche.
13. El profesor Perdomo _____ (recibir) el periódico *(newspaper)* todos los días.
14. Tú _____ (vivir) en un apartamento grande.

3-10 El fin de semana. Complete the following conversation about the weekend by choosing the best verb and by writing the appropriate form of the verb chosen when necessary.

CARLOS: Trish, ¿qué te gustaría _____ (beber / comer) el viernes por la noche?

TRISH: Me gustaría _____ (beber / comer) comida italiana. Carlos, ¿te gustaría _____ (leer / ver) una película en video?

CARLOS: Sí, me gustaría. Entonces *(Then)*, nosotros _____ (beber / comer) comida italiana y _____ (leer / ver) una película en video. Y, tú ¿_____ (asistir / vivir) a la conferencia en la universidad el sábado?

TRISH: Sí, _____ (asistir / vivir) a la conferencia del profesor Valencia sobre la educación en Argentina. ¿Y tú?

CARLOS: _____ (Correr / Asistir) por el parque en la mañana. Y por la noche, nosotros _____ (escribir / discutir) sobre la conferencia del profesor Valencia. ¿Bien?

TRISH: ¡Perfecto!

3-11 Mis preferencias. Share your preferences with your classmate by forming sentences with elements from each column.

Me gusta...	leer en mi dormitorio	escribir mensajes electrónicos
No me gusta...	comer comida italiana/	vivir en el dormitorio
Me gustaría...	mexicana/china	aprender sobre otras culturas
No me gustaría...	beber café por la mañana	beber un refresco porque
	correr por el parque	tengo sed
	creer en todos los amigos	leer una novela / el periódico
	recibir regalos	abrir un restaurante /
	comprender bien español	una cafetería
		ver unas películas extranjeras
		(foreign movies)

3-12 Dos amigos. Trinidad is talking with her friend Arturo. What does she ask?

MODELO: TRINIDAD: ¿Dónde vives?

ARTURO: (en Hamilton) *Vivo en Hamilton.*

Trinidad	**Arturo**
1. ¿Con quién vives, Arturo?	(con mi familia)
2. ¿A qué hora comes?	(a las dos de la tarde)
3. ¿Qué comes normalmente?	(comida mexicana/italiana/china)
4. ¿Bebes refrescos, Arturo?	(Sí, pero no... muchos)
5. ¿Comprendes otra lengua?	(Sí,... un poco de inglés)
6. ¿En qué lengua lees?	(en español y en inglés)
7. ¿Qué lees normalmente?	(periódicos y libros)
8. ¿Escribes en tu computadora?	(Sí,... en mi computadora)

3-13 ¿Y Uds.? Go around the class and ask your classmates the following questions. Then ask them to write their names on the lines provided.

MODELO: aprender mucho español

—*¿Aprendes mucho español?*

—*Sí, aprendo mucho.*

—*Escribe tu nombre aquí, por favor.*

1. vivir en un apartamento _____
2. comprender matemáticas _____
3. leer periódicos en la Red (Internet) _____
4. escribir en la computadora _____
5. beber un refresco por la mañana _____
6. aprender mucho en nuestra clase _____
7. recibir muchos mensajes por correo electrónico *(e-mail)*

_____
8. comer comida china _____
9. discutir sobre política _____
10. asistir a conciertos/conferencias _____

3-14 Actividades diarias. Tell what you and other people do in the following situations.

MODELOS: *(Yo) No bebo refrescos en clase.*

Mi familia come la cena en casa.

¿Quién?	**¿Qué?**	**¿Dónde?**
(yo)	comer	en casa
mi familia	leer periódicos	en clase
tú	beber refrescos	en el trabajo
mis compañeros	aprender español	en la cafetería
mis amigos y yo	escribir en inglés	en la universidad

3-15 Entrevista. Ask a classmate the following questions, and then switch roles.

1. ¿Dónde vives ahora? ¿Con quién vives? ¿Cuál es tu dirección y tu número de teléfono?
2. ¿Tienes muchas o pocas clases? ¿Cuántas? ¿Son difíciles o fáciles?
3. ¿Aprendes mucho o poco en nuestra clase de español? ¿Debes estudiar mucho para nuestros exámenes? En general, ¿eres un(a) estudiante bueno(a) o malo(a)?
4. ¿Lees mucho o poco? ¿Qué lees frecuentemente? ¿Lees novelas históricas o novelas románticas?
5. Los lunes por la tarde, ¿comes en la cafetería o en casa? ¿Comes mucho o poco, normalmente? ¿Bebes café o un refresco? ¿Comes para vivir o vives para comer?

> **para** *(in order to)* = purpose
> **¿Comes para vivir o vives para comer?**

GRAMÁTICA esencial

Present Tense of the Verb *querer*

In this section, you will learn how to express your wants and intentions.

querer *(to want)*		
Singular		
(yo)	quiero	*I want*
(tú)	quieres	*you* (informal) *want*
(Ud., él, ella)	quiere	*you* (formal) *want, he/she wants*
Plural		
(nosotros/nosotras)	**queremos**	*we want*
(vosotros/vosotras)	**queréis**	*you* (informal) *want*
(Uds., ellos, ellas)	**quieren**	*you* (formal) *want, they want*

En casa...

—¿**Quieres** comer en casa esta noche?
—Sí, **quiero** comer en casa.

Do you want to eat at home tonight?
Yes, I want to eat at home.

En la oficina...

—¿Cuándo **quiere** hablar con el Sr. Fullerton?
—**Quiero** hablar con él, el martes 10 de abril a las tres de la tarde, por favor.

When do you want to talk to Mr. Fullerton?
I want to talk to him on Tuesday, April 10, at three in the afternoon, please.

¡Practiquemos!

3-16 ¿Qué quieren hacer? A group of friends wants to do something different this week. Fill in the blanks with the appropriate form of the verb **querer**.

1. Sandra y Luis _____ ver una película el martes.
2. Roberto y yo _____ comer comida cubana.
3. Tú _____ bailar el viernes.
4. Nosotros _____ correr por el parque el jueves.
5. Uds. _____ comer temprano el lunes.
6. Yo _____ pasear con los amigos el domingo.
7. Ella _____ asistir a la conferencia el miércoles.
8. Tú _____ caminar por el parque el sábado.

3-18 ¿Qué quiere Ud.? Tell another student your wishes by completing the following sentences.

MODELO: vivir en (Europa / África / Australia / ...)
        Quiero vivir en Europa.
   o *Quiero vivir en Australia.*

1. vivir en (Europa / África / Australia / ...)
2. comprender (español muy bien / alemán un poco / ...)
3. aprender (a hablar francés / a bailar muy bien / ...)
4. recibir (un regalo bonito / un buen libro / ...)
5. comer (en un restaurante chino / en un restaurante italiano / ...)
6. asistir (a clases de historia / a la conferencia / ...)
7. leer (un periódico en español / libros en alemán / ...)
8. escribir (cartas en español / una novela en inglés / ...)
9. beber (agua / un refresco / ...)
10. discutir sobre (política / economía / ...)
11. correr (por el parque / por la universidad)

Los muchachos quieren aprender a jugar fútbol.

Present Tense of the Verb *ir*

ir *(to go)*		
Singular		
(yo)	**voy**	*I am going*
(tú)	**vas**	*you* (informal) *are going*
(Ud., él, ella)	**va**	*you* (formal) *are going, he/she is going*
Plural		
(nosotros/nosotras)	**vamos**	*we are going*
(vosotros/vosotras)	**vais**	*you* (informal) *are going*
(Uds., ellos, ellas)	**van**	*you* (formal) *are going, they are going*

- To tell where people are going, use a form of the verb **ir** plus the preposition **a**, followed by a destination.

—¿**Adónde vas**, Sara?	*Where **are you going (to)**, Sara?*
—**Voy a** la conferencia de Carlos Fuentes.	***I'm going to** the Carlos Fuentes conference/lecture.*
—Y tú, ¿**adónde vas**, Enrique?	*And you, where **are you going (to)**, Enrique?*
—**Voy al** cine con Trinidad.	***I'm going to the** movies with Trinidad.*

Ir a + infinitive

- To express future plans, use a form of the verb **ir** plus the preposition **a**, followed by an infinitive.

—¿Qué **vas a hacer** ahora?	*What **are you going to do** now?*
—**Voy a ver** la televisión.	***I'm going to watch** television.*
—¿Con quién **vas a estudiar** esta noche?	*With whom **are you going to study** tonight?*
—**Voy a estudiar** con Marisa.	***I'm going to study** with Marisa.*
—¿Adónde **van a ir** el viernes por la noche?	*Where **are you going to go** Friday night?*
—**Vamos a bailar** en casa de Trinidad.	***We are going to dance** at Trinidad's house.*

Los muchachos van a ver una película en video.

Lección 3 **ochenta y tres**

¡Practiquemos!

3-19 ¿Adónde van? Select the appropriate persons to complete the sentences. Sometimes there is more than one correct answer.

MODELO: *Ud.* va a un restaurante italiano muy elegante.

yo	nosotros
tú	Ud.
Ana	ellos
María y José	

1. _____ vamos a la conferencia.
2. _____ voy a la universidad.
3. _____ van a comer en la cafetería.
4. _____ va a un restaurante italiano muy elegante.
5. _____ vas a ver una película.
6. _____ voy a la clase de portugués.
7. _____ va a la clase de economía de México.
8. _____ van a cenar tarde en un restaurante.

3-20 Una invitación. Complete the following conversation using the verb **ir**, and then role-play it with a classmate.

PIERRE: ¡Hola, Marina! ¿Adónde _____ el viernes por la tarde?
MARINA: _____ al cine. ¿Quieres _____ al cine?
PIERRE: Lo siento. Trinidad y yo _____ a comer.
MARINA: ¿Adónde _____ el sábado por la noche, Pierre?
PIERRE: ¡_____ a una fiesta! ¿Quieres _____ con nosotros?
MARINA: Sí, gracias. ¿Quiénes _____ a la fiesta?
PIERRE: _____ mi amiga Trinidad, Adriana y su novio Arturo.
MARINA: ¿A qué hora va a ser la fiesta?
PIERRE: La fiesta _____ a ser a las diez. ¡Hasta el sábado!

3-21 ¿Adónde van? Complete the sentences using the verb **ir** and the appropriate definite article. Be sure to use the contraction **al** when necessary.

MODELO: El domingo Gerardo *va al* cine con dos amigos.

1. Ahora el profesor Gómez _____ oficina a trabajar.
2. Pierre, tú _____ comer con Trinidad hoy, ¿verdad?
3. Sara y sus amigos _____ ciudades de Kelowna y Prince George.
4. El viernes la familia Ramírez _____ concierto de Ricky Martin.
5. Ernesto y Blanca _____ cine con sus amigos.
6. Y yo _____...

Demonstrative Adjectives

- In this section, you will learn to specify certain people, things, places, and ideas.
- Demonstrative adjectives point out a specific person, place, thing, or idea and distinguish it from others of the same class. They must agree in gender (masculine or feminine) and number (singular or plural) with the noun they modify.

Singular		Plural	
este (masc.)	this	**estos** (masc.)	these
esta (fem.)	this	**estas** (fem.)	these
ese (masc.)	that	**esos** (masc.)	those
esa (fem.)	that	**esas** (fem.)	those
aquel (masc.)	that (over there)	**aquellos** (masc.)	those (over there)
aquella (fem.)	that (over there)	**aquellas** (fem.)	those (over there)

—¿Vas a ir a **este** cine o a **ese** cine?

*Are you going to **this** movie theatre or to **that** movie theatre?*

—Voy a **este** cine. La película es más interesante.

*I'm going to **this** movie theatre. The movie is more interesting.*

—¿Quién va a comprar **esas** computadoras?

*Who is going to buy **those** computers?*

—Yo voy a comprar **esas** computadoras en la librería de la universidad.

*I'm going to buy **those** computers at the university bookstore.*

Demonstrative Pronouns

- While demonstrative adjectives modify nouns (person, place, thing, or idea), demonstrative pronouns are used in place of nouns (person, place, thing, or idea) and use a written accent, for instance, **éste/ésta** *(this one)* and **ésos/ésas** *(those ones)*.

Singular		Plural	
éste	this one (masc.)	**éstos**	these ones (masc.)
ésta	this one (fem.)	**éstas**	these ones (fem.)
ése	that one (masc.)	**ésos**	those ones (masc.)
ésa	that one (fem.)	**ésas**	those ones (fem.)
aquél	that one over there (masc.)	**aquéllos**	those ones over there (masc.)
aquélla	that one over there (fem.)	**aquéllas**	those ones over there (fem.)

—¿Vas a ir a **este** cine o a **ése**?	*Are you going to **this** movie theatre or to **that one**?*
—Voy a ir a **ése**. La película es interesante.	*I am going to **that one.** The movie is interesting.*
—¿Adónde vas a comprar las computadoras?	*Where are you going to buy the computers?*
—En **esta** tienda porque en **ésa** son caras.	*At **this** store because at **that one** they are expensive.*

Neuter Demonstrative Pronouns

The words **esto** *(this)* and **eso** *(that)* refer to nonspecific things that are not yet identified or to ideas that were already mentioned.

—¿Qué es **esto**, Enrique?	*What's **this**, Enrique?*
—Es un ejercicio de contabilidad.	*It's an accounting exercise.*
—¿Comprendes **eso**, Enrique?	*Do you understand **that**, Enrique?*
—Sí, pero es difícil.	*Yes, but it's difficult.*

¡Practiquemos!

3-22 Vamos a comprar. Pierre and Marina are going to buy electric appliances for her room and Pierre's office. Use **este**, **esta**, **estos**, **estas**, and **esto**.

PIERRE:	Marina, ¿te gusta _____ estéreo y _____ disco compacto?
MARINA:	Sí, son perfectos. Pierre, _____ computadora es económica, ¿verdad?
PIERRE:	¡Oh, sí! Es muy económica. Marina, ¿te gusta _____ impresora?
MARINA:	Sí, es muy práctica. _____ teléfonos son económicos también. Un teléfono para mi cuarto y un teléfono para tu oficina.
PIERRE:	¡Sí, excelente idea, Marina!
MARINA:	Mira *(Look)*, Pierre, _____ películas en video son para Sara.
PIERRE:	Sí, vamos a comprar todo _____. Gracias.

3-23 Vamos a pagar. Pierre and Marina are going to pay for what they bought. Now they are talking to the salesperson **(el vendedor)** and he is a little bit confused since they are buying many things . . . Choose the appropriate demonstratives.

VENDEDOR:	Señor, por favor. ¿Quiere comprar (este / éste) estéreo o (ese / ése)?
PIERRE:	Señor, (ese / ése) estéreo es muy caro.
VENDEDOR:	¡Bien! Y Ud., señorita, ¿quiere comprar (este / éste) teléfono o (ese / ése)?
MARINA:	Quiero comprar (este / éste) teléfono, señor. ¡(Ese / Ése) es de mi amigo!
VENDEDOR:	¡Gracias! Ahora, ¿quieren comprar (esta / ésta) película romántica o (esa / ésa) película de drama?
PIERRE:	Queremos (esa / ésa) de drama, ¿verdad, Marina?
MARINA:	Sí, queremos (esta / ésta) de drama. Señor, yo compro (esto / eso) y él compra (esto / eso). ¿Claro? *(Clear?)*
VENDEDOR:	Sí, bien... ahora...

3-24 Situaciones. Get together in groups of three or four to solve the following situations.

MODELO: Usted llama por teléfono a la compañía Trabajo Seguro porque Ud. quiere trabajar allí. Hable con el (la) asistente (compañero[a] de clase) para hacer la cita y pregunte: **a.** la fecha **b.** la hora. Ud. tiene que trabajar a la hora de la cita. Cambie *(Change)* la hora de la cita.

Ud.:	*Quiero trabajar en la compañía Trabajo Seguro y necesito una cita para hablar con el (la) director(a). ¿Qué fecha y a qué hora puede ser la cita?*
Compañero(a):	*El director quiere hablar con Ud. el 23 a las dos de la tarde.*
Ud.:	*¡Lo siento! Pero...*

Situación 1: Ud. quiere invitar a su amigo(a) al cine. Decidan la hora, el día, la fecha y la película que quieren ver. El problema es que ustedes no quieren ver la misma *(same)* película. ¿Qué película van a ver?

Situación 2: Ud. tiene que describir todas sus actividades de esta semana a su novio(a), esposo(a), padre o madre (compañero[a] de clase). Esta persona pregunta mucho: ¿A qué hora vas a la universidad? ¿A qué hora vas a cenar? ¿A qué hora estudias? ¿Qué vas a estudiar este fin de semana? etc.

■ RETO CULTURAL

A. You are going to make an appointment with your school's adviser in Mexico. Your classmate is the assistant to the adviser and he/she gives you a note that says **"Su próxima cita con la profesora Romero es 4/8/06"**. Ask your classmate a few questions in order to pin down when the appointment is, such as:
- ¿Qué día es la cita?
- ¿Qué fecha es la cita o la reunión?
- ¿Aquí en México, va primero *(first)* el día o el mes?

B. You are in Mexico and want to buy tickets for the next concert for the rock group Maná. You call to buy the tickets and the salesperson, who is your classmate, will answer some questions about the concert (the month, the time, etc.). Remember to use the 24-hour system of time.
- ¿Cuándo es el concierto?
- ¿A qué hora es el concierto?
- ¿El concierto es...?

¡Practiquemos más!

For additional practice on the material covered in this chapter, go to **Lección 3** of the *Intercambios* Workbook/Laboratory Manual.

For additional grammar, vocabulary, and conversation practice, go to **Lección 3** of the *Flex-Files*.

Atajo Writing Assistant Software for Spanish can be used to complete the writing activities in your *Workbook/Laboratory Manual*.

Intercambios Video: Activities to accompany the *Intercambios* Video can be found in the *Flex-Files*.

Visit *Intercambios* on the World Wide Web at **http://www.intercambios.nelson.com**.

ASÍ SE DICE

Sustantivos *Nouns*
el acuerdo *agreement*
la carta *letter*
la casa *house*
el cine *movie theatre*
la comunidad *community*
la conferencia *conference/lecture*
el desarrollo *development*
la entrevista *interview*
la fecha *date*
la fiesta *party*
el internado *internship*
el medio ambiente *environment*
el mensaje electrónico *e-mail*
el parque *park*
la película en video *video*
el peligro *danger*
el periódico *newspaper*
el proyecto *project*
el refresco *soft drink*
el regalo *gift*
la rutina diaria *daily routine*
la televisión *television (program)*
la universidad *university*

Los días de la semana
Days of the week
lunes *Monday*
martes *Tuesday*
miércoles *Wednesday*
jueves *Thursday*
viernes *Friday*
sábado *Saturday*
domingo *Sunday*

Los meses del año
Months of the year
enero *January*
febrero *February*
marzo *March*
abril *April*
mayo *May*
junio *June*
julio *July*
agosto *August*
septiembre *September*
octubre *October*
noviembre *November*
diciembre *December*

Verbos *Verbs*
abrir *to open*
aprender *to learn*
asistir a *to attend*
bailar *to dance*
beber *to drink*
comer *to eat*
comprender *to understand*
correr *to run*
creer *to believe*

deber *ought to (should)*
decidir *to decide*
describir *to describe*
discutir *to discuss/to argue*
escribir *to write*
ir *to go*
leer *to read*
mirar *to watch, to look (at)*
pasear *to stroll*
querer (e → ie) *to want*
recibir *to receive*
ver *to see, to watch*
vivir *to live*

Adjetivos demostrativos
Demonstrative adjectives
este *this (masc. sing.)*
estos *these (masc. pl.)*
esta *this (fem. sing.)*
estas *these (fem. pl.)*
ese *that (masc. sing.)*
esos *those (masc. pl.)*
esa *that (fem. sing.)*
esas *those (fem. pl.)*
aquel *that over there (masc. sing.)*
aquellos *those over there (masc. pl.)*
aquella *that over there (fem. sing.)*
aquellas *those over there (fem. pl.)*

Pronombres demostrativos
Demonstrative pronouns
éste *this one (masc. sing.)*
éstos *these ones (masc. pl.)*
ésta *this one (fem. sing.)*
éstas *these ones (fem. pl.)*
ése *that one (masc. sing.)*
ésos *those ones (masc. pl.)*
ésa *that one (fem. sing.)*
ésas *those ones (fem. pl.)*
aquél *that one over there (masc. sing.)*
aquéllos *those ones over there (masc. pl.)*
aquélla *that one over there (fem. sing.)*
aquéllas *those ones over there (fem. pl.)*

Pronombres demostrativos neutros *Neuter demonstrative pronouns*
esto *this*
eso *that*
aquello *that one*

Preguntas *Questions*
¿Adónde? *Where to?*
¿A qué hora? *(At) What time?*
¿Con quién? *With whom?*
¿Cuándo? *When?*

¿Por qué? *Why?*

Para pedir información
To ask for information
¿Qué fecha es hoy? *What's today's date?*
Hoy es el 25 de enero del 2006. *Today is January 25, 2006.*
¿Qué día es hoy? *What day is today?*
Hoy es sábado. *Today is Saturday.*
¿A qué hora es... ? *(At) What time is . . . ?*

Para invitar y pedir más información *To invite and ask for more information*
¿Quieres ir al cine? *Do you want to go to the movies?*
¿Te gustaría comer en un restaurante... ? *Would you like to eat in a . . . restaurant?*
hoy *today*
mañana *tomorrow*
el fin de semana *weekend*
por la mañana *in the morning*
por la noche *at night*
por la tarde *in the afternoon/evening*

Para pedir la hora y contestar *To ask for the time and answer*
¿Qué hora es? *What time is it?*
Es mediodía. *It's noon.*
Es medianoche. *It's midnight.*
Es la una de la mañana. *It's one in the morning.*
Son las dos de la tarde. *It's two in the afternoon.*
Son las siete y cuarto. *It's seven fifteen.*
Son las siete y media. *It's seven-thirty.*
Son las ocho de la noche. *It's eight in the evening.*
Es tarde. *It's late.*
Es temprano. *It's early.*

Conjunción *Conjunction*
pero *but*

Expresiones *Expressions*
¡Bien! *Okay!*
¡Claro que sí! *Of course!*
¡Lo siento! *I'm sorry!*
¿Te gustaría... ? *Would you like . . . ?*
Me gustaría... *I would like to . . .*
mucho *a lot*

PERSPECTIVAS

IMÁGENES La etiqueta o "netiquette" en la Red *(Web)*

Antes de leer *(Before reading)*: **Look at the picture and discuss the following questions with two or three classmates:**

1. ¿Qué hace la persona en la foto? ¿En qué trabaja?
2. ¿Trabajan Uds. mucho en la computadora / el ordenador?
   (En España la computadora es el ordenador.)
3. ¿Mandan Uds. muchos mensajes electrónicos *(e-mails)*?
4. ¿Usan Uds. las reglas de etiqueta cuando mandan mensajes electrónicos?

La etiqueta o "netiquette" en la Red

Si a Ud. le gusta trabajar en la computadora / el ordenador, debe practicar ciertas reglas de cortesía *(courtesy rules)* o de etiqueta en la Red. Estas reglas de cortesía son las siguientes:

- Debe escribir mensajes cortos *(short)*. Hoy en día, las personas reciben muchos mensajes electrónicos y es por eso que deben ser cortos y exactos.

- Debe leer y revisar su mensaje con el programa que revisa cómo se escriben *(spell)* las palabras.

- No debe escribir muchas abreviaturas *(abbreviations)*. Debe ser cortés en su mensaje electrónico y no debe escribir con letras mayúsculas *(all caps)* porque significa que le está gritando *(yelling)* a la persona que le envió el mensaje.

- Debe escribir **siempre** *(always)* el asunto *(subject)* de su mensaje y así las personas que reciben muchos mensajes pueden decidir si van a leer o no el mensaje que Ud. envía. Así, más tarde, las personas pueden buscar el mensaje que necesitan por el asunto.

- Debe escribir sus datos personales *(personal data)* después de escribir su mensaje. Es importante escribir su nombre, su dirección, su número de teléfono y su dirección de correo electrónico.

- Debe revisar su correo electrónico regularmente y contestar los mensajes rápidamente *(rapidly)*.

LHASA DE SELA

Lhasa de Sela es tal vez la canadiense de origen hispano más conocida en el mundo.

Nacida *(Born)* en los Estados Unidos, de un padre mexicano y una madre estadounidense, Lhasa crece *(grows up)* entre California y México. Sus padres son intelectuales y hippies y en la familia no hay televisor, pero sí muchos libros y mucha música.

A los 19 años Lhasa se muda a Canadá. En Montreal, vive en un medio francófono pero canta en español. Sus conciertos empiezan a tener fama en Montreal. Su primer disco compacto, *La Llorona*, sale en 1997. A pesar de *(in spite of)* cantar únicamente en español, Lhasa tiene mucho éxito en Canadá, los EE. UU. y Europa. Se venden más de 500.000 ejemplares de *La Llorona*.

En el año 1998 Lhasa sale de Canadá para trabajar en un circo en Francia con sus hermanas. En el 2002 regresa a Canadá. Su segundo disco compacto, *The Living Road*, sale en 2003. Tiene canciones en español, francés e inglés. Después de este disco compacto, Lhasa da muchos conciertos en Canadá, los Estados Unidos y Europa.

CD1 - 47, 48

¡A leer!

 **Discuss the following with your classmates.**

- ¿Qué significa NAFTA o el TLCNA (Tratado de Libre Comercio de Norte América)?

- ¿Qué países participan en el TLCNA?

- Mire el cuadro con las estadísticas del Canadian Trade Commissioner Service y observe el comercio entre Canadá y México. ¿En qué año suben *(rise)* las exportaciones de Canadá a México? ¿Es esto importante para la economía de Canadá? ¿Por qué?

- ¿Qué oportunidades tiene Ud. para trabajar con una compañía del TLCNA? ¿Le gustaría hacer negocios para el TLCNA? ¿Dónde le gustaría trabajar, en Canadá, en México o en los Estados Unidos? ¿Por qué?

México:

Un socio del Tratado de Libre Comercio de Norte América (TLCNA)*

Un acuerdo internacional

Comenzando el primero de enero de 1994, México, Canadá y los Estados Unidos escriben y firman un acuerdo económico importante, que se llama el Tratado de Libre Comercio de Norte América (TLCNA). Este acuerdo es la fuerza económica más grande y poderosa del mundo, y representa una población de más de 414 millones de personas.

* En inglés el Tratado de Libre Comercio de Norte América se llama *North American Free Trade Agreement (NAFTA)*. En español, mucha gente lo llama el TLC.

Importaciones/Exportaciones Canadienses de/a México

Fuente: Canadian Trade Commissioner Service

Los beneficios del TLC

- Más trabajo para los mexicanos, los canadienses y los estadounidenses.

- Algunos productos son más económicos, especialmente los de autos, ropa y productos agrícolas.

- Los profesionales tienen más fácil acceso a empleos en los tres países.

- Hay más contacto entre los canadienses y los mexicanos.

Los costos del TLC

- La diferencia entre los ricos y los pobres se hace más grande en los tres países.

- La degradación del medio ambiente ocurre más rápido en los tres países.

- En México, el precio de la "canasta básica" de comida esencial sube mucho más rápido que los sueldos.

- Es más difícil mantener las culturas locales o regionales.

Líderes de los tres países firmando el acuerdo.

¿Qué dice Ud.? Read the following questions, think about them, and then discuss them with your classmates.

1. ¿Es el TLCNA una buena o mala idea para Norteamérica?

2. ¿Cuáles de los beneficios del TLCNA son importantes para México?

3. ¿Cuáles de los costos de este tratado son importantes para Canadá?

¡A escribir!

Organizing Information

▶1. Look at the chart below and familiarize yourself with the information about Lisa Turner.

Nombre	Lisa Turner	Edad	veintidós años
Ciudad	Toronto, Ontario	Escuela	Universidad de Toronto
País	Canadá	Curso(s)	negocios, contabilidad
Lengua(s)	inglés, español	Planes	ser mujer de negocios (businesswoman)

▶2. Now read the following description of Lisa and note that it includes information from the preceding chart.

Lisa Turner es de Toronto, Ontario, en Canadá. Ella habla inglés y español muy bien. Lisa tiene veintidós años. Estudia en la Universidad de Toronto. Este semestre Lisa estudia negocios y contabilidad en México. Quiere ser mujer de negocios.

▶3. Create a new chart similar to the one made for Lisa Turner. Fill in the chart with information about one of your classmates. Then write a similar descriptive paragraph about him/her.

▶4. Now fill in a new chart with information about yourself. Then write a descriptive paragraph about yourself.

▶5. Exchange both of your paragraphs with a classmate. Check each other's work for errors, and correct any you find. Discuss the results together, then return each other's work.

Combining Sentences

One way to improve your writing style is to combine short sentences that fit together logically. Here are four Spanish words you can use to combine sentences and parts of sentences:

y	and	**porque**	because
pero	but	**que**	that, which, who

Querida Rosario:

 ¿Qué tal? ¿Cómo está la familia?

Mis estudios en la universidad van bien porque estudio

mucho. Tomo tres cursos: inglés, negocios y economía de

México. Mis profesores son excelentes y aprendo mucho con

ellos.

 Tengo una compañera de cuarto que se llama

Trinidad. Ella es inteligente pero necesita estudiar

mucho. Tengo un novio mexicano que se llama Arturo.

Tiene veinticinco años y es guapo y simpático. Este fin de

semana él va a tener una fiesta porque es su cumpleaños.

 Bueno, voy a estudiar. ¡Chao!

Tu amiga,

Adriana

Srta. Rosario Álvarez

calle "Los Naranjos"

Nº 72 Mayorca

Islas Canarias

ESPAÑA

Activity

1. Read Adriana's postcard to her friend in the Canary Islands, Rosario Álvarez, and circle all the sentence connectors.
2. Combine the following sets of sentences, using **y**, **pero**, **que**, and **porque** appropriately.

MODELO: Hablo inglés bien. Hablo español un poco.
         Hablo inglés bien, pero hablo español un poco.

   a. Tengo dos profesores. Son excelentes. Son simpáticos.
   b. Trinidad es inteligente. El inglés es difícil para ella.
   c. Lisa quiere ser mujer de negocios. Quiere vivir en México.
   d. Necesito estudiar ahora. Tengo un examen el miércoles.

3. Imagine that Adriana is your pen pal. Using her postcard as a model, write to her about yourself, your studies, your friends and their activities, what you do during the week, and how you spend your free time. Don't forget to combine sentences appropriately.

PASO 2

Ecoturismo en Centroamérica

Bandera de Belice

Bandera de Nicaragua

Bandera de Honduras

Bandera de Guatemala

Bandera de El Salvador

Bandera de Costa Rica

Bandera de Panamá

Belmopan ★
BELICE

GUATEMALA
Ciudad de
Guatemala ★

San Salvador ★
EL SALVADOR

HONDURAS
Tegucigalpa ★

NICARAGUA
Managua ★

Mar Caribe

COSTA RICA
San José ★

Panamá ★
PANAMÁ

*Océano
Pacífico*

El Canal de Panamá

Bosque lluvioso, Costa Rica

Tikal

Seguimos a Sara Chang a Guatemala donde ella trabaja en un proyecto de desarrollo en una comunidad maya. Cuando termina su proyecto, Sara viaja por Costa Rica con Francisco Ramírez. Más tarde, Sara y Francisco visitan el Canal de Panamá.

LECCIÓN 4
¡Tenemos que estar de acuerdo!

✖ ENFOQUE ✖

■ METAS COMUNICATIVAS

Usted va a poder describir a su familia y a sus parientes y algunas de sus actividades.

También va a poder describir su casa y los quehaceres domésticos.

■ IDIOMA

Nombrar a sus familiares
Describir a su familia
Describir su casa y sus quehaceres
Describir su ubicación
Expresar estados físicos y estados de ánimo
Hablar de sus actividades diarias
Expresar conocimientos y familiarización
Describir cómo y con qué frecuencia

■ VOCABULARIO ESENCIAL

Familiares
El hogar
Estado civil
Expresiones con **tener que**

■ GRAMÁTICA ESENCIAL

Algunos usos del verbo **estar**
El presente de otros verbos irregulares en la forma del **yo**
Usos de los verbos **saber** y **conocer**
Adverbios y expresiones adverbiales

■ CULTURA

La familia hispana
Los nombres hispanos

■ RETO CULTURAL

¿Cuál es la importancia de los familiares, como los abuelos, tías, tíos, primos, y amigos cercanos, en la vida de las familias hispanoamericanas y españolas? ¿Cuáles son las diferencias y las similitudes entre las familias hispanas y canadienses?

Sara trabaja en un proyecto de desarrollo en Guatemala.[1] *Trabaja con doña Felipa, una señora indígena. Ellas introducen cultivos° nuevos en un pueblo en las montañas del Departamento del Quiché.*

DOÑA FELIPA:	¿Usted está° casada°, Sara?
SARA:	No, doña Felipa. Solamente tengo veinte años° y quiero estudiar.
DOÑA FELIPA:	No conozco° las costumbres° de ustedes. Aquí muchas mujeres de veinte años están casadas. Además, tenemos muchos hijos°. Yo tengo seis hijos. Mi hermana mayor tiene ocho y mi hermano menor tiene cinco. Yo tengo trece sobrinos y cuatro nietos°. Tengo sólo treinta y nueve años, pero ya soy abuela°.... ¿Usted sabe mucho de nuestra cultura?
SARA:	Yo sé que los indígenas de Guatemala son de la cultura maya.
DOÑA FELIPA:	Sí. Cuando yo estoy en casa° no hablo español. Con mis hijos, normalmente hablo el quiché, que es un idioma° maya. Los días festivos, como El Día de los Muertos, pongo fiambre en la mesa. [2] Cuando salgo de la casa o cuando conozco a un extranjero° como usted, hablo español.
SARA:	Doña Felipa, ¿usted sabe que hay personas que dicen que Guatemala es un país atrasado°?
DOÑA FELIPA:	Esas personas deben visitar las ruinas de la cultura maya antigua. Deben visitar ciudades como Tikal. Las ruinas de Tikal son impresionantes. [3]
SARA:	Estoy muy ocupada aquí y estoy contenta de tener la oportunidad de trabajar con usted, doña Felipa. Después de trabajar en este proyecto, voy a hacer un viaje° para conocer todo Guatemala.
DOÑA FELIPA:	Sí, por supuesto. Debe conocer las ruinas de Tikal, el Lago Atitlán [4] y la ciudad de Antigua.
SARA:	Está bien, doña Felipa. Me gustaría conocer Tikal, Antigua y el Lago Atitlán... Ahora doy un paseo al pueblo para leer mi correo electrónico. Necesito saber si tengo un recado° de mi amigo Francisco en México.
DOÑA FELIPA:	Bueno, nos vemos.

cultivos...*crops*
Usted está casado/casada?... *Are you married?*
tengo veinte años... *I'm twenty years old*
No conozco... *I don't know, I'm not acquainted with*
costumbres... *customs*
hijos... *sons and daughters*
nietos... *grandchildren*
abuela... *grandmother*
casa... *house*
idioma... *language*
extranjero... *foreigner, stranger*
atrasado/atrasada... *backwards, underdeveloped*
hacer un viaje... *to take a trip*
recado... *message*

Notas de texto

1. Guatemala has a population of thirteen million people. Its capital is Guatemala City. The country's territory is characterized by high mountains and volcanoes, plains and tropical jungles, as well as numerous rivers and lakes. Coffee is the main source of revenue, with tourism a close second. From 1961 to 1996, Guatemala suffered a civil war from which it is still recovering.

2. **El Día de los Muertos,** All Souls' Day, is celebrated every year in most Latin American countries. On this day, November 2, people celebrate by visiting the graves of their relatives. In Mexico and Guatemala, families leave food on their relatives' graves. In Guatemala, the food is often prepared by the grandmother and is called

fiambre, a stew made of chicken, meat, and vegetables. This pre-Columbian tradition allows the family to maintain continuity from one generation to the next, since it is believed that the soul of the deceased returns to visit his/her family and friends on this day.

3. Tikal was one of the most important urban centres of the Mayan era during the height of Mayan civilization (300–900 A.D.). Some 27 square kilometres of central Tikal have been mapped, showing more than 3,000 buildings: temples, shrines, residences, ball courts, terraces, and plazas. This centre is of such importance to human history that UNESCO has declared it both a Cultural and Natural Patrimony of Humanity.

4. Lake Atitlán is of volcanic origin and is located 145 kilometres from Guatemala City. Atitlán is 1850 metres above sea level, covers an area of 130 square kilometres, and is 580 metres deep. Several species of fish, including the black bass, make their homes in the lake.

■ Conexión cultural

El "Centro para Gente de Habla Hispana" fue fundado en 1973 en la ciudad de Toronto, para ayudar a los inmigrantes de origen hispano a establecerse en su nuevo país.

4-1 ¿Comprendió Ud?

A. Complete las oraciones según (*according to*) la lectura.

1. Doña Felipa vive en....
   a. el Lago Atitlán.
   b. Tikal.
   c. el Departamento del Quiché.

2. Doña Felipa pone fiambre en la mesa....
   a. el Día de Todos los Santos.
   b. el día del cumpleaños de Sara.
   c. el Día de los Muertos.

3. Doña Felipa tiene.....
   a. trece sobrinos y cuatro nietos
   b. ocho hermanos y trece sobrinos.
   c. diez nietos y cinco hermanos

4. El hermano menor de doña Felipa....
   a. vive en Tikal.
   b. tiene cinco hijos.
   c. viaja para conocer todo Guatemala

B. Converse *(Talk)* con un compañero(a) y conteste las siguientes preguntas.

1. ¿Cuántos hermanos y hermanas tiene el hijo mayor de doña Felipa?
2. ¿Cómo se llama el amigo de Sara en México?
3. ¿Qué lugares quiere conocer Sara?
4. ¿Cuántos hermanos tienes?
5. ¿Cómo se llaman tus hermanos?
6. ¿Dónde vive tu familia?
7. ¿Qué lugares interesantes hay en tu provincia *(province)*, territorio *(territory)*, ciudad *(city)* o región *(region)*?
8. ¿Celebran en tu ciudad el Día de los Muertos? ¿Cómo celebran el Día de los Muertos en tu región? ¿Celebran otro *(another)* día importante?

VOCABULARIO esencial

In this section, you will learn to describe your family and other relatives and to ask your classmates about their relatives. You will also be able to describe some activities that you have to do, using the expression **tener que**.

Para conversar sobre la familia

El hogar   Home

La familia	*Family*
La casa	*House*

Los parientes   Relatives

el abuelo	*grandfather*	la abuela	*grandmother*
el padre/papá	*father*	la madre/mamá	*mother*
el padrastro	*stepfather*	la madrastra	*stepmother*
el esposo	*husband*	la esposa	*wife*
el hijo	*son*	la hija	*daughter*
el nieto	*grandson*	la nieta	*granddaughter*
el hermano	*brother*	la hermana	*sister*
el cuñado	*brother-in-law*	la cuñada	*sister-in-law*
el primo	*male cousin*	la prima	*female cousin*
el tío	*uncle*	la tía	*aunt*
el sobrino	*nephew*	la sobrina	*niece*

El estado civil   Marital status

Es...		Está...	
soltero(a).	*single*	casado(a).	*married*
viudo(a).	*widowed*	divorciado(a).	*divorced*

¡Practiquemos!

4-2 Los familiares *(Family members)*. Complete las oraciones con el nombre del familiar apropiado.

MODELO: El hermano de mi papá es mi *tío*.

	Familiar
	tía
	tío
	prima
	nietos
	abuela
	abuelos
	primos
	sobrina

1. La hija de mis tíos es mi _____.
2. La esposa de mi tío es mi _____.
3. La hija de mi hermana es mi _____.
4. La madre de mi papá es mi _____.
5. Soy el (la) nieto(a) de mis _____.
6. El padre de mis primos es mi _____.
7. Los niños de mis hijos son mis _____.
8. Los hijos de mis tíos son mis _____.

 4-3 Preguntas personales. Pregúntele a un(a) compañero(a) de clase.

1. ¿Tienes abuelos? ¿Cuántos abuelos tienes? ¿Cuántos años tiene(n)? ¿Dónde vive(n)?
2. ¿Tienes tíos? ¿Cuántos tíos tienes? ¿Cómo se llama(n)? ¿Eres tío(a)? ¿Tienes sobrinos? ¿Cuántos sobrinos tienes? ¿Cómo se llaman? ¿Cuántos años tienen?
3. ¿Tienes muchos o pocos primos? ¿Quién es tu primo(a) favorito(a)? ¿Dónde vive? ¿Cómo es él (ella)?
4. ¿Quién está casado en tu familia? ¿Cuántos niños tiene(n)?
5. Y tú, ¿eres soltero(a) o estás casado(a)? ¿Tienes niños?
6. ¿Quién está divorciado en tu familia? ¿Dónde vive(n) ahora?
7. ¿Tienes un hermano mayor *(older)* o menor *(younger)* que tú? ¿Cómo se llama? ¿Cuántos años tiene?
8. ¿Tienes una hermana mayor o menor que tú? ¿Cómo se llama? ¿Cuántos años tiene?

4-4 Mi familia. Dibuje su árbol genealógico *(Draw your family tree)*. Luego haga una descripción de su familia, usando el siguiente modelo.

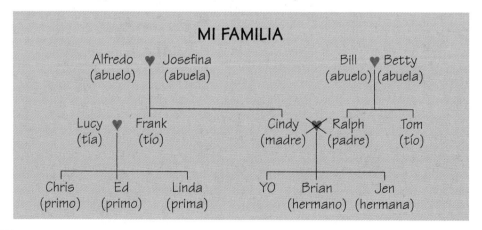

MI FAMILIA

Alfredo ♥ Josefina (abuelo) (abuela)   Bill ♥ Betty (abuelo) (abuela)

Lucy ♥ Frank (tía) (tío)   Cindy ✕ Ralph (madre) (padre)   Tom (tío)

Chris (primo)   Ed (primo)   Linda (prima)   YO   Brian (hermano)   Jen (hermana)

MODELO: *Tengo una familia grande. Mis padres están divorciados y ahora vivo con mi papá. Tengo un hermano mayor y una hermana menor. Mi hermano se llama Brian; tiene veinticinco años. Brian es guapo y simpático. Mi hermana se llama Jen; tiene dieciocho años. Ella es menor que yo. Ella es una estudiante inteligente y trabajadora. También tengo una madrastra y un hermanastro. Ellos son muy amables. Tengo dos tíos, una tía y tres primos, que viven en Saskátchewan. También tengo un abuelo que se llama Bill; es el padre de mi papá. Mi abuelito, que es viudo, tiene setenta años y vive en Manitoba.*

Ahora, usando su descripción, hable sobre su familia con un(a) compañero(a) de clase, que debe hacerle a Ud. preguntas apropiadas.

Para describir la casa

In this section you will learn to describe your house and to ask your classmates to describe their houses. You will also be able to express some activities that you have to do, using the expression **tener que**.

La casa

La cocina	*The kitchen*	**El comedor**	*The dining room*
la estufa	*stove*	la mesa	*table*
el fregadero	*sink*	la silla	*chair*
el horno	*oven*		
el lavaplatos	*dishwasher*	**La sala**	*The living room*
el refrigerador	*refrigerator*	el sillón	*armchair*
		el sofá	*sofa*
La habitación	*The bedroom*	**El cuarto de baño**	*The bathroom*
el armario	*wardrobe*	la bañera	*bathtub*
la cama	*bed*	la ducha	*shower*
la lámpara	*lamp*	el inodoro	*toilet*
la mesa de noche	*night table*	el lavamanos	*sink*
El garaje	*The garage*	**Las escaleras**	*The stairs*

Los quehaceres del hogar *Household chores*

arreglar la habitación, la cocina   *to straighten up the bedroom, the kitchen*
hacer la cama   *to make the bed*
limpiar la sala, el cuarto de baño   *to clean the living room, the bathroom*

4-5 ¿Dónde... ? Describa en qué lugar de la casa Ud. hace las siguientes actividades.

1. leer el periódico
2. comer
3. descansar
4. escuchar música
5. estudiar
6. ver la televisión
7. tomar un baño
8. hacer la tarea

 4-6 ¿Qué hay en el dormitorio? Descríbale su dormitorio a un(a) compañero(a) de clase (con los aparatos eléctricos).

MODELO: *En mi dormitorio hay...*
¿Qué hay en tu dormitorio?

 4-7 ¿Qué le gustaría tener en su casa nueva? Escriba cómo es su casa ideal. Luego descríbale su casa a un(a) compañero(a) de clase.

MODELO: *Me gustaría tener dos televisores a colores, una videocasetera en mi habitación y una en la sala...*

 4-8 Tengo que hacer muchas cosas en casa. Pregúntele a su compañero(a) todas las cosas que él (ella) tiene que hacer.

MODELO: —*¿Qué tienes que hacer hoy en casa?* (limpiar el cuarto de baño)
—*Tengo que limpiar el cuarto de baño.*

1. hacer la cama
2. arreglar la habitación
3. limpiar la cocina
4. arreglar el garaje
5. limpiar el comedor
6. limpiar el cuarto de baño

 4-9 Fiesta en casa. Ud. y su compañero(a) de cuarto van a tener una fiesta el sábado por la noche. Conversen para hacer un plan para limpiar la casa. Pongan las actividades en orden de importancia *(Put the activities in order of importance)*. Expliquen por qué y cuáles actividades son importantes para toda la clase *(Explain why certain activities are important to the whole class)*.

MODELO: limpiar la sala

—*Tenemos que limpiar la sala.*
—*Sí, pero tenemos que limpiar la cocina y luego la sala.*
La cocina es importante porque nosotros preparamos la comida en la cocina.

<table>
<tr><td>

1. limpiar la sala
2. arreglar las habitaciones
3. hacer las camas
4. limpiar el cuarto de baño

</td><td>

5. arreglar el garaje
6. limpiar la cocina
7. arreglar el comedor
8. arreglar el refrigerador

</td></tr>
</table>

CULTURA

CD - 8, 9

■ Familias hispanas

En la cultura hispana la unidad social *(social unit)* más importante es la familia. Además del padre, la madre y los hermanos, la familia incluye *(includes)* a los abuelos, los tíos, los primos y los sobrinos.

Las familias hispanas son muy unidas *(close-knit)*; cuando algún miembro *(any member)* de la familia necesita ayuda, la familia da ayuda material y emocional. Muchas veces hay dos o más generaciones que viven en una casa. Los abuelos viven con sus hijos y así contribuyen *(contribute)* a la educación de los nietos; también ayudan a los padres que trabajan fuera de *(away from)* casa. Muy pocas veces *(Rarely)*, los abuelos viven en casas de ancianos *(nursing homes)*. Los abuelos son un elemento muy importante dentro de la unión y la tradición familiar hispana. ¡Viva la familia!

¿Qué significa la palabra **familia** para ti?

Preguntas

1. ¿Qué significa la palabra **familia** para ti?
2. ¿Son importantes los abuelos en la educación de los niños canadienses?
3. ¿Cuáles son las similitudes *(similarities)* y las diferencias entre lo que significa familia en el mundo hispano y en el mundo canadiense?
4. ¿Son los perros y gatos parte de tu familia?

GRAMÁTICA esencial

Present tense of the verb *estar*

In this section you will be able to describe people, things, places, and conditions.

The verb **estar** means *to be* in English. **Estar** is used to describe conditions that show a change from what is the norm for a person or thing being described, or to indicate location, either permanent or temporary.

estar *(to be)*		
Singular		
(yo)	estoy	*I am*
(tú)	estás	*you* (informal) *are*
(Ud., él, ella)	está	*you* (formal) *are, he/she is*
Plural		
(nosotros/nosotras)	estamos	*we are*
(vosotros/vosotras)	estáis	*you* (informal) *are*
(Uds., ellos/ellas)	están	*you are, they are*

How to use **estar**

1. Location

Use **estar** to indicate where people, places, and things are located.

—¿Dónde **está** mi hermana Cristina? *Where **is** my sister Cristina?*
—**Está** en casa ahora. *She **is** at home now.*

2. Marital status

Use **estar** to indicate marital status.

—¿**Estás** casada, Jane? ***Are you** married, Jane?*
—No. **Estoy** divorciada. *No. **I'm** divorced.*

3. Physical or emotional states

Use **estar** with adjectives to describe physical or emotional states or the condition of a person or a thing in a certain or specific moment.

Estoy **cansado(a)** hoy. *I'm **tired** today.*
¿Estás **contento(a)** hoy? *Are you **happy** today?*
¿Estás **triste** esta noche? *Are you **sad** tonight?*
Estamos **enfermos(as)** con gripe. *We're **sick** with a cold.*
Estamos **preocupados(as)** por el examen. *We're **worried** about the exam.*
Están **interesados(as)** en la clase de geografía. *They're **interested** in the geography class.*
Están **aburridos(as)** con los quehaceres de la casa. *They're **bored** with the household chores.*

4. More adjectives to be used with *estar:*

adelantado(a)	*ahead/advanced*
atrasado(a)	*behind*
desocupado(a)	*empty, without work*
emocionado(a)	*moved, excited*
enojado(a)	*angry*
loco(a)	*crazy*
ocupado(a)	*busy*

5. Fixed expressions

Estar is used in a number of fixed expressions:

(no) **estar** bien/mal	*(not)* **to be** *well/bad*
(no) **estar** claro	*(not)* **to be** *clear*
(no) **estar** de acuerdo	*(not)* **to** *agree*
(no) **estar** de vacaciones	*(not)* **to be** *on vacation*
(no) **estar** de buen/mal humor	*(not)* **to be** *in a good/bad mood*

> "Nadie está contento con su suerte". —*refrán popular*

¡Practiquemos!

4-10 ¿Cómo están Uds.? Describa cómo están las siguientes personas usando el verbo **estar**.

MODELO: Cristina *está* ocupada con sus hijos.

1. Nosotros _____ contentos con la clase de portugués.
2. Yo _____ triste porque mi hermano menor _____ enfermo.
3. Tú _____ atrasada en tu trabajo de la escuela.
4. Marina y Pierre _____ preocupados por sus tareas de la universidad.
5. Ellas _____ interesadas en la clase de economía.
6. Tú _____ loco con el trabajo de hoy.
7. Sara estudia mucho y _____ adelantada en sus estudios.
8. Yo _____ muy ocupada hoy con los quehaceres de la casa.

4-11 ¿Cómo está la familia Chávez? Describa cómo está la familia Chávez usando los siguientes adjetivos.

interesados(as)	cansados(as)	alegres	atrasados(as)
enfermos(as)	preocupados(as)	emocionados(as)	enojados(as)

MODELO: Doña María Cristina está *contenta* porque hoy no está *ocupada*.

1. Luis está _____ porque sus amigos van a ir a visitar Guatemala.
2. Cristina y Rafael están _____ porque su hijo está _____.
3. Rafael, el cuñado de Luis, está _____ en su trabajo y por eso debe trabajar más rápido.
4. La sobrina de Luis, María Cristina, está _____ porque va a estar con sus primos.
5. Don Luis y doña María Cristina están _____ en estar con los amigos de Luis.
6. Tú estás _____ despues de limpiar la casa de tus amigos.
7. Luis y Cristina están _____ porque la computadora no funciona bien.
8. Nosotros estamos _____ porque vamos a visitar Guatemala.

4-12 Preguntas del (de la) profesor(a). ¿Cómo va a contestar Ud. las siguientes preguntas? Use las expresiones idiomáticas con el verbo **estar**.

estar bien/mal   estar de vacaciones   estar claro   estar de acuerdo
estar de buen/mal humor

MODELO: PROFESOR(A):   ¿Cómo están Uds. hoy?
                        UDS.:   *Estamos bien.*

PROFESOR(A):   ¿Comprenden el verbo **estar**? ¿Está claro?
UDS.:   Sí, _____ _____.
PROFESOR(A):   ¿Están de acuerdo con no tener tarea para mañana?
UDS.:   Sí, _____ de _____.
PROFESOR(A):   ¿Quién está de vacaciones esta semana?
UDS.:   Francisco y Sara _____ de _____ esta semana.
PROFESOR(A):   ¿Están Uds. de buen o mal humor hoy? ¿Por qué?
UDS.:   _____ de _____ humor hoy, profesor(a).

 4-13 Situaciones. En grupos de tres o cuatro personas, traten de resolver *(try to solve)* las siguientes situaciones *(the following situations)*.

MODELO: ¿Cómo está Ud. cuando tiene que hacer mucha tarea para su clase de contabilidad?

   Estoy muy preocupado(a) porque tengo que hacer mucha tarea de contabilidad para mañana. Pero después de terminar la tarea voy a estar contento(a)...

■ Ud. tiene que arreglar su habitación y el cuarto de baño. Descríbales a sus compañeros(as) cómo está Ud. ahora y cómo va a estar después de arreglar su habitación y el cuarto de baño.

■ Ud. tiene que llamar a su hermano(a) por teléfono porque él (ella) está enfermo(a). Descríbales a sus compañeros(as) cómo está Ud. ahora y cómo va a estar después de mejorarse *(to get better)* su hermano(a).

■ Ud. tiene que escribir un trabajo con su compañero(a), pero Uds. no están de acuerdo con el tema *(topic)*. Descríbales a sus compañeros(as) cómo están Uds. ahora y cómo van a estar después de discutir el tema.

Present Tense of Other Irregular *yo* Verbs

How to form irregular *yo* verbs

1. Some common Spanish verbs have irregular **yo** forms in the present tense.

		yo *forms*	
conocer	*to know, to meet*	**conozco**	**Conozco** la Ciudad de Guatemala.
dar	*to give*	**doy**	**Doy** una fiesta en casa este viernes.
estar	*to be*	**estoy**	**Estoy** un poco cansada hoy.
hacer	*to do, to make*	**hago**	**Hago** muchos quehaceres en la casa.
poner	*to put, to put on*	**pongo**	**Pongo** la mesa para comer todos los días.
saber	*to know (how/facts)*	**sé**	**Sé** que en Tikal hay ruinas mayas.
salir	*to leave, to go out*	**salgo**	**Salgo** con mis tíos a cenar.
traer	*to bring*	**traigo**	**Traigo** mis libros a clase.

2. The other present tense forms of these verbs are regular, as in these examples below.

hacer *(to do)*	**dar** *(to give)*	**estar** *(to be)*	**saber** *(to know how/facts)*	**conocer** *(to know, to meet)*
hago	**doy**	**estoy**	**sé**	**conozco**
haces	das	estás	sabes	conoces
hace	da	está	sabe	conoce
hacemos	damos	estamos	sabemos	conocemos
hacéis	dais	estáis	sabéis	conocéis
hacen	dan	están	saben	conocen

The personal *a*

The personal **a** is used to introduce specific people, groups of people, or pets.

Conozco **a** Marina.   *I know Marina.*
Conozco **a** Luis y **a** Tomás.   *I know Luis and Tomás.*

- Before Marina, Luis, and Tomás, we need to include a preposition that is called the personal **a** since Marina, Luis, and Tomás are the direct object of the verb **conocer**.

- Remember that the direct object of a verb is the person or thing that receives the action of the verb.

- This personal **a**, which has no English equivalent, is usually repeated before each noun (person) or pronoun. The personal **a** is only used for people or household pets.

    Conozco **a** Luis, **a** Tomás y **a** Marina.
    Busco **a** mi perro, Rover.

- Note that the personal **a** is not used after the verb **tener**.

    Lisa tiene tres hermanas.

¡Practiquemos!

4-14 La carta de Sara. Sara le escribe una carta a su amiga Lisa que está en México. Complete la carta para saber lo que Sara hace en Guatemala. Recuerde (*Remember*) usar la **a** personal si es necesario.

¡Hola, Lisa!

¿Cómo estás? Yo (estar) _____ muy bien aquí en Guatemala. (Ver) _____ doña Felipa y _____ su familia todos los días y (hacer) _____ muchas cosas con ellos. (Conocer) _____ su familia muy bien; es muy amable y simpática. (Salir) _____ todos los días a trabajar en el campo con ella y su hermana, doña Marisa. Los sábados (hacer) _____ el viaje al mercado. Ahora (saber) _____ algunas palabras del idioma quiché.

¡Me gusta mucho Guatemala!

¡Hasta pronto!

Sara

4-15 ¿Quién es Cristina Chávez? Complete el siguiente párrafo, usando las formas apropiadas de los verbos. Puede repetir algunos verbos.

ir	estar	traer	dar
ser	salir	hacer	conocer

¡Hola a todos! Me llamo Cristina y _____ la hermana del dueño de la agencia de turismo. ¡Encantada! Guatemala les va a gustar mucho. La ciudad _____ muy moderna y las personas _____ muy amables. Si a Uds. les gusta comer, yo _____ unos restaurantes típicos excelentes; también _____ restaurantes italianos y asiáticos. Todos los domingos, yo _____ con mi esposo y mis hijos a un restaurante nuevo. Por la tarde, yo _____ a casa de mis padres y _____ a mis hijos a visitar a sus abuelos. Los abuelos siempre _____ contentos de ver a los nietos. En la semana, yo _____ muchas cosas: trabajo, estudio y también _____ clases de inglés en el colegio de los niños. ¡Tengo que hacer muchas cosas, pero quiero ser su guía de turismo en Guatemala!

How to use *saber* and *conocer*

Although the verbs **saber** and **conocer** both mean *to know*, they represent two different kinds of knowledge. Here is how to use them:

1. Use **saber** to express *to know something* (information/facts) or *to know how to do something*.

—¿**Sabe** Ud. que las ruinas de Tikal son de origen maya?	***Do you know*** *that the ruins from Tikal are Mayan?*
—Sí, **sé** que son de origen maya.	*Yes,* ***I know*** *that they are Mayan.*
—¿**Saben** Uds. jugar al tenis?	***Do you know how*** *to play tennis?*
—Sí, ¡claro que sí **sabemos** jugar al tenis!	*Yes, of course* ***we know how*** *to play tennis.*
—¿**Saben** Uds. de dónde es la profesora?	***Do you know*** *where the professor is from?*
—Sí, **sabemos**. Ella es de México.	*Yes,* ***we know***. *She is from Mexico.*

2. Use **conocer** to express *to be acquainted with a person, place, or thing*.

—¿**Conocen** Uds. la Ciudad de Guatemala?	***Do you know (Have you been to)*** *Guatemala City?*
—No, no **conocemos** la ciudad.	*No,* ***we*** *don't* ***know*** *the city.*
—¿Ileana, **conoces** a mi hermana?	*Ileana,* ***are you acquainted with*** *my sister?*
—Sí, **conozco** a Cristina.	*Yes,* ***I know*** *Cristina.*
—¿**Conoces** el juego de jai-alai?	***Are you familiar with*** *the game of Jai-Alai?*
—Sí, **conozco** el juego.	*Yes,* ***I am familiar with*** *the game.*

¡Practiquemos!

4-16 ¿Qué saben Uds. de Guatemala? Exprese lo que saben estas personas de Guatemala.

CD2 - 6

MODELO: Yo *sé* que los guatemaltecos hablan español y maya.

1. Nosotros _____ que la capital es la Ciudad de Guatemala.
2. Víctor y Rosa _____ que el Lago Atitlán está a ciento cuarenta y cinco kilómetros de la capital.
3. Tú _____ que los guatemaltecos son conservadores.
4. La profesora Camacho _____ hablar maya muy bien.
5. Yo _____ que Tikal es un lugar muy misterioso e interesante.
6. Los padres de Luis _____ que Ileana y Tomás son los amigos de Luis.

4-17 ¿Qué conocen Uds. de Guatemala? Exprese lo que estas personas conocen de Guatemala.

MODELO: Uds. *conocen* las ruinas de Tikal.

1. Tú _____ todos los edificios *(buildings)* de las ruinas de Tikal.
2. Nosotros _____ la ciudad de Antigua. ¡Es muy bonita!
3. Las amigas de Sara _____ a la familia de doña Felipa.
4. Yo _____ dos restaurantes de comida típica guatemalteca.
5. Luis _____ su país muy bien.
6. Yo _____ el juego de pelota que los mayas practican.

4-18 ¿Qué sabe Ud.? Hágale estas preguntas a otro(a) estudiante, usando una forma del verbo **saber** o **conocer**. Él (Ella) debe responder apropiadamente. Recuerde la **a** personal.

MODELO: ¿Sabes... / ¿Conoces...
a alguna *(any)* persona divorciada?
—*¿Conoces a alguna persona divorciada?*
—*Sí. Mi tío está divorciado.*
—*No, no conozco a ninguna* (anybody) *persona divorciada.*

1. a todos tus familiares?
2. los nombres de ellos?
3. jugar al básquetbol muy bien?
4. una ciudad como la Ciudad de Guatemala?
5. a alguna persona de Guatemala?
6. cuál es la capital de Guatemala?

CULTURA

■ Apellidos *(Last names)* hispanos

En la tradición hispana, los niños reciben más de un nombre, por ejemplo, María Rebeca, Tomás Enrique. Algunas veces, los niños reciben el nombre del santo o de la santa *(saint),* dependiendo del *(depending on the)* día en que nacen *(they are born).* Por ejemplo, el 25 de julio es el día de Santiago Apóstol, así que el nombre del niño va a ser Santiago. Muchas veces, los padres escogen *(choose)* el nombre del niño o de la niña para honrar *(to honour)* a otro miembro de la familia. También, casi siempre el primer hijo varón *(first son)* lleva el nombre de su padre.

Los hispanos usan sobrenombres *(nicknames).* Por ejemplo, **Natividad** se transforma en *(is changed to)* **Nati, Guillermo** en **Memo, Teresa** en **Tere.** Los nombres compuestos *(compound)* se abrevian *(are shortened):* **María Teresa** se transforma en **Maritere** y **María del Carmen** se transforma en **Maricarmen.** Los sobrenombres más comunes terminan *(end)* en **-ita** para niñas (Cristina = Cristinita, Isabel = Isabelita) y en **-ito** para niños (Miguel = Miguelito, Rafael = Rafaelito).

Los hispanos tienen dos apellidos. El primero es el apellido del padre y el segundo *(second)* es el apellido de la madre: Olga Álvarez González. A veces solamente se usa el apellido del padre y se usa la inicial del apellido de la madre: Olga Álvarez G. Los dos apellidos se necesitan para propósitos legales *(legal purposes).*

Cuando una mujer se casa *(gets married),* generalmente ella toma el apellido de su esposo. Por ejemplo, si Olga Álvarez González se casa con José Antonio Marcano R., su nombre es Olga Álvarez de Marcano. Para propósitos legales, sus papeles se archivan *(are filed)* bajo el apellido de su padre.

Preguntas

1. Ponga los nombres en orden alfabético como aparecen *(as they appear)* en la guía telefónica *(telephone directory).*
   Ana María Ross Muñoz
   Juan Carlos Monge Facio
   Josefina Orozco de Méndez
   Luis Alberto Alvarado Ramírez
   Marta Mercedes González de Darce
2. ¿Cuál es su nombre, su apellido paterno *(father's last name)* y su apellido materno *(mother's last name)* según el sistema hispano?
3. ¿Qué deben hacer las mujeres con su apellido al casarse *(upon getting married)?*
4. ¿Cuál es su sobrenombre en español?

GRAMÁTICA esencial

In this section, you will learn to describe the manner and frequency in which actions take place.

Adverbs

An adverb is a word that modifies a verb, an adjective, or another adverb. You already know some adverbs, such as **muy** and **rápidamente**.

Ella es **muy** inteligente y trabajadora. *She is **very** intelligent and hardworking.*

El profesor habla **rápidamente**. *The professor speaks **rapidly**.*

How to form adverbs ending in *-mente*

1. Add **-mente** (English *-ly*) to an adjective; if an adjective ends in **-o**, change the **-o** to **-a** and then add **-mente**.

correcto	→ correctamente	*correctly*
exacto	→ exactamente	*exactly*
fácil	→ fácilmente	*easily*
frecuente	→ frecuentemente	*frequently*
impaciente	→ impacientemente	*impatiently*
incorrecto	→ incorrectamente	*incorrectly*
inmediato	→ inmediatamente	*immediately*
natural	→ naturalmente	*naturally*
normal	→ normalmente	*normally*
paciente	→ pacientemente	*patiently*
perfecto	→ perfectamente	*perfectly*
puntual	→ puntualmente	*punctually*
rápido	→ rápidamente	*rapidly*
regular	→ regularmente	*regularly*
tranquilo	→ tranquilamente	*calmly*

2. If an adjective has an accent mark, the adverb retains it.

fácil	→ fácilmente	*easily*
rápido	→ rápidamente	*rapidly*

¡CUIDADO! Because adverbs do not modify nouns, they do not change for agreement of gender and number; therefore, they have only *one* form.

—Voy al cine **frecuentemente**. *I go to the movies **frequently**.*
—¿Ves películas muy buenas? *Do you see very good films?*
—**Naturalmente**. ***Naturally**.*

¡Practiquemos!

4-19 Conversaciones en la sala de los Chávez. Complete lógicamente las siguientes conversaciones.

MODELO: MARÍA CRISTINA: José Rafael no quiere jugar conmigo, mamá.
    CRISTINA: *Naturalmente* (Natural / Especial), hija. Está cansado.

RAFAEL: ¿Estudias tus lecciones, hija?
MARÍA CRISTINA: _____ (Fácil / Natural), papá. Estudio un poco.
RAFAEL: ¿Un poco? ¡Necesitas estudiar más _____ (inmediato / perfecto)!
DOÑA CRISTINA: Tú abuelito está un poco enfermo hoy.
JOSÉ RAFAEL: Sí, necesita descansar _____ (tranquilo / perfecto).
DOÑA CRISTINA: También debemos hablarle _____ (paciente / frecuente).
CRISTINA: ¿Ileana, hablas inglés _____ (perfecto / exacto)?
ILEANA: Sí, y también hablo inglés _____ (rápido / sincero).
CRISTINA: Yo hablo inglés _____ (frecuente / inmediato).
    Pero quiero aprender francés _____ (perfecto / normal).
ILEANA: Sí, pero tienes que practicar _____ (tranquilo / frecuente).

4-20 ¿Y tú? Pregúntele a un(a) compañero(a) de clase lo siguiente.

1. ¿Estudias español frecuentemente?
2. ¿Llegas a nuestra clase puntualmente?
3. ¿Aprendes español fácilmente?
4. ¿Escuchas pacientemente o impacientemente en clase?
5. ¿Vas a la biblioteca frecuentemente?
6. ¿Escribes español correcta- o incorrectamente?

Other adverbs and adverbial expressions

1. Use the following adverbs to express how often something is done.

una vez	*once*	nunca	*never*
otra vez	*again*	siempre	*always*
a veces	*sometimes*	casi siempre	*almost always*
muchas veces	*very often*	todos los días	*every day*

—¿Visitas Tikal **a veces**?   *Do you visit Tikal **sometimes**?*
—Sí, visito Tikal **muchas veces**.   *Yes, I visit Tikal **very often**.*
—¿Hablas español **siempre**?   *Do you **always** speak Spanish?*
—Sí, hablo español **todos los días**.   *Yes, I speak Spanish **every day**.*

2. Use the following adverbs to express the order of events.

primero	*first*	luego	*then*	después	*afterward*

—¿Adónde vas **primero**, mamá?   *Where are you going **first**, Mum?*
—Al centro. **Luego** vengo a casa.   *Downtown. **Then** I'll come home.*

¡Practiquemos!

4-21 Una reunión familiar. Complete el siguiente párrafo y la conversación con los adverbios apropiados de la lista.

muy   luego
siempre   primero
dos veces   normalmente

_____ al año la familia Chávez tiene una reunión familiar en la Ciudad de Guatemala. Las reuniones _____ son en la casa de los padres de Luis. _____, llegan los hermanos de Luis con sus niños y _____ llegan los tíos y las tías. _____ todos hablan y beben y comen comida típica. Todos están _____ contentos al final de las reuniones.

Ahora Tomás habla con Luis por teléfono:

bien   mucho
todos los   frecuentemente
aquí

TOMÁS: ¡Hola, Luis! ¿Cómo estás?
LUIS: Muy _____, Tomás. Gracias. ¿Te gusta Guatemala?
TOMÁS: Sí, me gusta _____. _____ en Guatemala hay lugares muy bonitos. Quiero visitar un nuevo lugar _____ días. Luis, ¿conoces Tikal?
LUIS: ¡Claro! Visito Tikal _____. ¡Es un lugar muy misterioso!

4-22 ¿Con qué frecuencia? Pregúntele a otro(a) estudiante con qué frecuencia hace las siguientes actividades.

MODELO: hablar español
          —¿Con qué frecuencia hablas español?
          —Hablo español todos los días en clase.

1. dar fiestas
2. ir al centro
3. hablar español
4. hacer los quehaceres de la casa
5. leer el periódico
6. mirar la televisión
7. ayudar a tus padres
8. salir con tus amigos
9. comer en un restaurante
10. hacer una fiesta en casa
11. escribir en la computadora
12. conocer a personas de otros países

4-23 Los fines de semana. Escriba un párrafo sobre cómo pasa Ud. típicamente los fines de semana. Use las siguientes frases como guía.

MODELO: *Me gustan los fines de semana. A veces los sábados por la mañana mis amigos y yo vamos a... Allí hacemos diferentes cosas, por ejemplo,... Luego por la tarde vamos a... Allí nosotros... Casi todos los domingos por la mañana me gusta... Después, voy a... Los domingos por la noche...*

■ RETO CULTURAL

Es agosto y Ud. y su amigo(a) están en Centroamérica para practicar español y para hacer ecoturismo. Uds. van a estar en casa de una familia guatemalteca. Ud. llega al aeropuerto y no tiene el teléfono de su familia y no sabe qué hacer. Ud. sabe que la familia vive en Antigua y su apellido es Pérez Luna. Ud. encuentra *(find)* una guía telefónica *(phone book)* y busca el número de teléfono. Ud. y su amigo(a) estudian español en la universidad y se explican/se recuerdan *(remind)* el uno al otro *(to one another)* cómo se usan los nombres y apellidos en el mundo hispano y cómo son las relaciones familiares, por ejemplo, los abuelos...

- ¿Qué apellido necesita para encontrar *(to find)* el número de teléfono? Explique.
- Ahora Ud. tiene el número de teléfono y llama por teléfono. El abuelo contesta *(answers)* el teléfono y no escucha muy bien. Ud. grita *(scream)* y le recuerda a su amigo(a) el papel del abuelo en esta familia.

Preguntas:
- ¿Dónde está el número de teléfono?
- ¿Dónde vive la familia?
- ¿Cuál es el apellido de la familia?
- ¿Por qué el abuelo está en casa y no en una casa de ancianos *(nursing home)*?

¡Practiquemos más!

 For additional practice on the material covered in this chapter, go to **Lección 4** of the *Intercambios* *Workbook/Laboratory Manual.*

 For additional grammar, vocabulary, and conversation practice, go to **Lección 4** of the *Flex-Files*.

 Atajo *Writing Assistant Software for Spanish* can be used to complete the writing activities in your *Workbook/Laboratory Manual.*

 Intercambios *Video:* Activities to accompany the **Intercambios** *Video* can be found in the *Flex-Files*.

 Visit **Intercambios** on the World Wide Web at **http://www.intercambios.nelson.com**.

La familia

los parientes *relatives*
la abuela *grandmother*
el abuelo *grandfather*
la cuñada *sister-in-law*
el cuñado *brother-in-law*
la esposa *wife*
el esposo *husband*
la hermana *sister*
el hermano *brother*
la hija *daughter*
el hijo *son*
la madrastra *stepmother*
la madre/mamá *mother*
la nieta *granddaughter*
el nieto *grandson*
el padrastro *stepfather*
el padre/papá *father*
la prima *female cousin*
el primo *male cousin*
la sobrina *niece*
el sobrino *nephew*
la tía *aunt*
el tío *uncle*

La cultura

las costumbres *customs*
los cultivos *crops*
el extranjero *foreigner*
el idioma *language*
el recado *message*

El estado civil

casado(a) *married*
divorciado(a) *divorced*
soltero(a) *single*
viudo(a) *widowed*

La casa

la cocina *kitchen*
la estufa *stove*
el fregadero *sink*
el horno *oven*
el lavaplatos *dishwasher*
el refrigerador *refrigerator*
el comedor *dining room*
la mesa *table*
la silla *chairs*

el cuarto de baño *bathroom*
la bañera *bathtub*
la ducha *shower*
el inodoro *toilet*
el lavamanos *sink*
la habitación *bedroom*
el armario *wardrobe*
la cama *bed*
la lámpara *lamp*
la mesa de noche *night table*
la sala *living room*
el sillón *armchair*
el sofá *sofa*
el garaje *garage*
las escaleras *stairs*

Los quehaceres del hogar

arreglar la habitación, la cocina *to straighten up the bedroom, the kitchen*
hacer la cama *to make the bed*
limpiar la sala, el cuarto de baño *to clean the living room, the bathroom*

Adjetivos con *estar*

aburrido(a) *bored*
adelantado(a) *ahead*
ansioso(a) *eager*
atrasado(a) *behind*
cansado(a) *tired*
contento(a) *happy*
desocupado(a) *empty, without work*
enfermo(a) *sick, ill*
enojado(a) *angry*
interesado(a) *interested*
loco(a) *crazy*
ocupado(a) *busy*
preocupado(a) *worried*
triste *sad*

Expresiones con *estar*

estar bien/mal *to be well/sick*
estar claro *to be clear*
estar de acuerdo *to agree*
estar de vacaciones *to be on vacation*
estar de buen/mal humor *to be in a good /bad mood*

Verbos

conocer *to know, to meet*
dar *to give*
estar *to be*
hacer *to do, to make*
poner *to put, to put on*
saber *to know (how/facts)*
salir *to leave, to go out*
traer *to bring*

Adverbios

a veces *sometimes*
casi siempre *almost always*
después *afterward*
luego *then*
muchas veces *very often*
muy *very*
nunca *never*
otra vez *again*
primera vez *first time*
primero *first*
siempre *always*
todos los días *every day*
una vez *once*

Adverbios (-mente)

correctamente *correctly*
exactamente *exactly*
fácilmente *easily*
frecuentemente *frequently*
impacientemente *impatiently*
incorrectamente *incorrectly*
inmediatamente *immediately*
naturalmente *naturally*
normalmente *normally*
pacientemente *patiently*
perfectamente *perfectly*
puntualmente *punctually*
rápidamente *rapidly*
regularmente *regularly*
tranquilamente *calmly*

Expresiones

¿Cómo están las cosas? *How are things?*
¡Estamos de acuerdo! *We are in agreement! / We agree!*
¡Están en su casa! *Make yourselves at home!*

LECCIÓN 5
¿Qué carrera quieres seguir?

✄ ENFOQUE ✄

■ METAS COMUNICATIVAS

Usted va a poder describir los planes para su carrera profesional, actividades relacionadas con el trabajo y lo que hace los fines de semana.

■ IDIOMA

Describir los planes para su carrera profesional
Describir lugares de trabajo
Describir sus actividades relacionadas con el trabajo
Expresar deseos y preferencias
Expresar metas y obligaciones
Describir acciones que están en curso

■ VOCABULARIO ESENCIAL

Profesiones
Edificios

■ GRAMÁTICA ESENCIAL

El presente de los verbos con cambio de raíz (**e** > **ie**)
El presente de los verbos con cambio de raíz (**o** > **ue**, **e** > **i**)
El presente progresivo

■ CULTURA

Educación superior en los países de habla hispana

■ RETO CULTURAL

¿Qué hay que hacer para obtener un título en una universidad en España o en Latinoamérica? ¿Cuáles son las diferencias y las similitudes entre la educación superior en Canadá y los países de habla hispana? ¿Cuál es el papel de las universidades en Canadá y en los países hispánicos?

Después de terminar su proyecto de desarrollo en Guatemala, Sara viaja a Costa Rica.[1] Tiene una cita° con Francisco en San José, la capital de Costa Rica. Ahora ellos están en una agencia de viajes°.

SARA:	¡Qué rico, Francisco! ¡Por fin estamos viajando° juntos°! Antes de° volver a Vancouver quiero conocer mejor Centroamérica.
FRANCISCO::	Después de° mis clases en Monterrey y de tu proyecto en Guatemala, encuentro que vamos a tener una buena oportunidad de conocer Centroamérica. No quiero viajar solo y por supuesto prefiero viajar contigo, Sara.
SARA:	Yo también quiero viajar contigo, Francisco.... Ah, la agente está libre. ¿Qué preguntas piensas que debemos hacer?
LA AGENTE:	Buenas tardes. Mucho gusto. ¿Cómo están?
FRANCISCO:	Muy bien, gracias. Queremos visitar la selva°.
LA AGENTE:	¡Excelente idea! Aquí en Costa Rica la selva y el bosque lluvioso° están protegidos° en parques nacionales. Ustedes pueden visitar todos los parques si quieren. Muchos extranjeros° vienen aquí para hacer ecoturismo. [2]
SARA:	Eso me gustaría mucho. Soy estudiante de desarrollo internacional y quiero entender mejor el ecoturismo. También me gustan los animales y la naturaleza.
LA AGENTE:	Y usted, señor, ¿qué carrera sigue?
FRANCISCO:	Sigo la carrera de ingeniería°. Pero me interesa todo.
LA AGENTE:	En el Parque Tortuguero [3], ustedes pueden ver tortugas°. En el Parque Braulio Carrillo [4], si prefieren, pueden conocer la selva de cerca°.
FRANCISCO:	¡Qué bien! Sara, ¿almorzamos antes de salir?
SARA:	Sí, por supuesto°.
LA AGENTE:	Sirven almuerzo en el restaurante de la esquina°. Si ustedes piden un casado°, van a probar una comida típica de Costa Rica.
SARA Y FRANCISCO:	¡Muchas gracias, señorita!
LA AGENTE:	De nada. ¡Pura vida°! [5]

una cita... *appointment or "date"*
la agencia de viajes... *travel agency*
estamos viajando... *we are travelling*
juntos... *together*
antes de... *before*
después de... *after*
la selva... *jungle*
el bosque lluvioso... *rainforest*
protegido... *protected*
extranjeros... *foreigners*
ingeniería... *engineering*
la tortuga... *turtle*
de cerca... *up close*
por supuesto... *of course*
la esquina... *corner (of the street)*
un casado... *a typical Costa Rican dish which "marries" rice, beans, plantains, salad, and meat*
¡Pura vida!... *Excellent! Fantastic!*

Notas de texto

1. Costa Rica has a population of 3,896,092 and its capital is San José. Costa Rica has not had an army, a navy, or an air force since 1948. The Costa Rican literacy rate exceeds 95 percent and its main industries are technology (manufacturing of microchips), tourism, coffee, and bananas. The government has developed a plan to maintain and protect its fauna and flora, which has given rise to a new form of tourism, called *ecotourism*.

2. Ecotourism involves travelling to natural environments in order to understand the cultural and natural history of the place. It means to travel without altering the order of the ecosystem, while producing economic benefits that will help the environment and be reinvested in the community as well.

3. The Parque Nacional Tortuguero *(Tortuguero National Park)* is the most important Caribbean breeding ground of the green sea turtle. The park is home to a great variety of birds, monkeys, and lizards.

4. The Parque Nacional Braulio Carrillo (Braulio Carrillo National Park) is located 25 kilometres from San José. The park shelters many endangered species of tropical birds, in addition to jaguars and other rare mammals.

5. **¡Pura vida!** (literally, *pure life*) is a saying Costa Ricans use both as a greeting and a good wish. It expresses their enjoyment of life.

■ Conexión cultural

¿Sabías que Stanley Park es uno de los parques urbanos más grandes de la Columbia Británica? Está ubicado en el centro de Vancouver y tiene una extensión de aproximadamente 400 hectáreas. El High Park de Toronto solamente tiene 200 hectáreas de extension.

5-1 ¿Comprendió Ud.?

A. Conteste las siguientes preguntas con oraciones completas.
1. ¿Quiénes están viajando en Costa Rica?
2. ¿Dónde están protegidos la selva y el bosque lluvioso en Costa Rica?
3. ¿Qué carrera sigue Francisco?
4. ¿Qué clase de animal se encuentra en el Parque Tortuguero?

B. Ahora, hable con un(a) compañero(a) de clase.
5. ¿Hay un parque nacional donde tú vives? Describe el parque.
6. ¿Conoces un parque nacional o provincial en Canadá? Describe este parque.
7. ¿Cuándo se usa la expresión **Pura vida**? Explica la situación.

VOCABULARIO esencial

In this section, you will learn to describe your career plans and ask other people their future career plans. You will also learn to describe different buildings where people go to work.

¿Qué carrera u ocupación sigue Ud.? *(What career or occupation are you pursuing/following?)*

el agente de viajes

la trabajadora social

los guías de turismo

la ingeniera

la médica

el policía

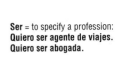
Ser = to specify a profession:
Quiero ser agente de viajes.
Quiero ser abogada.

la programadora

el músico

el hombre / la mujer
de negocios

el abogado

Otras profesiones y ocupaciones

arquitecto(a)	*architect*	**gerente**	*manager*
científico(a)	*scientist*	**investigador(a)**	*researcher*
cocinero(a)	*cook*	**maestro(a)**	*teacher*
contador(a)	*accountant*	**oficinista**	*office worker*
enfermero(a)	*nurse*	**periodista**	*journalist*
escritor(a)	*writer*	**vendedor(a)**	*salesperson*

¡Practiquemos!

5-2 Profesiones, ocupaciones y estudios. Haga oraciones lógicas para las profesiones, las ocupaciones y los estudios.

MODELO: *Si quiero ser profesor(a), debo estudiar educación.*

Si quiero ser...	**debo estudiar...**
1. programador(a)	turismo
2. agente de viajes	derecho/leyes
3. abogado(a) o policía	medicina
4. enfermero(a) o médico(a)	computación
5. hombre/mujer de negocios o vendedor(a)	matemáticas
6. periodista o reportero(a)	ciencias
7. contador(a) o ingeniero(a)	negocios
8. científico(a) o investigador(a)	periodismo

 ### 5-3 ¿Qué personalidad tienen estas personas? Hable con su compañero(a) acerca de la personalidad que deben tener estas personas.

MODELO: el (la) policía
inteligente / cortés / honesto(a) / conservador(a)
El policía debe ser inteligente, cortés y honesto.

1. el (la) trabajador(a) social	aburrido(a) / antipático(a) / honesto(a) / cortés
2. el (la) ingeniero(a)	estudioso(a) / extrovertido(a) / perezoso(a) / trabajador(a)
3. el (la) guía de turismo	aburrido(a) / extrovertido(a) / cortés / interesante
4. el hombre/la mujer de negocios	inteligente / conservador / deshonesto(a) / liberal
5. el (la) programador(a)	tímido(a) / perezoso(a) / estudioso(a) / trabajador(a)
6. el (la) vendedor(a)	extrovertido(a) / activo(a) / simpático(a) / deshonesto(a)

5-4 ¿Qué carrera u ocupación sigues? Hable con otro(a) estudiante sobre los estudios.

Estudiante A

1. ¿Qué estudias aquí?

3. _____. ¿Son interesantes o aburridas tus clases?

5. _____. ¿Cuántos créditos tienes?

7. _____. ¿Qué carrera u ocupación sigues?

9. _____. (Ahora no sé.)

11. Necesito tomar _____. ¿Y tú?

Estudiante B

2. Ahora estudio _____. ¿Y tú?

4. Son _____. Y tus estudios, ¿cómo son?

6. Ahora tengo _____ créditos. ¿Y tú?

8. Quiero ser _____. (No sé.) ¿Y tú?

10. ¿Qué otros cursos necesitas tomar para tu carrera u ocupación?

12. _____.

para = purpose: **para tu carrera**

5-5 Mi trabajo. Hágales las siguientes preguntas a sus compañeros(as) de clase sobre su trabajo.

1. Ahora trabajo en (el campo [countryside] / la ciudad). ¿Dónde trabajas tú?
2. Generalmente me gusta (no me gusta) mi trabajo. ¿Te gusta tu trabajo?
3. Mi trabajo es (interesante / aburrido / fácil / difícil). ¿Cómo es tu trabajo?
4. Normalmente trabajo (los [días] / todos los días). ¿Cuándo trabajas tú?
5. En mi trabajo gano (poco / suficiente / mucho) dinero. Y tú, ¿cuánto ganas?

¿Dónde trabaja Ud.?

Trabajo en...

la estación de policía

el hospital

el juzgado

un restaurante de comida rápida

una tienda por departamentos

Otros lugares de trabajo/estudio

la biblioteca de la universidad	*university library*
el centro comercial	*shopping mall*
el laboratorio	*lab*
la librería de la universidad	*university bookstore*
la oficina / el restaurante / la tienda	*office / restaurant / store*

Other places to work/study

¡Practiquemos!

5-6 **¿En qué edificio trabajan y qué hacen?** Con un(a) compañero(a) de clase, decida *(decide)* quiénes trabajan en los siguientes edificios y lo que hacen en estos lugares.

MODELO: la oficina de computación
En esta oficina trabajan los programadores.

1. el hospital
2. el banco
3. el restaurante de comida rápida / la cafetería de la universidad
4. la tienda / la tienda por departamentos
5. la agencia de viajes
6. la estación de policía
7. la librería de la universidad
8. la biblioteca de la universidad

5-7 **Un emilio** *(e-mail)*. Sara está leyendo *(is reading)* un mensaje electrónico *(e-mail)* de Lisa, que está en la Ciudad de México. Lea el mensaje y luego escríbale un mensaje electrónico a un(a) amigo(a).

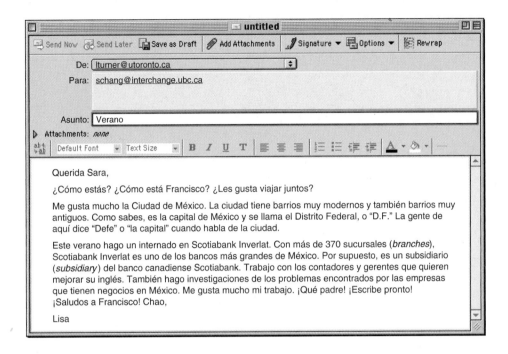

Querida Sara,

¿Cómo estás? ¿Cómo está Francisco? ¿Les gusta viajar juntos?

Me gusta mucho la Ciudad de México. La ciudad tiene barrios muy modernos y también barrios muy antiguos. Como sabes, es la capital de México y se llama el Distrito Federal, o "D.F." La gente de aquí dice "Defe" o "la capital" cuando habla de la ciudad.

Este verano hago un internado en Scotiabank Inverlat. Con más de 370 sucursales (*branches*), Scotiabank Inverlat es uno de los bancos más grandes de México. Por supuesto, es un subsidiario (*subsidiary*) del banco canadiense Scotiabank. Trabajo con los contadores y gerentes que quieren mejorar su inglés. También hago investigaciones de los problemas encontrados por las empresas que tienen negocios en México. Me gusta mucho mi trabajo. ¡Qué padre! ¡Escribe pronto! ¡Saludos a Francisco! Chao,

Lisa

Ahora, escríbale Ud. un mensaje electrónico *(e-mail)* a un(a) amigo(a) sobre lo siguiente (usando la forma tú).

1. sus estudios (dónde toma clases, cuáles son)
2. su trabajo (cómo es el lugar donde trabaja y lo que hace en el trabajo ahora)
3. su futura carrera (su especialización, sus planes)

GRAMÁTICA esencial

In this section you will learn to express your wants, preferences, and intentions and to describe more activities that people do routinely.

Present Tense of Verbs with Stem-Vowel Change: *e → ie*

pienso	pensamos
piensas	pensáis
piensa	piensan

1. A stem is the part of an infinitive to which one adds personal endings; for example, the stem of **hablar** is **habl-**. Several types of vowel changes occur within the stem of some Spanish verbs in the present tense. The following verbs change their stem vowel from *e* to *ie*, except in the **nosotros(as)** and **vosotros(as)** forms.

e → ie			
comenzar *(to begin)*	**pensar** *(to think)*	**querer** *(to want, to love)*	**preferir** *(to prefer)*
comienzo	pienso	quiero	prefiero
comienzas	piensas	quieres	prefieres
comienza	piensa	quiere	prefiere
comenzamos	pensamos	queremos	preferimos
comenzáis	pensáis	queréis	preferís
comienzan	piensan	quieren	prefieren

—¿Qué **quieres** ser?   *What **do you want** to be?*
—**Pienso** ser escritor.   *I **plan** to be a writer.*
—Yo **prefiero** ser científica.   *I **prefer** to be a scientist.*

Study these useful stem-vowel-change verbs (**e → ie**) with the example phrases:

comenzar a estudiar para el examen de matemáticas   ***to begin** to study for the math exam*

empezar la clase de negocios   ***to begin** the business class*

entender la lección de física y matemáticas   ***to understand** the physics and math lesson*

pensar en mi futura carrera   ***to think** about my future career*

preferir ser periodista   ***to prefer** to be a journalist*

querer tomar cursos de programación   ***to want** to take computer courses*

tener cuatro cursos este semestre   ***to have** four courses this semester*

venir a clase todos los días   ***to come** to class every day*

Two **e → ie** stem-change verbs have an irregular **yo** form.

tener *(to have)*		**venir** *(to come)*	
tengo	tenemos	**vengo**	venimos
tienes	tenéis	vienes	venís
tiene	tienen	viene	vienen

—¿Qué **tienes** que hacer hoy?   *What **do you have** to do today?*
—**Tengo** que estudiar porque **tengo** mucha tarea.   *I **have** to study because **I have** a lot of homework.*
—¿A qué hora **vienes**?   *At what time **are you coming**?*
—**Vengo** a las siete y media.   *I **am coming** at seven-thirty.*

¡Practiquemos!

5-8 Futuras carreras u ocupaciones. Complete los espacios en blanco con la forma apropiada del verbo para saber cuáles son las carreras futuras de nuestros amigos.

MODELO: Yo _prefiero_ (preferir) estudiar para ser médico.

1. Olga _____ (pensar) ser contadora.
2. Melissa y Blair _____ (preferir) ser programadores.
3. Nosotros _____ (querer) trabajar en el hospital.
4. Tú _____ (comenzar) a estudiar negocios para ser una persona de negocios.
5. Yo _____ (empezar) a trabajar en una agencia de viajes en agosto.
6. Nosotros _____ (pensar) trabajar en el juzgado de la ciudad.
7. Beatriz _____ (querer) ser abogada.
8. Nosotros _____ (preferir) ser músicos.

5-9 Conversación con Alejandro. Complete la siguiente conversación, usando la forma apropiada de los siguientes verbos: **querer**, **preferir**, **tener**, **venir**.

ALEJANDRO:	Roxana, ¿_vienen_ tus amigos a Costa Rica con frecuencia?
ROXANA:	No. Ésta es la primera vez que ellos _____ a San José.
ALEJANDRO:	¿Qué parques _____ visitar tú y tus amigos?
ROXANA:	Nosotros _____ visitar el parque Tortuguero y el parque Santa Rosa.
ALEJANDRO:	¿_____ ustedes usar nuestra casa cerca del parque Tortuguero?
ROXANA:	Claro, así nosotros no _____ que gastar dinero en hoteles.
ALEJANDRO:	Roxana, ¿qué _____ ustedes visitar primero, el parque Santa Rosa o el parque Tortuguero?
ROXANA:	Nosotros _____ visitar el parque Tortuguero primero.
ALEJANDRO:	¿Cuántos días _____ ustedes para explorar los parques?
ROXANA:	Pues, _____ ocho días. ¿Es suficiente tiempo?
ALEJANDRO:	Sí, ustedes _____ suficientes días aquí. ¡Costa Rica es pura vida y les va a gustar mucho!

5-10 ¡La vida no es todo trabajo! Pregúntele a un(a) compañero(a) de clase qué pasatiempos prefiere.

MODELO: ¿escuchar la radio o mirar la tele?
—¿Prefieres escuchar la radio o ver la tele?
—Prefiero ver la tele. ¿Y tú?
—Prefiero...

1. ¿ir a una fiesta o hacer una fiesta?
2. ¿leer un libro o escribir una carta?
3. ¿ver películas en video o ver la tele?
4. ¿correr o caminar con un(a) amigo(a)?
5. ¿comer con tu familia o comer con amigos?

5-11 ¿A qué lugar tienen que ir las siguientes personas? Lea lo que quieren hacer estas personas y decida con un(a) compañero(a) de clase adónde tienen que ir.

MODELO: Marta y Alex tienen que comprar un libro de medicina.
Ellos tienen que ir a la librería de la universidad.

1. Tú prefieres comer rápidamente hoy.
2. Nosotros no entendemos los problemas de química.
3. Francisco y Magda piensan comprar una computadora nueva.
4. Virginia quiere ir de viaje a Costa Rica.
5. La profesora está muy enferma.
6. Yo tengo un problema con un hombre en la calle *(street)*.

5-12 Mis actividades. Complete la tabla con sus obligaciones y deseos para mañana.

MODELO:

Hora	**Obligación**	**Preferencia**
8:00	*tomar un examen*	*descansar en casa*
13:00	*trabajar en el restaurante*	*trabajar en...*
21:00	*estudiar español*	*ver la televisión*

Hora	Obligación	Preferencia

Ahora, escriba un párrafo, usando la información de su tabla.

MODELO: *A las ocho de la mañana tengo que tomar un examen, pero prefiero descansar en casa. A la una de la tarde tengo que trabajar en el restaurante, pero prefiero trabajar en... A las nueve de la noche tengo que estudiar español, pero prefiero ver la televisión.*

Present Tense of Verbs with Stem-Vowel Change:
o ⟶ ue, e ⟶ i

As you have just learned, some Spanish verbs have vowel changes in the stem of the present tense.

o ⟶ ue Verbs

The following verbs change their stem vowel from **o** to **ue**, except in the **nosotros(as)** and **vosotros(as)** forms. The verb **jugar** has a **u ⟶ ue** stem change.

o ⟶ ue				
jugar*	**almorzar**	**poder**	**volver**	**dormir**
(to play)	*(to have lunch)*	*(to be able)*	*(to return)*	*(to sleep)*
juego	almuerzo	puedo	vuelvo	duermo
juegas	almuerzas	puedes	vuelves	duermes
juega	almuerza	puede	vuelve	duerme
jugamos	almorzamos	podemos	volvemos	dormimos
jugáis	almorzáis	podéis	volvéis	dormís
juegan	almuerzan	pueden	vuelven	duermen

*The verb **jugar** has a **u** but has **ue** changes:
  Juego al tenis todos los días.   *I **play** tennis every day.*

—¿**Puede Ud.** almorzar con nosotros?   ***Can you** have lunch with us?*
—¿A qué hora **almuerzan** Uds.?   *What time **do you have lunch**?*
—**Almorzamos** a las dos en la cafetería.   ***We eat lunch** at two o'clock in the cafeteria.*

—Sí, **puedo** ir. Gracias.   *Yes, **I can** go. Thanks.*

Study these useful stem-vowel-change verbs (**o ⟶ ue**) with the example phrases:

almorzar en la cafetería de la universidad   *to **have lunch** at the university cafeteria*

dormir hasta tarde los sábados   *to **sleep** late on Saturdays*
encontrar el libro de ciencias   *to **find** the science book*
poder estudiar esta noche   *to **be able** to study tonight*
volver a Costa Rica otra vez   *to **return** to Costa Rica once again*
jugar al tenis todos los días   *to **play** tennis every day*

> "Puedes darle un consejo *(advice)* a alguien, pero no puedes obligarlo *(to force)* a que lo siga *(follow)*".—refrán popular

e → i Verbs

The following four verbs change their stem vowel from **e** to **i,** except in the **nosotros(as)** and **vosotros(as)** forms.

e → i			
servir *(to serve)*	**pedir** *(to ask for, to order)*	**decir*** *(to say, to tell)*	**seguir*** *(to pursue, to follow)*
sirvo	pido	digo	sigo
sirves	pides	dices	sigues
sirve	pide	dice	sigue
servimos	pedimos	decimos	seguimos
servís	pedís	decís	seguís
sirven	piden	dicen	siguen

*Notice that the **yo** forms of **decir** and **seguir** are irregular: **yo digo, yo sigo.**

—¿Qué carrera quieres **seguir**?	*What career do you want **to pursue/follow**?*
—Yo **digo** que quiero ser médica, porque quiero **servir** a las personas enfermas.	*I **say** that I want to become a doctor, because I want **to serve** sick people.*
—Y tú, ¿qué carrera **sigues**?	*And you, what career **are you pursuing/following**?*
—**Sigo** la carrera de periodista.	*I'm pursuing a career as a journalist .*

Study these useful stem-vowel-change verbs **(e → i)** with these example phrases:

decir lo que piensa	*to **say/tell** what he/she thinks*
pedir un favor al profesor	*to **ask for** a favour from the professor*
seguir una carrera técnica	*to **pursue/follow** a technical career*
servir el almuerzo/la cena	*to **serve** lunch/dinner*

¡Practiquemos!

5-13 ¿Qué hacen este fin de semana? Para saber lo que hacen estas personas el fin de semana, seleccione el verbo y escriba la forma apropiada en el espacio en blanco.

MODELO: Tomás __*juega*__ (poder / jugar) al fútbol el viernes por la tarde.

1. Luis y Tomás _____ (almorzar / poder) con la familia de Ileana el domingo.
2. Nosotros _____ (poder / dormir) ir a la fiesta el sábado por la noche.
3. Yo _____ (volver / poder) descansar bastante *(plenty)* el domingo y por eso _____ (dormir / poder) hasta tarde.

4. Óscar _____ (dormir / volver) al restaurante de sus padres el viernes por la noche.

5. ¿_____ (Seguir / Poder) Tomás con la idea de jugar al fútbol el viernes por la tarde?

6. Nosotros _____ (dormir / jugar) al tenis el viernes por la mañana.

7. Miguel y Rebeca _____ (almorzar / poder) en el Café Tico el sábado a la una y media.

8. Nosotros _____ (poder / dormir) en el Parque Tortuguero el sábado por la noche.

9. ¿_____ (Jugar / Volver) a tu oficina para trabajar el domingo por la tarde?

10. Nosotros _____ (jugar / seguir) con los planes de visitar el Parque Nacional este fin de semana.

5-14 Una invitación a comer. La Señora Gamboa quiere invitar a Sara y a Francisco a comer en su restaurante, Café Tico. Complete la conversación, usando formas apropiadas de los siguientes verbos: **jugar**, **almorzar**, **poder**, **volver**.
CD2 - 17

SEÑORA GAMBOA:	Sara y Francisco, ustedes _____ almorzar aquí hoy si quieren.
SARA:	¡Por supuesto, señora Gamboa! Yo _____ aquí sin problema *(without a problem)*.
FRANCISCO:	¿_____ ver (nosotros) el juego de fútbol en la televisión? Yo _____ al fútbol en la universidad.
SEÑORA GAMBOA:	¡Claro! Ustedes _____ ver el juego mientras *(while)* hago la comida.
SARA:	Señora, ¿cuándo _____ los agentes de viaje al café? Queremos hablar con ellos del Parque Tortuguero.
SEÑORA GAMBOA:	El señor Macaya _____ a las dos de la tarde y el señor Gómez _____ a las cuatro de la tarde.
SARA:	Entonces, (nosotros) _____ primero y luego hablamos con ellos.

5-15 En el Café Tico. Sara y Francisco van a almorzar en el café y ahora necesitan decidir qué van a pedir. Complete la conversación, seleccione el verbo y escriba la forma apropiada en el espacio en blanco.
CD2 - 18

SARA:	La señora Gamboa _____ (decir / pedir) que la comida que ella hace es excelente.
FRANCISCO:	¡Y ella _____ (servir / decir) la verdad *(truth)*!
SEÑORA GAMBOA:	Gracias. ¿Qué les puedo _____ (servir / pedir), muchachos?
SARA:	Yo quiero _____ (pedir / servir) arroz con frijoles negros *(rice and black beans)* y agua mineral *(mineral water)*.
FRANCISCO:	Yo _____ (decir / pedir) lo mismo.
SEÑORA GAMBOA:	Les _____ (decir / servir) la comida ahora mismo. Deben de tener mucha hambre, ¿verdad?
FRANCISCO:	¡Sí, muchas gracias, señora Gamboa! ¡Es usted muy amable!

5-16 Conversación. Pregúntele a otro(a) compañero(a) de clase.

1. ¿Cuántas horas duermes cada noche? ¿Duermes suficientemente? ¿Prefieres dormir más?
2. ¿Dónde trabajas ahora? ¿A qué hora comienzas a trabajar? ¿Qué tipo de trabajo haces?
3. ¿Dónde almuerzas los días de trabajo? ¿Y los días de clase?
4. ¿Te gusta comer en los restaurantes de comida rápida? ¿Cuál es tu restaurante favorito? ¿Qué pides en tu restaurante favorito?
5. ¿A qué hora vuelves a casa por la noche? ¿Qué haces después de llegar a casa?

 5-17 Situaciones. En un grupo de tres o cuatro personas, traten de resolver *(try to solve)* las siguientes situaciones.

MODELO: Ud. piensa ser médico(a), pero sus amigos dicen que va a tener que estudiar mucho en la universidad y no va a poder ir a fiestas. ¿Qué les dice a sus amigos? (Los amigos dan diferentes razones.)

A mí me gusta estudiar mucho y pienso ayudar a las personas que están enfermas de... con las investigaciones que voy a hacer.

■ Ud. piensa ser músico(a), pero sus amigos dicen que no hay muchas oportunidades para triunfar *(to succeed)* en este trabajo. ¿Qué les dice a sus amigos? (Los amigos dan diferentes razones.)

■ Ud. quiere trabajar como policía/secretario(a) en la estación de policía, pero sus amigos piensan que ese lugar es muy viejo y que el centro de la ciudad no es un lugar muy bonito. ¿Qué les dice a sus amigos? (Los amigos dan diferentes razones.)

■ Ud. prefiere almorzar en un restaurante de comida rápida, pero sus amigos prefieren almorzar en un restaurante italiano. ¿Qué pueden hacer para estar de acuerdo sobre el restaurante donde van a almorzar?

Educación superior en España y Latinoamérica

Después de terminar la primaria *(primary school)*, algunos españoles y latinoamericanos empiezan a trabajar o comienzan a estudiar en una escuela técnica o politécnica por dos o tres años para tener un título como técnico(a). Otras personas terminan *(finish)* sus estudios en la secundaria *(high school)*.

La competencia para entrar en las universidades públicas es intensa porque estas universidades están financiadas *(are financed)* por el gobierno. Los alumnos tienen que pasar unos exámenes muy difíciles y luego estudian más de cinco años para obtener un título *(degree)* en programas muy estructurados con pocos cursos electivos *(elective courses)*.

Pocas universidades tienen residencias estudiantiles *(dorms)* como en las universidades en Canadá. Los estudiantes viven con sus padres o en pensiones.

Las universidades en España y Latinoamérica tienen una función política, social y educacional. Las universidades del estado son autónomas *(autonomous)*, tienen sus propias leyes *(have their own laws)* y profesores y solamente tienen que seguir el plan de estudios *(curriculum)* nacional para la educación básica de los estudiantes.

FUNDACIÓN UNIVERSITARIA SAN MARTÍN
Personeria Jurídica Min-Educación Res - Registro ICFES 2709

SEDE SANTA FÉ DE BOGOTÁ D.C.

ODONTOLOGÍA
Título:
Odontólogo
Jornada Diurna - 10 Semestres
Calle 61A No.14-28
Tel.: 2498972 PBX: 3451511
Reg. ICFES 44113

MEDICINA
Título:
Médico General
Jornada Diurna - 12 Semestres
Cra. 19 No.80-72
Tels.: 6168071-6211353-6107556
Reg. ICFES 44111

OPTOMETRÍA
Título:
Optómetra
Jornada Diurna - 10 Semestres
Cra. 19 No.80-63 Piso 3
Tel.: 6211268
Reg. ICFES 44114

MEDICINA VETERINARIA Y ZOOTECNIA
Título:
Médico Veterinario y Zootecnista
Jornada Diurna - 10 Semestres
Cra. 19 No.80-63
Tel.: 6223040
Reg. ICFES 41202

FINANZAS Y RELAC. INTERNACIONALES
Título:
Prof. en Fin. y Rel. Internac.
Jornada Diurna - 10 Semestres
Cra. 19 No.80-63
Tels.: 6167603-2360015-2369088
Reg. ICFES 46113

INGENIERÍA DE SISTEMAS
Título:
Ingeniero de Sistemas
J. Diurna: 10 Sem. Noct. 11 Sem.
Cra. 19 No.80-63 Piso 2
Tels.: 6169532/9902-2360015 Ext.108
Reg. ICFES 48109

ADMINISTRACIÓN DE EMPRESAS
Título:
Administrador de Empresas
J. Diurna: 10 Sem.-J. Noct.: 11 Sem.
Cra. 19 No.80-63
Tels.: 2363841-2360015 Ext. 115
Reg. ICFES 46203

CONTADURÍA PÚBLICA
Título:
Contador Público
J. Diurna y Noct.: 10 Semestres
Cra. 19 No.80-63
Tel.: 2360015-2369088-6167263
Reg. ICFES 46301

PUBLICIDAD Y MERCADEO
Título:
Publicista
J. Diurna: 9 Sem. - J. Noct: 10 Sem.
Cra. 19 No.80-63
Tel.: 6169568
Reg. ICFES 42136

Dirección Internet: www.sanmartin.edu.co

Así saludamos al Siglo XXI

Preguntas. Lea el anuncio. Luego conteste las preguntas.

1. ¿Para qué es el aviso comercial *(advertisement)*?
2. ¿Quién va a leer este aviso comercial? ¿Por qué?
3. ¿Qué carreras pueden estudiar los alumnos?
4. ¿Qué títulos o diplomas pueden obtener los estudiantes? Dé ejemplos.
5. ¿Qué significa **jornada diurna** y **jornada nocturna**?

GRAMÁTICA esencial

Present Progressive Tense

In this section, you will learn to describe actions that are happening at the moment you are speaking.

How to form the present progressive

1. Use a present tense form of **estar** plus a present participle, which is formed by adding **-ando** to the stem of **-ar** verbs and **-iendo** to the stem of **-er** and **-ir** verbs.

estoy		
estás		traba**jando** *(working)*
está	+	com**iendo** *(eating)*
estamos		escrib**iendo** *(writing)*
estáis		
están		

2. Here are some irregular present participles. Note that for pronunciation purposes, the **i** in **-iendo** changes to **y** if it appears between vowels: **creer → creyendo**.

| leer: **leyendo** | decir: **diciendo** | pedir: **pidiendo** |
| traer: **trayendo** | dormir: **durmiendo** | servir: **sirviendo** |

How to use the present progressive

Spanish speakers often use the simple present tense to describe routine actions. They use the present progressive tense to describe what is happening right now—at this very moment. Compare the two situations below.

Happens routinely

Normalmente, Marina almuerza *(eats lunch)* en casa con sus padres.

Happening right now

Pero en este momento está almorzando *(she is having lunch)* con sus amigos en un restaurante.

¡Practiquemos!

5-18 ¿Aló? Marina está hablando por teléfono con su tía Consuelo. ¿Qué preguntas le hace Marina, y qué le responde la tía Consuelo?

MODELO: tía Consuelo / descansar / sí / descansar

MARINA: *Tía Consuelo, ¿está descansando?*

TÍA CONSUELO: *Sí, estoy descansando.*

Marina	**tía Consuelo**
1. tía Consuelo / ver la televisión	sí / ver las noticias en este momento
2. el tío Alberto / escribir el trabajo	no / comer
3. tía / leer el emilio	no / escribir en la computadora
4. mis padres / estar en tu casa	no / pero / tus padres / llegar a casa ahora

5-19 ¿Qué están haciendo? Descríbale a un(a) compañero(a) de clase lo que están haciendo estas personas.

Marina, hablar   Francisco y Emiliano, jugar   La señora Gamboa, servir   El tío Alberto, ver

5-20 Situaciones. Lea cada situación. Luego escriba una o dos oraciones sobre lo que Ud. piensa que está ocurriendo.

■ Ahora es domingo por la tarde. Sara y Francisco están en casa de la señora Gamboa y hablan de sus visitas a los parques nacionales. ¿Por qué están allí? ¿Qué están haciendo? ¿De qué están hablando?

■ Ahora son las nueve de la noche. El tío Alberto y la tía Consuelo están en su casa y están descansando. ¿Qué están haciendo ellos? ¿Por qué?

■ Ud. y su compañero(a) de cuarto tienen mucha tarea. Ud. tiene que escribir una composición en español y su compañero(a) de cuarto necesita hacer unos ejercicios de contabilidad. Ahora Uds. están en su dormitorio. ¿Qué está haciendo Ud.? ¿Y su compañero(a) de cuarto?

■ RETO CULTURAL

Ud. va a estudiar en la Universidad Latinoamericana de Ciencia y Tecnología (**http://www.ulacit.ac.cr**) en San José, Costa Rica y su compañero(a) quiere saber lo que Ud. va a hacer y estudiar en Costa Rica y le pregunta:

• ¿Dónde vas a vivir—en una residencia o con una familia?
• ¿Qué carreras puedes estudiar en esta universidad?
• ¿Qué cursos tienes que estudiar? ¿Puedes tomar cursos electivos?
• ¿Cuántos años tienes que estudiar?
• ¿Cuáles son las similitudes y las diferencias entre el sistema educativo en Costa Rica y en Canadá?

¡Practiquemos más!

 For additional practice on the material covered in this chapter, go to **Lección 5** of the *Intercambios* *Workbook/Laboratory Manual*.

 For additional grammar, vocabulary, and conversation practice, go to **Lección 5** of the *Flex-Files*.

 Atajo *Writing Assistant Software for Spanish* can be used to complete the writing activities in your *Workbook/Laboratory Manual*.

 Intercambios *Video*: Activities to accompany the *Intercambios* *Video* can be found in the *Flex-Files*.

 Visit *Intercambios* on the World Wide Web at **http://www.intercambios.nelson.com**.

ASÍ SE DICE

Las profesiones u ocupaciones

el (la) abogado(a)   *lawyer, attorney*
el (la) agente de viajes   *travel agent*
el (la) arquitecto(a)   *architect*
el (la) científico(a)   *scientist*
el (la) cocinero(a)   *cook*
el (la) contador(a)   *accountant*
el (la) enfermero(a)   *nurse*
el (la) escritor(a)   *writer*
el (la) gerente   *manager*
el (la) guía de turismo   *tour guide*
el hombre / la mujer de negocios
   businessman/woman
el (la) ingeniero(a)   *engineer*
el (la) investigador(a)   *researcher*
el (la) maestro(a)   *teacher*
el (la) médico(a)   *physician, doctor*
el (la) músico(a)   *musician*
el (la) oficinista   *office worker*
el (la) periodista   *journalist*
el (la) policía   *police officer*
el (la) programador(a)   *computer programmer*
el (la) trabajador(a) social   *social worker*
el (la) vendedor(a)   *salesperson*

Lugares de trabajo

la agencia de viajes   *travel agency*
el banco   *bank*
la biblioteca de la universidad
   university library
el centro comercial   *shopping mall*
la estación de policía   *police station*
el hospital   *hospital*
el juzgado   *court*
el laboratorio   *laboratory*
la librería de la universidad
   university bookstore
la oficina   *office*
la oficina de ingeniería/arquitectura/computación   *engineering/architecture/computer office*
el restaurante   *restaurant*
el restaurante de comida rápida
   fast food restaurant
la tienda   *store*
la tienda por departamentos
   department store

Sustantivo

el emilio   *e-mail*

Verbos (e → ie)

comenzar   *to start, to begin*
empezar   *to start, to begin*

entender   *to understand*
pensar   *to think*
preferir   *to prefer*
querer   *to want, to love*
tener (tengo)   *to have*
venir (vengo)   *to come*

Verbos (o → ue)

almorzar   *to have lunch*
dormir   *to sleep*
encontrar   *to find*
jugar   *to play*
poder   *to be able*
volver   *to return*

Verbos (e → i)

decir   *to say, to tell*
pedir   *to ask for, to order*
seguir   *to pursue, to follow*
servir   *to serve*

Verbos   *Verbs*

creer   *to believe*
gastar   *to spend*

Expresiones

¿Qué carrera u ocupación sigues?
   What career or occupation are you pursuing/following?
¡Pura vida!   *Excellent! Amazing! Fabulous!*

LECCIÓN 6
¡Hace mucho calor en Panamá!

✖ ENFOQUE ✖

■ METAS COMUNICATIVAS

Usted va a poder hablar del tiempo y describirlo
Usted va a poder hablar de sus rutinas diarias en el presente y también de las cosas que usted y sus amigos hicieron en el pasado

■ IDIOMA

Describir y comentar el clima
Comentar sobre las estaciones del año
Decir el año en que usted nació
Especificar fechas
Describir rutinas diarias
Hablar de actividades en el pasado

■ VOCABULARIO ESENCIAL

Expresiones sobre el tiempo
Estaciones del año
Más expresiones con **tener**
Números del 100 al 2.000

■ GRAMÁTICA ESENCIAL

El presente de los verbos reflexivos
El pretérito de los verbos regulares
La construcción **hace** + tiempo

■ CULTURA

El clima alrededor del mundo

■ RETO CULTURAL

Diferencias del tiempo en el mundo; expresiones sobre el tiempo que pueden causar confusiones en el mundo hispano.

EN CONTEXTO

Después de visitar la selva costarricense, Sara y Francisco van a Panamá. Hacen una excursión para conocer el Canal de Panamá. [1] Al día siguiente°, se despiertan° en su hotel en la Ciudad de Panamá.

SARA: ¡Qué calor! Ya° son las nueve de la mañana. ¿Te levantas°, Francisco?

FRANCISCO: Me levanto más tarde. Estoy cansado. Me baño° y me afeito° después.

...Mientras que ellos están hablando, suena (rings) el teléfono. Contesta Sara.

SARA: ¡Hola, Lisa! Gracias por tu mensaje electrónico. Sí, estamos bien. Anoche, volvimos muy tarde y nos acostamos° a la una porque ayer hicimos una excursión fantástica. ¡Qué día tan largo! El viaje comenzó a las siete de la mañana en la Ciudad de Panamá. El barco salió de la Esclusa° de Gatún y navegó por el río Chagres [2] hasta llegar al Fuerte San Lorenzo. [3]

FRANCISCO: Y en el Fuerte perdiste tu pasaporte.

SARA: Sí, Lisa, cuando llegué al Fuerte busqué por todas partes y no encontré mi pasaporte. ¡Qué susto! El señor que lo encontró leyó todos los detalles de mi vida y se rió° de mi foto.

LISA: Por lo menos recuperaste° tu pasaporte.

SARA: Cuando llegó el barco al Mar Caribe, nos bañamos. Hace tanto calor en el Caribe [4] que nos secamos° en seguida después de bañarnos.

LISA: ¿Y qué hicieron por la noche?

SARA: Volvimos a la Ciudad de Panamá y cenamos muy tarde en un restaurante en el centro. Lisa, ¿quieres hablar con Francisco?

LISA: Por supuesto.

...Francisco habla con Lisa por un rato°. Sara habla con Lisa una vez más, dice adiós y cuelga°.

FRANCISCO: ¡Qué bien hablar con Lisa! Pero ante todo° me encanta viajar contigo. Sara....

SARA: ¿Sí, Francisco?

FRANCISCO: Ya hace tres semanas que estamos viajando juntos por Centroamérica.

SARA: Sí, y ahora tú tienes que volver a Monterrey y yo tengo que volver a Vancouver.

FRANCISCO: Hace más de seis meses que nos conocimos. El tiempo pasa rápido, ¿no?

SARA: Lo sé. Francisco... ¿te gustaría venir a Vancouver?

FRANCISCO: ¡Cómo no! Podemos planear viajes por las Montañas Rocosas...

SARA: Y puedes conocer a mis padres.

FRANCISCO: ¡Qué buena idea!

---

al día siguiente... *the next day*
se despiertan... *they wake up*
ya... *already*
¿Te levantas...? *Are you getting up...?*
Me baño... *I'll bathe*
Me afeito... *I'll shave*
Nos acostamos... *We went to bed*
esclusa... *lock, floodgate*
Se rió... *laughed at*
recuperaste... *you retrieved or you got back*
nos secamos... *we dry off*
un rato... *a moment*
cuelga... *hangs up (the phone)*
ante todo... *above all*

Notas de texto

1. The Panama Canal is a lock-type canal, extending approximately ninety kilometres from Panama City on the Pacific Ocean to the city of Colon on the Caribbean Sea. The canal is capable of receiving fifty ships a day, and it takes nine hours to cross it. On December 31, 1999, Panama assumed full responsibility for the canal, which was up to that year controlled by the United States.

2. The Chagres River has an expedition for people interested in birdwatching, fishing, and preserving nature. It leaves from Panama City or the city of Colon every weekend. The expedition passes through the Gatun lock and along the river to the Caribbean Sea, where San Lorenzo Fort is located.

3. San Lorenzo Fort was built in the late sixteenth century as part of the defence system constructed by the Spanish Crown to protect transatlantic trade. In 1980, it was named a World Heritage Site by UNESCO (United Nations Educational, Scientific and Cultural Organization).

4. Panama has two seasons: the dry season, which lasts from January to mid-April, and the rainy season, which lasts from mid-April to December.

■ Conexión cultural

En todas las ciudades canadienses hay artistas y grupos musicales de origen hispano. Entre ellos están los chilenos By Divine Right, Cha-Locos, Bomba, Mario Lanas y Óscar López. Éste último ha sido nominado tres veces al JUNO Award.

6-1 ¿Comprendió Ud.?

A. Indique si las siguientes oraciones son ciertas o falsas. Corrija (Correct) las oraciones falsas.

1. Sara y Francisco se despiertan en su hotel en San José.
2. Sara y Francisco se levantaron temprano.
3. Sara y Francisco visitaron el Fuerte de San Lorenzo.
4. Ellos navegaron por el Río Magdalena.
5. En Panamá hace mucho calor en el verano.

B. Ahora hable con un(a) compañero(a) de clase.

1. ¿A qué hora probablemente se levantaron Sara y Francisco para ir a la excursión?
2. ¿Qué perdió Sara en el Fuerte de San Lorenzo?
3. ¿De qué se rió el señor que se encontró el pasaporte de Sara?
4. ¿Hace cuánto tiempo que Sara y Francisco se conocen?
5. ¿Qué país te gustaría conocer: Guatemala, Costa Rica o Panamá? ¿Por qué?

VOCABULARIO esencial

In this section, you will learn how to comment on the weather and to talk about the seasons of the year.

Cómo hablar sobre el tiempo *(How to talk about the weather)*

¿Qué tiempo hace? ¿A cuánto está la temperatura?

Hace muy buen tiempo.
Hace sol.

Hace calor. La temperatura está a 32° centígrados.

Hace fresco. La temperatura está a 15° C.

Está despejado.

Hace viento.
Hace mal tiempo.

Hace mucho frío.
La temperatura está a −20° C.

Está nevando. / Nieva.

Está lloviendo. / Llueve.

Está nublado.

Las estaciones del año

Llueve mucho en la primavera.

Hace sol en el verano.

Hace fresco en el otoño.

Nieva mucho en el invierno.

> **"Nunca llueve a gusto de todos".** —refrán popular

¡Practiquemos!

6-2 El reporte del tiempo. Estas personas hablan con sus parientes por teléfono y describen el tiempo en sus provincias y territorios. Complete los diálogos lógicamente.

MODELO: Ud: Tía, ¿qué tiempo hace en Whitehorse en octubre?
        Tía: *Hace mucho viento y está nevando.*

1. Lisa: Mamá, ¿qué tiempo hace en Toronto en enero?
   Mamá: En Toronto, _____.
2. Sara: Papá, ¿qué tiempo hace en Vancouver en julio?
   Señor Chang: En Vancouver _____.
3. Marina: Hermano, ¿qué tiempo hace en Guatemala en mayo?
   Francisco: En Guatemala _____.
4. Ud: Prima, ¿qué tiempo hace en Terranova en noviembre?
   Prima: En Terranova _____.

6-3 ¿Tenemos frío o calor? Complete los espacios en blanco para describir si estas personas tienen frío o calor.

MODELO: En el verano en Alberta, Eric y Alex *tienen calor*.

1. Cuando nieva en Yellowknife, nosotros _____.
2. Tú _____ en las playas de Cuba.
3. Cuando llueve en Nueva Brunswick, la familia Romero _____.
4. Patrick y su esposa siempre _____ en el otoño en Regina.
5. Cuando hace mucho sol en Victoria, yo siempre _____.
6. En Panamá, Sara y Francisco _____.

6-4 ¿Qué te gusta hacer en las estaciones? Pregúntele a un(a) compañero(a) de clase qué le gusta hacer durante las diferentes estaciones y llene *(fill out)* el cuadro con la información. Después, su compañero(a) debe hacerle estas preguntas a Ud. para llenar su cuadro con su información.

Estaciones	Primavera	Verano	Otoño	Invierno
¿Qué te gusta hacer?				
¿Qué tiempo hace?				

6-5 ¡A escribir! Exprese sus preferencias en un párrafo.

En la primavera me gusta (ir al cine / jugar al tenis / ...) porque... En el verano prefiero (ir a / jugar a / ...) porque... En el otoño me gusta (hacer ejercicio / ver películas en video / ...) porque... En el invierno prefiero (leer en casa / ir a _____ /...) porque... En todas las estaciones del año, me gusta _____ porque...

Más expresiones con *tener*...

—¿**Tienes calor**, Luis?

—Sí, Tomás. Hace mucho calor y **tengo mucha sed**.

Are you hot, Luis?

Yes, Tomás. It's very hot and I'm very thirsty.

Elizabeth tiene sed y **tiene mucho cuidado** de tomar agua cuando corre.

Terry tiene hambre, pero **tiene prisa** porque quiere llegar a tiempo a la escuela.

William tiene sueño y **tiene miedo** por el examen de español mañana; por eso estudia mucho.

Cathy **tiene razón** en su tarea de matemáticas. Sus respuestas están correctas. Ella **tiene éxito** en sus estudios.

6-6 Tengo cuidado, prisa, sueño, miedo, éxito y razón. Hable con otro(a) estudiante y dígale lo que hace en las siguientes situaciones usando expresiones con **tengo**.

1. Cuando paseo en bicicleta por la calle *(street)*,...
2. Cuando tengo A en mis exámenes,...
3. Cuando no estudio mucho para un examen,...
4. Cuando leo hasta las dos de la mañana,...
5. Cuando vendo *(I sell)* mucha mercancía *(merchandise)*,...
6. Cuando son las siete de la mañana y tengo clases a las siete y media,...
7. Cuando la clase es aburrida,...
8. Cuando hablo con mi jefe, yo siempre...

CULTURA

■ El clima alrededor del mundo

Como los canadienses, los latinoamericanos y los españoles usan grados centígrados cuando se refieren a las temperaturas. Las estaciones del año en el Hemisferio Norte son opuestas a las del Hemisferio Sur. Cuando es invierno en Chicago, Toronto, Madrid, Moscú y Tokio, es verano en Santiago de Chile, Buenos Aires, Johannesburg y Sydney. Cuando los canadienses y los finlandeses están limpiando *(are shovelling)* la nieve de las aceras *(sidewalks)*, los chilenos y los neozelandeses están tomando el sol en las playas *(beaches)*. Tenemos que tener cuidado cuando usamos la frase "está caliente" *(it's hot)*, que describe algo *(something)* que tiene una alta temperatura; por ejemplo, el motor del auto está caliente. Una persona nunca *(never)* se describe como caliente; solamente se usa para describir cosas *(things)*. Para describir una comida *(food)* que tiene mucho chile, se dice que la comida "está picante" y cuando la comida tiene una alta temperatura se dice que "está caliente".

¿Cierto o falso? Lea las siguientes oraciones y diga si son ciertas o falsas. Corrija las oraciones falsas.

1. Cuando los hispanos reportan la temperatura usan grados Fahrenheit.
2. Las estaciones del año en el Hemisferio Sur son opuestas a las del Hemisferio Norte.
3. Los chilenos y los argentinos toman el sol en junio, julio y agosto.
4. Esta comida está picante porque tiene mucho chile.

 6-7 ¿A cuánto está la temperatura? / ¿Qué tiempo hace?
Responda a las siguientes preguntas, usando ideas del vocabulario que sigue.

1. ¿Qué tiempo hace en Barcelona?
2. ¿A cuánto está la temperatura en la Ciudad de Panamá y en Buenos Aires?
3. ¿Por qué hay diferencia entre las temperaturas de Buenos Aires y Barcelona?
4. ¿En qué ciudad prefiere estar Ud. hoy? ¿Por qué?

VOCABULARIO esencial

Buenos Aires, Argentina
Temperatura: 15° C
Está lloviendo. / Hace frío.

Barcelona, España
Temperatura: 15° C
Está nublado. / Hace fresco.

Ciudad de Panamá, Panamá
Temperatura: 30° C
Está despejado. / Hace sol.

Los números 100–2.000

100 cien	**400** cuatrocientos(as)	**800** ochocientos(as)
101 ciento uno	**500** quinientos(as)	**900** novecientos(as)
200 doscientos(as)	**600** seiscientos(as)	**1.000** mil
300 trescientos(as)	**700** setecientos(as)	**2.000** dos mil

- Use numbers 1–2000 to state a specific year in Spanish.

  1152 mil ciento cincuenta y dos
  1999 mil novecientos noventa y nueve
  2000 el año dos mil
  2006 el año dos mil seis

- Use the preposition **de** to connect a day, a month, and a year.

  Hoy es el 12 **de** octubre **del** 2006.

- In Spain and many countries in Latin America, a period is used to separate thousands, and a comma to separate decimals.

  2.002 $27,47

Repasar cómo se habla de la edad   *(Review how to talk about age)*

—¿**Cuántos años tienes**, Tomás?	*How old are you*, *Tomás?*
—**Tengo** veinticuatro años.	*I'm twenty-four years old.*
—¿Cuándo **es** tu cumpleaños?	*When is your birthday?*
—**Mi cumpleaños es** el 14 de diciembre.	*My birthday is on December 14.*
—¿**En qué año**?	*In what year?*
—Mil novecientos ochenta y dos.	*1982.*

¡Practiquemos!

6-8 Eventos históricos del Canal de Panamá. Lea cada oración con el año correcto.

1. En 1903, el presidente estadounidense Theodore Roosevelt formenta *(promotes)* una rebelión en el norte de Colombia para crear el país de Panamá.
2. Los estadounidenses construyen *(build)* el Canal de Panamá entre los años 1903 y 1914.
3. Theodore Roosevelt abre las puertas del Canal de Panamá al mundo en 1914.
4. El tratado *(treaty)* del presidente estadounidense Jimmy Carter con el presidente panameño Omar Torrijos en 1977 promete *(promises)* devolver el canal a Panamá.
5. Los Estados Unidos otorgan *(give)* la soberanía *(sovereignty)* del canal a Panamá el 31 de diciembre de 1999.

 6-9 El concierto. El panameño Rubén Blades va a cantar en la Ciudad de Panamá en el Teatro Colón. Se venden muchos boletos *(tickets)* para sus cuatro conciertos *(concerts)*. Dígale a su compañero(a) cuántos boletos vende el teatro.

MODELO: 898 boletos el jueves por la noche
—*¿Cuántos boletos vende el Teatro Colón para el concierto de Rubén Blades?*
—*El teatro vende ochocientos noventa y ocho boletos el jueves por la noche.*

1. 940 boletos el viernes por la noche
2. 1.574 boletos el sábado por la tarde
3. 1.603 boletos el sábado por la noche
4. 1.928 boletos el domingo por la noche

Rubén Blades

GRAMÁTICA esencial

In this section, you will learn how to describe people's daily routines.

Present Tense of Reflexive Verbs

- Spanish speakers often use a reflexive verb to describe their daily routine, such as getting up **(levantarse)**, dressing **(vestirse)**, washing **(lavarse)**, brushing their teeth **(cepillarse)** or hair **(peinarse)**, and so forth.
- In a reflexive construction, the subject and the object of the sentence are the same person. In the sentence below, **yo** and **me** are the same person.

  Yo me lavo. *I wash myself.*

- When the action of the verb is performed on another person, a reflexive pronoun *is not used* with these verbs.

  Me despierto a las siete. *I wake up at seven o'clock.*
  Despierto a mi hermano a *I wake up my brother at seven o'clock.*
  las siete.

- When reflexive verbs are used with parts of the body or with articles of clothing, use the definite articles **(el, la, los, las)**.

  Me lavo las manos y **la cara.** *I wash my hands and face.*
  Te pruebas los zapatos. *You try the shoes on.*

How to form reflexive constructions

levantarse *(to get up)*		
(yo)	me levanto	*I get up*
(tú)	te levantas	*you get up*
(Ud., él, ella)	se levanta	*you get up, he/she gets up*
(nosotros/nosotras)	nos levantamos	*we get up*
(vosotros/vosotras)	os levantáis	*you get up*
(Uds., ellos, ellas)	se levantan	*you get up, they get up*

1. Use a reflexive pronoun (e.g., **me**) with its corresponding verb form (e.g., **levanto**), according to the subject of the sentence (e.g., **yo**).

2. Place reflexive pronouns as follows:
   a. Place the pronoun in front of the conjugated verb.
      Luis **se** levanta a las seis. *Luis gets up at six o'clock.*
   b. When a reflexive verb is used as an infinitive or as a present participle, place the pronoun either before the conjugated verb or attached to the infinitive or to the present participle.
      Él **se** va a levantar pronto.
      Él va a levantar**se** pronto. *He's going to get up soon.*

      Él **se** está levantando ahora.
      Él está levantándo**se** ahora. *He's getting up now.*

When a reflexive pronoun is attached to a present participle (e.g., **levantándose**), an accent mark is added to maintain the correct stress.

Reflexive verbs

ponerse (el pijama)   *to put on (one's pyjamas)*
Mi hermano **se pone el pijama** a las ocho y media.   *My brother **puts on his pyjamas** at eight-thirty.*

acostarse (o ➨ ue)   *to go to bed*
Me acuesto muy tarde después de estudiar.   *I **go to bed** very late after I study.*

dormirse (o ➨ ue)   *to fall asleep*
Federico **se duerme** rápidamente.   *Federico **falls asleep** rapidly.*

despertarse (e ➨ ie)   *to wake up*
Nosotros **nos despertamos** temprano.   *We **wake up** early.*

levantarse   *to get up*
Linda **se levanta** inmediatamente.   *Linda **gets up** immediately.*

quitarse (la ropa)   *to take off (one's clothes)*
Roberto **se quita la ropa** rápidamente.   *Roberto **takes off his clothes** rapidly.*

afeitarse (la cara)   *to shave (one's face)*
Ramiro **se afeita** todos los días.   *Ramiro **shaves** every day.*

bañarse   *to take a bath*
¿**Te bañas** dos veces al día?   *Do you **take a bath** twice a day?*

ducharse   *to take a shower*
No, me baño por la mañana y **me ducho** por la noche.   *No, I take a bath in the morning and I **take a shower** at night.*

secarse   *to dry off*
Me seco con una toalla muy grande.   *I **dry off** with a big towel.*

vestirse (e ➨ i)   *to get dressed*
Me visto formalmente para ir a trabajar.   *I **dress** formally to go to work.*

lavarse (las manos)   *to wash (one's hands)*
Juan **se lava las manos** antes de cenar.   *John **washes his hands** before dinner.*

cepillarse (los dientes)   *to brush (one's teeth)*
Nosotros **nos cepillamos los dientes** tres veces al día.   *We **brush our teeth** three times a day.*

peinarse el pelo   *to comb one's hair*
Luis nunca **se peina el pelo**.   *Luis never **combs his hair**.*

maquillarse   *to put on make-up*
Rosario **se maquilla** perfectamente.   *Rosario **puts on make-up** perfectly.*

Otros verbos reflexivos

llamarse   *to be called*
—¿Cómo **te llamas**?   *What's **your name?***
—**Me llamo** Leonardo.   *My name is Leonardo.*

preocuparse   *to worry*
¿**Te preocupas** por los exámenes finales?   *Do you **worry** about final exams?*

reírse   *to laugh*
Ellas **se ríen** cuando oyen un chiste.   *They **laugh** when they hear a joke.*

¡Practiquemos!

6-10 Nuestra rutina diaria. Para saber quién, cuándo y cuántas veces estas personas hacen estas acciones, complete los espacios en blanco con la forma correcta del verbo.

MODELO: Lisa *se levanta* (se levantan / se levanta) a las cinco y media todas las mañanas.

1. Luis y Mateo _____ (se ponen / te pones) el pijama para dormir.
2. Marina _____ (me acuesto / se acuesta) a las doce de la noche pero no _____ (nos dormimos / se duerme) hasta las dos porque le gusta leer.
3. ¿A qué hora _____ (te despiertas / me despierto) tú por las mañanas?
4. Marcelo nunca _____ (te afeitas / se afeita) la barba *(beard)*.
5. Yo _____ (me ducho / se duchan) dos veces al día en el verano.
6. Nosotros _____ (se secan / nos secamos) con toallas de algodón *(cotton)*.
7. Ellos _____ (te lavas / se lavan) las manos antes de comer.
8. Gloria y Matilde _____ (nos maquillamos / se maquillan) después de _____ (se peinan / peinarse).
9. ¿Cómo _____ (se llaman / se llama) esos nuevos estudiantes?
10. Nosotros _____ (nos reímos / me río) de tus chistes.

6-11 Conversaciones de familia. Complete las conversaciones con el verbo correcto y la forma correcta de los verbos.

SARA: ¿A qué hora _____ (acostarse / levantarse) Uds. por la noche en tu casa?

FRANCISCO: Pues, mis padres y yo _____ (acostarse / dormirse) a las once. Mi hermano menor, que tiene diez años, _____ (despertarse / acostarse) a las siete. A veces, él _____ (dormirse / levantarse) rápidamente, pero _____ (levantarse / acostarse) durante la noche y va al baño. Luego _____ (acostarse / levantarse) otra vez.

SARA: ¿A qué hora _____ (acostarse / levantarse) ustedes por la mañana?

FRANCISCO: Los días de trabajo, (yo) _____ (despertarse / levantarse) a las seis y _____ (despertarse / levantarse) a las seis y media. Mis padres _____ (levantarse / despertarse) a las cinco y media y _____ (levantarse / despertarse) a las seis. Mi hermana Marina _____ (despertarse / levantarse) a las ocho, pero _____ (levantarse / despertarse) a las ocho y media. Siempre llega tarde a la universidad.

6-12 ¿Qué está haciendo el Sr. Álvarez? Diga lo que el Sr. Álvarez está haciendo en este momento.

MODELO: *El Sr. Álvarez está despertándose a las seis...*
   o *El Sr. Álvarez se está despertando a las seis...*

6-13 Imagínese (*Imagine*) que... Imagínese que Ud. es el Sr. Álvarez o la Sra. Álvarez y que está describiendo lo que va a hacer mañana, el lunes.

MODELO: *Mañana voy a despertarme a las seis...*
   o *Mañana me voy a despertar a las seis...*

 6-14 ¡Ah... los fines de semana! Pregúntele a su compañero(a) de clase:

1. a qué hora se acuesta los viernes.
2. a qué hora se levanta los sábados.
3. si se pone los vaqueros (*jeans*) o si se viste elegantemente.
4. si se despierta siempre a la misma hora.
5. a qué hora se acuesta los sábados.
6. si se duerme tarde o si se duerme temprano.
7. cuántas horas duerme los sábados y domingos.

 6-15 Mi rutina diaria. Escriba un párrafo sobre su rutina diaria. Luego, léale su descripción a otro(a) estudiante.

Los días de clase (trabajo) me despierto a las _____. Me levanto a las _____. Luego...

GRAMÁTICA esencial

In this section, you will learn to describe activities that occurred in the past.

Preterite Tense of Regular Verbs

Spanish speakers use the preterite tense as one way to describe completed actions, conditions, and events in the past.

How to form the preterite tense

1. To form the preterite for most Spanish verbs, add the following endings to the verb stem. Note the identical endings for **-er** and **-ir** verbs.

	trabajar	comer	vivir
Singular			
(yo)	trabaj**é**	com**í**	viv**í**
(tú)	trabaj**aste**	com**iste**	viv**iste**
(Ud., él, ella)	trabaj**ó**	com**ió**	viv**ió**
Plural			
(nosotros/nosotras)	trabaj**amos**	com**imos**	viv**imos**
(vosotros/vosotras)	trabaj**asteis**	com**isteis**	viv**isteis**
(Uds., ellos, ellas)	trabaj**aron**	com**ieron**	viv**ieron**

—¿Ya **comieron** Sara y Francisco?   *Did Sara and Francisco eat already?*

—Sí. **Comieron** en el restaurante Balboa.   *Yes. They ate at the Balboa Restaurant.*

—¿Hasta qué hora **trabajó** Tomás?   *Until what time did Tomás work?*

—**Trabajó** hasta las siete de la noche.   *He worked until seven at night.*

2. **-Ar** and **-er** verbs that have a stem-change in the present tense, have *no* stem change in the preterite; for these verbs, use the same verb stems as for a regular verb.

    pensar: pensé, pensaste, pensó, pensamos, pensasteis, pensaron

    volver: volví, volviste, volvió, volvimos, volvisteis, volvieron

—¿A qué hora **volvieron** de la excursión?   *At what time did you return from the excursion?*

—**Volvimos** a las cinco de la tarde y **pensamos** mucho en ti, Juan.   *We returned at five o'clock and we thought a lot about you, Juan.*

—Lástima que tú **no pensaste** en venir con nosotros.   *It's a shame that you didn't think to come with us.*

3. Several verbs have some spelling changes in the preterite. Verbs ending in **-car**, **-gar**, and **-zar** have a spelling change in the **yo** form of the preterite tense.

c *changes to* **qu**	**g** *changes to* **gu**	**z** *changes to* **c**
buscar ➞ busqué	llegar ➞ llegué	comenzar ➞ comencé
tocar ➞ toqué	jugar ➞ jugué	almorzar ➞ almorcé

4. **-Ir** and **-er** verbs that have a vowel before the infinitive ending require a change in the **Ud./él/ella** and **Uds./ellos/ellas** forms of the preterite tense: an **i** between two vowels changes to a **y**.

	creer *(to believe, to think)*	**leer** *(to read)*	**oír** *(to hear)*
(Ud., él, ella)	creyó	leyó	oyó
(Uds., ellos, ellas)	creyeron	leyeron	oyeron

5. To form the past tense of the reflexive verbs, just add the reflexive pronouns (**me**, **te**, **se**, **nos**, **os**, **se**) and the following endings to the verb stem.

levantarse *(to get up)*		**lavarse** *(to wash)*	
(yo)	me levanté	(yo)	me lavé
(tú)	te levantaste	(tú)	te lavaste
(Ud., él, ella)	se levantó	(Ud., él, ella)	se lavó
(nosotros/nosotras)	nos levantamos	(nosotros/nosotras)	nos lavamos
(vosotros/vosotras)	os levantasteis	(vosotros/vosotras)	os lavasteis
(Uds., ellos, ellas)	se levantaron	(Uds., ellos, ellas)	se lavaron

6. Some expressions used with the preterite to denote past time are:

anoche	*last night*	el mes pasado	*last month*
ayer	*yesterday*	la semana pasada	*last week*
el año pasado	*last year*		

When to use the preterite

1. The preterite tense is used to refer to past actions, conditions, or events that the speaker or writer considers as *completed*. In other words, the speaker or writer focuses on a time in the past at which the action, condition, or event began and was completed or was viewed as completed.

Anoche Sara y Francisco **tomaron** un taxi para el hotel. **Llegaron** al hotel y Francisco **invitó** a Sara a cenar. **Se sentaron** a comer y **pidieron** refrescos. Francisco **pensó** en comer tamales y Sara **comió** tamales también. ¡Qué rico!

2. Spanish speakers use the preterite tense with the following structure to express how long ago an action or event occurred.

hace + length of time + **que** + preterite tense

—Francisco, ¿**cuánto tiempo hace que conociste** a Emiliano?

—**Hace tres años que conocí** a Emiliano.

*Francisco, **how long ago did you** meet Emiliano?*

*I **met** Emiliano **three years ago.***

¡Practiquemos!

6-16 En la clase. Ahora Uds. están en la clase de español, pero ¿qué pasó antes de esta clase? Formen oraciones con las siguientes frases describiendo lo que pasó.

MODELO: yo / estudiar / los verbos reflexivos / antes de esta clase
Yo estudié los verbos reflexivos antes de esta clase.

1. George y Joyce / comer / en la cafetería
2. tú / practicar / la lección en el laboratorio
3. nosotros / salir / de la clase de estadística
4. Elena / comprar / cuadernos y libros / en la librería
5. Ángela y Pedro / correr / por el parque
6. yo / escribir / un trabajo de investigación *(research paper)*
7. ellos / discutir / los precios del mercado en clase de economía
8. tú / aprender / mucho sobre el Canal de Panamá

6-17 ¿Cuánto tiempo hace que... ? Ud. quiere saber cuánto tiempo hace que su compañero(a) hizo *(did)* las siguientes actividades.

MODELO: —*¿Cuánto tiempo hace que escribiste un mensaje electrónico a casa?*
—*Hace dos días que escribí un mensaje electrónico a casa.*

1. comprar una computadora
2. llamar por teléfono a un(a) amigo(a)
3. asistir a un concierto de música rock, salsa, música clásica
4. alquilar *(to rent)* una buena película
5. comer en un restaurante hispano
6. invitar a tus amigos a una fiesta
7. decidir la carrera que sigues
8. llegar a la universidad

6-18 **Sara está ocupada.** Describa las actividades de Sara ayer.

Por la mañana Sara _____ (levantarse) temprano. Primero, _____ (bañarse y secarse). Luego ella _____ (tomar) café. Cuando _____ (terminar), ella _____ (salir) del hotel y _____ (buscar) un taxi para ir a la agencia de viajes. Ella _____ (almorzar) en un restaurante. Por la tarde, Sara _____ (llamar) por teléfono a su familia y _____ (escribir) un mensaje electrónico para ellos. Por la tarde, Sara y Francisco _____ (salir) del hotel, _____ (comprar) el periódico y _____ (caminar) hasta un restaurante para cenar. Después de cenar, ellos _____ (hablar) por dos horas de sus planes. Luego, ellos _____ (regresar) a su hotel y _____ (acostarse) para descansar.

6-19 **Las actividades del Sr. Álvarez.** Dígale a otro(a) estudiante las actividades que el Sr. Álvarez hizo *(did)* ayer según los dibujos en la página 152, **Actividad 6-12.**

MODELO: *El Sr. Álvarez se despertó a las seis...*

6-20 **El fin de semana pasado.** Descríbale a su compañero(a) de clase lo que pasó el fin de semana pasado.

MODELO: desayunar tarde el sábado
Desayuné tarde el sábado.

1. almorzar en un restaurante panameño
2. jugar al tenis con sus amigos
3. alquilar una película en video
4. acostarse tarde y levantarse temprano
5. salir a tomar café con un(a) amigo(a)
6. escribir un trabajo
7. conocer a personas interesantes
8. buscar trabajo

6-21 **Situaciones.** En grupos de dos o tres estudiantes, traten de resolver las siguientes situaciones.

MODELO: Ud. no encontró el trabajo sobre historia de Panamá que escribió ayer para la clase de español. Tiene que describirle al (a la) profesor(a) todas sus actividades de ayer y dónde usted cree que está su trabajo.

Profesor(a), ayer me levanté muy temprano y llegué a la universidad para trabajar en mi trabajo sobre Panamá. Terminé el trabajo, pero ahora no lo encuentro. Creo que...

■ Ud. no estudió en su habitación anoche. Cuando su novio(a) llamó por teléfono, no habló con Ud. Cuéntele *(Tell)* a su novio(a) lo que pasó anoche y todas sus actividades de ayer, con quién salió, con quién estudió, con quién cenó, etcétera.

■ Su papá y mamá están preocupados por usted ya que usted no manda mensajes ni llama desde la semana pasada. Así que su padre y madre quieren saber cómo está usted. Cuénteles a qué hora se acostó anoche, a qué hora se despertó y se levantó esta mañana, si se bañó o se duchó, lo que desayunó, lo que almorzó, lo que estudió y con quién habló.

■ Ud. trabaja en una tienda. El lunes por la mañana, cuando Ud. llega a la tienda, su jefe (*boss*) le dice que alguien robó mucha comida de la tienda durante la noche. Pero la puerta está cerrada con llave y solamente Ud., el jefe y un empleado más tienen las llaves. Su jefe le pregunta qué hizo Ud. anoche. Cuéntele todas sus actividades de la noche.

■ RETO CULTURAL

Ud. va a tener un empleo como interno(a) en una agencia de publicidad (*advertisement agency*) en la Ciudad de Panamá, Panamá, durante los meses de junio y julio. Ud. está muy contento(a) y llama por teléfono al (a la) asistente de este programa en Panamá (su compañero[a] de clase) y le hace las siguientes preguntas:

- ¿Cómo es el tiempo en Panamá? ¿Qué temperatura hace?
- ¿Qué actividades puedo hacer en estos meses?
- ¿Qué lugares puedo visitar en Panamá?

¡Practiquemos más!

 For additional practice on the material covered in this chapter, go to **Lección 6** of the *Intercambios* Workbook/Laboratory Manual.

 For additional grammar, vocabulary, and conversation practice, go to **Lección 6** of the *Flex-Files*.

 Atajo Writing Assistant Software for Spanish can be used to complete the writing activities in your *Workbook/Laboratory Manual*.

 Intercambios Video: Activities to accompany the **Intercambios** Video can be found in the *Flex-Files*.

 Visit **Intercambios** on the World Wide Web at **http://www.intercambios.nelson.com**.

Sustantivos

el cepillo de dientes   *toothbrush*
los dientes   *teeth*
las manos   *hands*
la pasta dental   *toothpaste*
el pelo   *hair*
el pijama   *pyjamas*
la toalla   *towel*
los vaqueros   *jeans*

Cómo comentar sobre el tiempo

¿A cuánto está la temperatura?
   What's the temperature?
La temperatura está a...   *The temperature is . . .*
¿Qué tiempo hace?   *What's the weather like?*
Hace (muy buen/mal) tiempo.   *It's (very nice/bad) weather.*
Hace calor.   *It's hot.*
Hace fresco.   *It's cool.*
Hace (mucho) frío.   *It's (very) cold.*
Hace sol.   *It's sunny.*
Hace viento.   *It's windy.*
Está despejado.   *It's clear.*
Está lloviendo. / Llueve.   *It's raining.*
Está nevando. / Nieva.   *It's snowing.*
Está nublado.   *It's cloudy.*
la lluvia   *rain*
la nieve   *snow*

Verbos para describir el tiempo

llover (o ➜ ue)   *to rain*
nevar (e ➜ ie)   *to snow*

Las estaciones del año

el invierno   *winter*
el otoño   *fall*
la primavera   *spring*
el verano   *summer*

Más expresiones con *tener*

tener cuidado   *to be careful*
tener éxito   *to be successful*
tener miedo   *to be afraid*
tener prisa   *to be in a hurry*
tener razón   *to be right*

Los números 100–2.000

100 cien   *one hundred*
101 ciento uno   *one hundred and one*
200 doscientos(as)   *two hundred*
300 trescientos(as)   *three hundred*
400 cuatrocientos(as)   *four hundred*
500 quinientos(as)   *five hundred*
600 seiscientos(as)   *six hundred*
700 setecientos(as)   *seven hundred*
800 ochocientos(as)   *eight hundred*
900 novecientos(as)   *nine hundred*
1.000 mil   *one thousand*
2.000 dos mil   *two thousand*

Verbos reflexivos

acostarse (o ➜ ue)   *to go to bed*
afeitarse   *to shave*
bañarse   *to take a bath*
cepillarse los dientes   *to brush one's teeth*
despertarse (e ➜ ie)   *to wake up*
dormirse (o ➜ ue)   *to fall asleep*
ducharse   *to take a shower*
lavar(se)   *to wash (up)*
levantarse   *to get up*
llamarse   *to be called*
maquillarse   *to put on make-up*
peinarse el pelo   *to comb one's hair*
ponerse ropa   *to put on clothes*

preocuparse   *to worry*
quitarse   *to take off*
reírse   *to laugh*
secarse   *to dry off*
vestirse (e ➜ i)   *to get dressed*

Verbos

cenar   *to have/eat supper/dinner*
desayunar   *to have/eat breakfast*
oír   *to hear*
tocar   *to touch, to play an instrument*

Adverbios

nunca   *never*
siempre   *always*
tarde   *late*
temprano   *early*

Expresiones para describir el pasado

anoche   *last night*
ayer   *yesterday*
el año pasado   *last year*
el mes pasado   *last month*
la semana pasada   *last week*

PERSPECTIVAS

IMÁGENES La Ruta Maya

Antes de leer: **Discuta estas preguntas con un(a) compañero(a) de clase.**

1. ¿Conocen Uds. lugares tales como *(such as)* fuertes, castillos o ruinas?
2. ¿Conocen Uds. lugares antiguos?
3. ¿Les gustaría conocer un lugar con mucha historia?
4. ¿Creen Uds. que debemos cuidar *(to take care of)* nuestra naturaleza y los lugares históricos? ¿Por qué sí? ¿Por qué no?

La Ruta Maya

miles de sitios arqueológicos mayas para darles a los visitantes acceso a las áreas remotas de esta región selvática *(jungle)*. Para minimizar la construcción de caminos *(roads)*, los planeadores de la Ruta Maya sugieren que se utilicen diferentes medios de transporte alternativos, tales como monoriel, teleférico *(cable car)*, lanchas, mulas o senderos *(trails)*.

Ecoturismo y economía

Otro elemento clave del proyecto es no cortar *(to cut)* más del bosque lluvioso *(rain forest)*, lo que hoy día ocurre en esta zona inmensa de una manera irresponsable. El plan de la Ruta Maya incluye la administración cuidadosa de reservas biosféricas que van a beneficiar al pueblo maya local por el ecoturismo y la venta de productos renovables tales como frutas, cacao, café, aceites *(oils)* y medicinas.

Un esfuerzo internacional

La Ruta Maya es un proyecto internacional cuyo *(whose)* propósito principal es conservar la rica herencia maya que comparten *(share)* cinco países del hemisferio norte: México, Belice, Guatemala, Honduras y El Salvador.

Apoyo *(Support)* político y económico

En fin, la Ruta Maya va a desarrollar el ecoturismo de una manera positiva y, al mismo tiempo, el plan va a producir los fondos necesarios para pagar la conservación de una región maravillosa única en el mundo. Recientemente, los presidentes de los cinco países de esa región votaron para darle su apoyo político y económico al proyecto de la Ruta Maya.

Transporte moderno a sitios antiguos

Un elemento clave *(essential)* del proyecto sería una ruta de 2.300 kilómetros en forma de 8 que va a conectar

El Observatorio del Caracol y El Castillo, Chichén Itzá, México

El Palacio, Palenque, México

¿Comprendió Ud.?

Lea las siguientes oraciones. Luego indique si son ciertas o falsas según la lectura. Corrija las oraciones falsas.

1. La Ruta Maya es un proyecto nacional de Guatemala.

2. El ecoturismo es un elemento clave de este proyecto.

3. Los mayas van a beneficiarse del plan de una manera económica.

4. Se van a construir muchos caminos y hoteles en aquella región.

5. Los presidentes de los cincos países de la Ruta Maya están de acuerdo con el proyecto.

¿Qué dice Ud.?

Piense en sus respuestas a las siguientes preguntas. Luego exprese sus ideas y opiniones o por escrito o con un(a) compañero(a) de clase, según las indicaciones de su profesor(a).

1. ¿Cree Ud. que la Ruta Maya es una buena o una mala idea? ¿Por qué?

2. Tiene Ud. interés en visitar la región de la Ruta Maya un día? ¿Por qué?

3. ¿Qué otras regiones debemos conservar en nuestro mundo? ¿Cómo podemos conservarlas?

4. ¿Qué región se debe conservar en su provincia o territorio? ¿Por qué?

Antes de leer. ¿Anuncio para la "Ruta Maya"?

¿Comprendió Ud.? Ahora lea el anuncio rápidamente y conteste las siguientes preguntas.

1. La organización Ecoturismo en la Ruta Maya quiere que las personas visiten la Ruta Maya en:

   a. Costa Rica y Belice.
   b. Guatemala y Honduras.
   c. México y Panamá.
   d. Guatemala y El Salvador.

2. La organización Ecoturismo en la Ruta Maya está en:

   a. Guatemala, Guatemala.
   b. Mérida, Yucatán, México.
   c. Belmopan, Belice.
   d. Tegucigalpa, Honduras.

ECOTURISMO EN LA RUTA MAYA

ESPECIALISTAS EN ECOTURISMO Y AVENTURAS ECOLÓGICAS

Especialistas en ecoturismo, aventuras, turismo ecológico y socialmente responsable. Trabajamos en todo el mundo maya: México, Guatemala, Belice y Honduras.

Estamos localizados en: Avenida La Reforma 6-40, Zona 9,

Edificio Galerías Mayas, oficina 103 Guatemala, Guatemala
Tel: (502) 362 3105   Fax: (502) 338 0451
E-mail: ecoturismo@guatemala.net

¡A leer!

Skimming for Information

When you pick up a newspaper or a magazine or see a Web site, you probably glance through it to see what interests you by looking at the illustrations, the titles, and the words in boldface type. What you are doing is skimming for information—getting a general idea of content.

Skim the following passage to get a general understanding of what it is about. Then answer the questions.

1. This passage is...
   a. an invitation.
   b. an announcement.
   c. a brief report.
   d. an advertisement.

2. The main purpose(s) of this passage is (are)...
   a. to inform.
   b. to persuade.
   c. to criticize.
   d. to entertain.

3. The main message(s) of this passage is (are)...
   a. "We are responsible for the visits to natural places."
   b. "We are not responsible for the places you want to visit."
   c. "We are socially responsible to the places we visit."
   d. "We are not responsible for lost objects."

Scanning for Information

Scanning is a reading strategy used for locating specific information in printed material. For example, when looking for a number in a telephone book, you carefully scan for the particular name of a person and his/her address.

Centroamericanos en Canadá

CD2 - 32, 33

La región geográfica de Centroamérica, también llamada "la cintura (*waist*) del continente americano", está compuesta de 7 países: Guatemala, Belice, Honduras, Nicaragua, El Salvador, Costa Rica y Panamá. Hoy en día hay más de 50.000 centroamericanos, la mitad de ellos salvadoreños, que han adoptado a Canadá como su segunda patria.

En la década de 1980, guerras civiles, opresión militar y otros factores económicos y políticos obligaron a muchos centroamericanos a abandonar sus países y a refugiarse en naciones humanitarias como el Canadá. Hay centroamericanos en todas las provincias y territorios, aunque la mayoría radica en Ontario, Quebec y la Columbia Británica. Por ejemplo, en Quebec, después de los chilenos, los salvadoreños constituyen el grupo más grande de latinoamericanos mientras que en Ontario y la Columbia Británica, respectivamente, ocupan el tercer lugar.

La presencia de casi todos los centroamericanos se hace sentir en una sofisticada red de medios sociales y de comunicación: tiendas, librerías, discotecas, clubes y alianzas profesionales en casi todas las grandes ciudades canadienses dan testimonio de una comunidad activa y con mucho deseo de superarse (*to improve their lives*).

Tienda de productos hispanos en Toronto

¡A escribir!

Writing a Narrative

A narrative tells a story of events in chronological order. The writer must help the reader follow these events easily by showing the time relationship between sentences.

To show the sequence of time, use the following expressions, as shown in the model narrative about last weekend. Barbara writes in her diary as much as she can and this entry is about last weekend.

el sábado pasado	last Saturday
tarde	late
hasta las dos de la mañana	until two o'clock in the morning
primero	first
luego	then
por una hora	for an hour
entonces	then
en quince minutos	in fifteen minutes
toda la tarde	all afternoon
por cinco horas	for five hours
después de + infinitive	after (doing something)
por media hora	for half an hour
un poco	a while
el sábado por la noche	on Saturday night
después	afterward
a las doce	at twelve o'clock
el domingo por la mañana	on Sunday morning
por la tarde	in the afternoon
otra vez	again
por la noche	at night
temprano	early

El fin de semana pasado

El sábado pasado me levanté **tarde** porque fui a una fiesta el viernes **hasta las dos de la mañana.** **Primero,** desayuné con mi hermana, que se levantó **tarde** también. **Luego** miré la televisión **por una hora, entonces** me duché.

Salí de casa a las doce y cuarto y fui a mi trabajo en la tienda Gap. Llegué allí **en quince minutos** y trabajé **toda la tarde por cinco horas. Después de** volver a casa, visité a una amiga. Ella se llama Grace Sosa y estudia en la misma universidad que yo porque quiere ser abogada. Ella y yo hablamos **por media hora. Luego** volví a casa, donde descansé **un poco. El sábado por la noche** fui al cine con mi novio. **Después,** comimos en un restaurante. Me acosté **a las doce.**

El domingo por la mañana estudié español. **Por la tarde** trabajé **otra vez** en la tienda Gap. Es un trabajo interesante y gano suficiente dinero para vivir. **Por la noche** mi novio y yo vimos una película de video en su apartamento. Por fin, volví a casa y me acosté **temprano.**

Actividad

Write a narrative about **one** of the following topics. Use the list of time expressions and others you know to link together your sentences, as shown in the model composition. Do not use a dictionary; instead, try to use only the Spanish words and phrases you know.

Temas

1. Mi rutina diaria
2. Mi futura carrera
3. El fin de semana pasado
4. Un incidente interesante
5. Un trabajo importante
6. Mi familia y mis responsabilidades

¡Buena onda!

CHILE

Santiago

CORDILLERA DE LOS ANDES

VENEZUELA

COLOMBIA

SURINAM

GUYANA

GUAYANA FRANCESA

Océano Atlántico

ECUADOR

Océano Pacífico

PERÚ

BRASIL

BOLIVIA

CHILE

PARAGUAY

ARGENTINA

URUGUAY

Bandera de Chile

Un viñedo en
San Fernando, Chile

Universidad de Santiago

Santiago de Chile

Viña del Mar, Chile

Pierre Lemieux viaja a Chile para conocer a sus tíos, Pablo Urrutia y Laura Gossens de Urrutia. Ellos son dueños de un viñedo en el Valle Central de Chile. Pierre trabaja con su tío en el viñedo. Después, llega Marina de México. Pierre y Marina viajan con el tío Pablo y la tía Laura para conocer la isla de Chiloé en el sur de Chile.

LECCIÓN 7
¡Qué placer conocer a mi sobrino!

❋ ENFOQUE ❋

■ METAS COMUNICATIVAS

Aquí va a poder hablar y escribir sobre cómo usted y otras personas pasan su tiempo libre

■ IDIOMA

Expresar lo que le gusta y lo que no le gusta
Describir actividades recreativas
Expresar preferencias
Hablar sobre actividades en el pasado

■ VOCABULARIO ESENCIAL

Pasatiempos
Deportes

■ GRAMÁTICA ESENCIAL

El pretérito de verbos irregulares
Verbos que cambian de sentido en el pretérito: **poder**, **saber**, **querer**
El pretérito de verbos con cambios de raíz
Pronombres de objeto indirecto con **gustar**
Por y **Para**

■ CULTURA

Pasatiempos en países de habla hispana
Deportes en el mundo de habla hispana
Reclutamiento internacional de atletas

■ RETO CULTURAL

Diferencias y similitudes entre canadienses e hispanos en relación a las actividades y pasatiempos de los fines de semana

Pierre Lemieux llega a Chile para conocer a sus tíos, Pablo Urrutia y Laura Gossens de Urrutia.

TÍO PABLO:	¿Quiubo°, Pierre? ¡Mucho gusto! ¡Qué placer conocer a mi sobrino después de tantos años!
PIERRE:	¡Igualmente! ¡Mucho gusto, tío Pablo! ¡Mucho gusto, tía Laura! *(Pierre da un abrazo a su tío y a su tía.)*
TÍA LAURA:	Pero hablas español muy bien.
PIERRE:	Gracias. Aprendí° hablando con mi madre y el francés hablando con mi padre. Después estudié español por un semestre en Monterrey.
TÍO PABLO:	Es una riqueza para ti, Pierre. Sin embargo°... ¡Qué pena°! ¡Cómo la política dividió a nuestra familia! Desde 1973 hasta 1990 Chile tuvo un gobierno militar. Yo, con mi viñedo, decidí quedarme°. Nos ganamos la vida de la preparación del vino. No pudimos° salir del país. Pero tu madre fue° a vivir a Montreal.
PIERRE:	Sí, mi madre hizo° el viaje a Canadá con los primeros inmigrantes chilenos en 1973. Los chilenos fueron° la primera comunidad grande de habla hispana en Canadá. Después llegaron los argentinos, los salvadoreños, los guatemaltecos, los mexicanos y gente de todos los otros países de Hispanoamérica.
TÍA LAURA:	Seguro que fue muy interesante para ti crecer en un país con tantas culturas distintas. En los primeros años del siglo XX, Chile también recibió° a muchos inmigrantes. Mi abuelo, por ejemplo, trajo a su familia, la familia Gossens, de Alemania. Hasta hoy en día hay muchos chilenos que tienen apellidos° alemanes, franceses y yugoslavos.
TÍO PABLO:	Pierre, estás en tu casa aquí en Chile. ¿Qué quieres hacer?
PIERRE:	Primero, quiero contestarle a mi amiga Marina en México porque ayer ella me mandó un mensaje electrónico. Y, por supuesto, me gustaría también dar un paseo° por el viñedo°. Tío, me dijo mi madre que ustedes fueron una vez al sur de Chile.
TÍO PABLO:	¿Te gustaría ir? Podemos planearlo.

¿Quiubo? [¿Qué hubo?]... *What's happening?*
Aprendí... *I learned*
Sin embargo... *Nevertheless*
¡Qué pena!... *What a shame!*
quedarme... *to stay*
No pudimos... *We could not*
fue... *went/was*
hizo... *made*
fueron... *were*
recibió... *received*
apellido... *surname*
dar un paseo... *to take a walk*
viñedo... *vineyard*

Nota de texto

Chilean wine is recognized as one of the best all over the world due to Chile's splendid weather and rich soil, especially in the country's central valley. The mild summers with their cool nights and the moderate rains during the rainy season make this region one of the best for producing Cabernet Sauvignon, Merlot, Sauvignon Blanc, and Chardonnay.

7-1 ¿**Comprendió Ud.?** Con un(a) compañero(a) de clase, conteste las siguientes preguntas.

1. ¿Quién es Pablo Urrutia?
2. ¿Dónde aprendió Pierre español?
3. ¿Cómo fue dividida la familia Urrutia?
4. Después de los chilenos, ¿qué otros grupos de hispanos llegaron a Canadá?
5. ¿Qué quiere hacer Pierre en Chile?
6. ¿Te gustaría trabajar como interno en un viñedo en Chile? ¿Qué trabajo te gustaría hacer?
7. ¿Qué tienes ganas de hacer este fin de semana?

VOCABULARIO esencial

Para describir los pasatiempos

In this section, you will learn to describe the pastimes that you and others enjoy.

Los pasatiempos

—¿**Qué tienes ganas de hacer hoy?**
—**Tengo ganas de...**

| sacar fotos | ir de compras | jugar a las cartas | tocar la guitarra y cantar |

pasear en el parque

pasear por los viñedos

ver un partido de fútbol

Más pasatiempos...

acampar en el lago / en las montañas	*to camp at the lake / in the mountains*
ir a un concierto	*to go to a concert*
ir a la playa	*to go to the beach*
ir al teatro	*to go to the theatre*
navegar	*to sail*
navegar por la Red	*to surf the Web*
practicar deportes (jugar al fútbol/ al béisbol/al tenis/etc.)	*to practise sports (to play soccer/baseball/tennis/etc.)*
pescar en el río	*to fish in the river*
tomar el sol	*to sunbathe*
visitar museos	*to visit museums*

¡CUIDADO! The verb **jugar** means *to play* a sport or a game. The verb **tocar** means *to play* a musical instrument, a stereo, a radio, or a tape recorder.

¡Practiquemos!

7-2 Actividades. ¿Qué hacen Uds. en estos lugares? Asocie las actividades con los siguientes lugares.

MODELO: ___*h*___ en el cine

1. ____ en el concierto
2. ____ en el parque
3. ____ en el museo
4. ____ en la playa
5. ____ en la casa
6. ____ en el lago
7. ____ en el río

a. practicar deportes
b. discutir sobre el arte
c. navegar por la Red
d. escuchar música
e. acampar con los amigos
f. tomar el sol
g. pescar
h. ver una película

7-3 Los pasatiempos. Hágale preguntas a un(a) compañero(a) de clase, que debe responder sí o no. También debe dar más información (dónde, cuándo, con quién).

MODELO: salir con tus amigos los viernes

—*¿Te gusta salir con tus amigos los viernes?*

—*Sí, me gusta salir con ellos y siempre vamos al cine.*

o —*No, salgo con mi familia los viernes.*

1. pasear en el parque
2. ir de compras
3. ver telenovelas *(soap operas)* en la televisión
4. ir a la playa
5. ir al teatro o ir a un concierto
6. sacar fotos
7. ver partidos de fútbol en la tele
8. practicar deportes
9. jugar a las cartas con tus amigos o familiares
10. visitar museos
11. escuchar la radio
12. acampar en la montaña o en el lago

7-4 ¿Te gusta la música? Hágale estas preguntas a un(a) compañero(a) de clase.

1. ¿Te gusta escuchar música? ¿Qué tipo de música te gusta más: música clásica o el jazz? ¿Tienes muchos o pocos discos compactos? ¿Vas a los conciertos con mucha o poca frecuencia? ¿A qué tipo de conciertos vas?
2. ¿Con qué tipo de música te gusta bailar: música rock, salsa, música rap, etcétera? ¿Te gusta ver películas de rock en video? (¿Sí? ¿Cuál es tu película de rock favorita?)
3. ¿Tocas la guitarra, el piano, el violín u otro instrumento musical? Si no, ¿qué instrumento quieres aprender a tocar?
4. ¿Te gusta cantar? ¿Cantas bien o mal? ¿Cómo se llama tu cantante *(singer)* preferido(a)? ¿Por qué te gusta?

Los deportes

¿Qué te gustaría hacer?

Me gustaría... *(I would like . . .)*

hacer ejercicio

jugar al fútbol

nadar en una piscina

correr en un parque

montar en bicicleta

esquiar

patinar

montar a caballo

bucear

Otros deportes

Other sports

jugar al básquetbol
    al béisbol
    al vólibol

to play basketball
baseball
volleyball

CULTURA

■ Los pasatiempos en los países hispanos

Los pasatiempos más populares entre los hispanos son principalmente sociales. A mucha gente le gusta hablar en la plaza central, tomar un café o un té en algún café e ir al cine. Los fines de semana muchos hispanos visitan a los amigos y a la familia y comen juntos en casa o en un restaurante, pasean por el parque, visitan un museo, van a la playa, van a juegos de béisbol o de fútbol o van a un concierto. Durante los fines de semana es muy importante visitar y salir con la familia. Muchas veces se visitan a los abuelos donde se prepara el almuerzo o la parrillada (barbacoa) para toda la familia.

Preguntas.

1. ¿Cómo pasas tu tiempo libre?
2. ¿Qué pasatiempos son populares entre tus amigos y familiares?
3. ¿Qué actividades haces con tu familia durante los fines de semana?
4. ¿Qué actividades hacen las familias hispanas?

¡Practiquemos!

7-5 Deportistas famosos. Haga asociaciones entre los siguientes deportistas y sus grandes talentos.

MODELO: Miguel Batista
Miguel Batista juega al béisbol en Toronto.

1. Elvis Stoijko (Canadá)
2. Mike Weir (Canadá)
3. Eric Gagné (Canadá)
4. Jonathan Bailey (Canadá)
5. Conchita Martínez (España)
6. Diego Maradona (Argentina)
7. Jarome Iginla (Canadá)
8. La princesa Carolina (Mónaco)

ya no jugar al fútbol
jugar al tenis con las mejores
  tenistas del mundo
jugar al golf en muchas partes del
  mundo
ser famoso por el patinaje de figuras
  en hielo *(ice)*
jugar hockey sobre hielo en Calgary
jugar al béisbol en Los Ángeles
montar a caballo elegantemente
correr rápidamente en maratones

7-6 Mis preferencias. Dígale a un(a) compañero(a) de clase el deporte que le gusta a Ud. o que le gustaría practicar. Los tres puntos (...) indican otra posibilidad.

Me gusta... / Me gustaría...
correr (por la mañana / los domingos / ...)
nadar en (una piscina / el mar / ...)
montar a caballo (con mis amigos / con ...)
esquiar (cerca de mi casa / en Whistler / ...)
bucear en (el Caribe / México / ...)
jugar al (béisbol / básquetbol / vólibol / ...)
hacer ejercicio (en un gimnasio / en casa / ...)
andar en bicicleta en (el campo / la ciudad / ...)
caminar por (la playa / el parque / ...)

7-7 Deportes preferidos. Pregúntele a un(a) compañero(a) de clase.

1. ¿Cuál es tu deporte favorito? ¿Qué otro deporte te gusta mucho?
2. ¿Qué deporte prefieres más: jugar al tenis o jugar al béisbol?
3. ¿Sabes montar a caballo? (¿Sí? ¿Montas bien o mal? ¿Adónde vas?)
4. ¿Sabes patinar? ¿Sabes patinar en hielo? (¿Sí? ¿Con quién patinas? ¿Dónde patinan Uds.? ¿Cuándo patinas?)
5. ¿Con qué frecuencia haces ejercicio? ¿Qué tipo de ejercicio haces?

7-8 ¡A escribir! Primero, complete la tabla con la información adecuada. Luego, escriba tres párrafos, usando la información de la tabla, como en el modelo.

	Mes	Estación	Tiempo	Actividades
	diciembre	invierno	hace frío nieva mucho	esquiar patinar en el hielo

MODELO: *En diciembre es invierno en Nueva Brunswick. A veces, hace mal tiempo; hace frío y nieva mucho. En invierno me gusta esquiar y patinar en el hielo.*

CULTURA

■ Los deportes en el mundo hispano

En el mundo hispano, los deportes más populares son el fútbol, el béisbol, el vólibol, el básquetbol y la natación. Todos los países hispanos tienen un equipo *(team)* nacional de fútbol. Estos jugadores semi-profesionales atraen mucha atención y bastante entusiasmo del público porque representan su país. El béisbol es muy popular en los países caribeños como, por ejemplo, en Cuba, Puerto Rico, Nicaragua, la República Dominicana y en Venezuela. El boxeo y las carreras *(races)* de bicicleta y de caballo son otros deportes populares en Latinoamérica y en España. A algunos hispanos les gusta jugar al tenis o al golf. Hoy en día, hay equipos masculinos y equipos femeninos en todos los deportes.

¿Qué dice Ud.? Discuta con un(a) compañero(a) de clase las siguientes preguntas.

1. ¿Qué deportes son populares en su país? ¿y en su ciudad?
2. ¿Qué deportes son populares en su universidad?
3. ¿Qué deportes practican en su familia?
4. ¿Qué deportes practican Uds.? ¿Por qué?

GRAMÁTICA esencial

In this section, you will describe some of your past activities and those of others.

Preterite Tense of Irregular Verbs

As you know, Spanish speakers use the preterite tense to describe actions, conditions, and events that took place and were completed in the past.

How to form irregular preterites

Some Spanish verbs have irregular verb stems in the preterite. Their endings have no accent marks.

Some verbs that reflect physical actions

hacer *(to do, to make):*	hice	hiciste	hizo	hicimos	hicisteis	hicieron
poner *(to put):*	puse	pusiste	puso	pusimos	pusisteis	pusieron
venir *(to come):*	vine	viniste	vino	vinimos	vinisteis	vinieron
dar *(to give):*	di	diste	dio	dimos	disteis	dieron
ver *(to see):*	vi	viste	vio	vimos	visteis	vieron
decir *(to say, to tell):*	dije	dijiste	dijo	dijimos	dijisteis	dijeron
traer *(to bring):*	traje	trajiste	trajo	trajimos	trajisteis	trajeron
ir *(to go):*	fui	fuiste	fue	fuimos	fuisteis	fueron

—¿Qué **hizo** Pierre anoche?   *What **did** Pierre **do** last night?*
—**Hizo** sus compras. ¿Y tú, Marina?   *He **did** his shopping. And you, Marina?*
—**Vi** el juego de fútbol aquí en casa.   *I **watched** the soccer game here at home.*

Note the spelling change from **c** to **z** (**hice**, **hiciste**, **hizo**) in the **Ud.**, **él**, **ella** form. This change occurs to retain the soft sound of the **c** in **hacer**.

Some verbs that do not reflect physical actions

estar *(to be):*	estuve	estuviste	estuvo	estuvimos	estuvisteis	estuvieron
tener *(to have):*	tuve	tuviste	tuvo	tuvimos	tuvisteis	tuvieron
poder *(to be able to):*	pude	pudiste	pudo	pudimos	pudisteis	pudieron
saber *(to know):*	supe	supiste	supo	supimos	supisteis	supieron
querer *(to want):*	quise	quisiste	quiso	quisimos	quisisteis	quisieron
ser *(to be):*	fui	fuiste	fue	fuimos	fuisteis	fueron

—¿Dónde **estuviste** ayer, David?   *Where **were you** yesterday, David?*
—**Fui** al parque. Mi equipo y yo   *I **went** to the park. My team and*
   tuvimos que practicar el fútbol.   *I **had to** practise soccer.*

1. **Ser** and **ir** have identical forms in the preterite; therefore, the context will clarify the meaning.

- **ser** *(to be)*

—¿Quién **fue** tu instructor de buceo el verano pasado?

*Who **was** your scuba-diving instructor last summer?*

—**Fue** Miguel Carroll. **Fue** un excelente instructor.

*It **was** Miguel Carroll. **He was** an excellent instructor.*

- **ir** *(to go)*

—¿Adónde **fuiste** a bucear con tu instructor?

*Where **did you go** scuba diving with your instructor?*

—**Fuimos** a Viña del Mar en Chile.

*We **went** to Viña del Mar, Chile.*

2. The preterite of the verbs **poder**, **saber**, and **querer** have special meanings:

pude	*I could (and did)*	**no pude**	*I (tried and) could not*
supe	*I found out*	**no supe**	*I never knew*
quise	*I wanted (and tried)*	**no quise**	*I refused*

—**Supe** que José Rafael tuvo un accidente en su bicicleta.

*I **found out** that José Rafael had an accident on his bicycle.*

—Sí. **Quiso** andar en su bici rápidamente, pero **no pudo**.

*Yes. **He tried** to ride his bike fast, but **he couldn't**.*

3. The preterite of **hay** is **hubo** (there was / there were). **Hubo** refers to a completed event.

—¿**Hubo** un partido de fútbol hoy?

*Was **there** a soccer game today?*

—Sí. **Hubo** tres partidos.

*Yes. **There were** three games.*

Reviewing uses of the preterite

1. The preterite is used to indicate that an action began or ended in the past.

Tomás **vio** el partido de fútbol.

*Tomás **saw** the soccer game.*

2. The preterite is used to indicate a series of actions completed in the past.

Hice mi tarea, **vi** la televisión y **fui** a casa de mi amiga.

*I **did** my homework, **watched** TV, and **went** to my friend's house.*

3. The preterite indicates a completed event.

Estuve en Santiago hace dos años.

*I **was** in Santiago two years ago.*

¡Practiquemos!

7-9 Un amigo preocupado. Pierre estuvo preocupado porque Marina no llegó a Santiago a tiempo. Complete la historia con las formas apropiadas del verbo.

MODELO: El sábado pasado Pierre *supo* (saber) que...

El sábado pasado, Pierre _____ (ir) al aeropuerto para esperar a su amiga Marina. Cuando los pasajeros del vuelo *(flight)* _____ (llegar), Pierre no _____ (ver) a Marina. Entonces, Pierre _____ (llamar) por teléfono a su amiga y _____ (saber) que Marina no _____ (poder) llegar al aeropuerto a la hora de su vuelo; por eso Marina _____ (tener) que cambiar su vuelo. Luego, ocho horas más tarde, Marina _____ (llegar) a Santiago de Chile. Cuando Pierre _____ (ver) a Marina, le _____ (decir), "Marina, ésta _____ (ser) una gran experiencia para ti, ¿verdad?"

Esa noche Marina _____ (querer) descansar un poco, pero no _____ (poder). Primero, _____ (hacer) ejercicios por veinte minutos, _____ (ir) al baño y _____ (bañarse) por media hora. Luego _____ (ponerse) el pijama y _____ (acostarse). Pero Marina no _____ (poder) dormir bien y _____ (tener) que levantarse dos veces. _____ (Ser) una noche terrible, pero afortunadamente *(fortunately)* ella no _____ (tener) que levantarse temprano al día siguiente. Hoy Pierre va a buscar a Marina para ir de compras y para pasear.

7-10 Una fiesta muy buena. Hágale estas preguntas a un(a) compañero(a) de clase.

1. ¿Cuándo fuiste a una fiesta muy buena?
2. ¿Qué tipo de fiesta fue (por ejemplo, una fiesta de cumpleaños)?
3. ¿Quién hizo la fiesta y dónde fue?
4. ¿A qué hora comenzó la fiesta?
5. ¿Quiénes fueron a la fiesta?
6. ¿A quién(es) conociste allí?

7-11 ¿Qué hicieron ayer? En grupos de tres o cuatro estudiantes, cada estudiante va a decir lo que hizo ayer. Cada uno de Uds. *(Each one of you)* tiene que hacer preguntas con respecto a las frases para tener más información.

MODELO: ir al cine
      —*Ayer fui al cine.*
      —*¿Qué película viste?*
      —*Vi "María llena eres de gracia".*
      —*¿Con quién fuiste?*

1. ir a un concierto / escuchar música clásica/rock / ir con mis amigos Rob y John / estar excelente
2. practicar deportes / hacer ejercicio / hacer ejercicio por dos horas / tener tiempo para descansar / hacer mi tarea

3. esquiar / esquiar por cinco horas / ir con mis amigas Rosy y Linda / ir a comer al restaurante del hotel / poder comer muy bien

7-12 **Un buen fin de semana.** Escriba un mensaje electrónico sobre una experiencia maravillosa *(marvellous)* que Ud. tuvo un fin de semana durante el verano pasado. Use el siguiente mensaje electrónico como modelo.

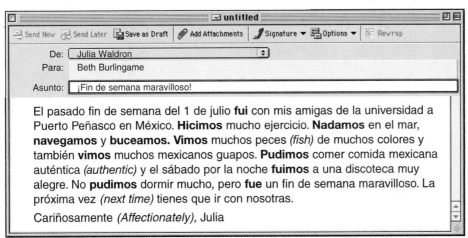

Si contesta estas preguntas, va a poder escribir un mensaje electrónico.
1. ¿Adónde y cuándo fue Ud.?   **4.** ¿Qué otras cosas hicieron?
2. ¿Quiénes fueron con Ud.?   **5.** ¿Qué no pudieron hacer?
3. ¿Qué vieron Uds. allí?   **6.** ¿Le gustaría regresar a ese lugar?

Preterite with Stem-Changing Verbs

Spanish **-ir** verbs that have a stem change in the present tense also have a stem change in the **Ud.**, **él**, **ella**, and **Uds.**, **ellos**, **ellas** forms of the preterite tense: **e** changes to **i**, and **o** changes to **u**.

vestirse (e → i)		dormir (o → ue)	
me vestí	nos vestimos	dormí	dormimos
te vestiste	os vestisteis	dormiste	dormisteis
se vistió	se vistieron	durmió	durmieron

—Marina **durmió** muy mal anoche.
—¿Qué hizo cuando se levantó?
—Se bañó y luego **se vistió** para salir a caminar.

*Marina **slept** very badly last night.*
What did she do when she got up?
*She took a shower and then **she got dressed** to go out walking.*

Other verbs with stem-change in the past

pedir (e → i) *(to ask for, to order)*   Él **pidió** tacos.   *He **asked** for tacos.*
preferir (e → i) *(to prefer)*   Ud. **prefirió** agua.   *You **preferred** water.*
repetir (e → i) *(to repeat)*   Ellas **repitieron** la tarea. *They **repeated** the homework.*
sentir(se) (e → i) *(to feel)*   Ud. **se sintió** mal.   *You **felt** bad.*
servir (e → i) *(to serve)*   Ellos **sirvieron** la comida. *They **served** the meal.*

¡Practiquemos!

7-13 Por teléfono. Marina está hablando por teléfono con su amiga Sara, que está en Costa Rica ahora. Complete su conversación, usando la forma apropiada de los verbos entre paréntesis.

MARINA: Hola, Sara. ¿Cómo estás? ¿Qué tal _____ (estar) el paseo por Panamá?

SARA: Estoy bien y Panamá _____ (estar) muy bien. Nosotros _____ (divertirse) mucho.

MARINA: ¿Adónde _____ (ir) Uds.?

SARA: _____ (Hacer) una excursión por el Río Chagres. Y luego _____ (visitar) el Canal de Panamá.

MARINA: ¡Qué interesante! Y ¿qué _____ (pasar) con Francisco?

SARA: Te mando un mensaje electrónico para contarte todo porque esta llamada de teléfono es muy cara.

CD2 - 44, 45 **7-14 Salir por la noche.** Luego, Sara le escribió un mensaje electrónico a Marina. Diga lo que pasó allí, usando la forma apropiada de los verbos entre paréntesis.

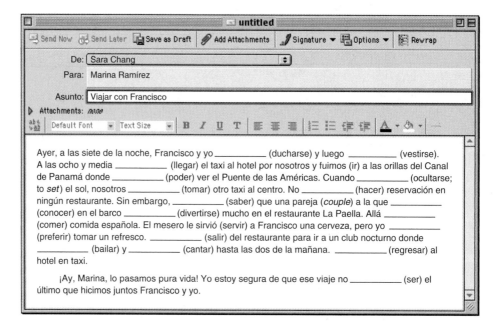

Ayer, a las siete de la noche, Francisco y yo _____ (ducharse) y luego _____ (vestirse). A las ocho y media _____ (llegar) el taxi al hotel por nosotros y fuimos (ir) a las orillas del Canal de Panamá donde _____ (poder) ver el Puente de las Américas. Cuando _____ (ocultarse; to *set*) el sol, nosotros _____ (tomar) otro taxi al centro. No _____ (hacer) reservación en ningún restaurante. Sin embargo, _____ (saber) que una pareja (*couple*) a la que _____ (conocer) en el barco _____ (divertirse) mucho en el restaurante La Paella. Allá _____ (comer) comida española. El mesero le sirvió (servir) a Francisco una cerveza, pero yo _____ (preferir) tomar un refresco. _____ (salir) del restaurante para ir a un club nocturno donde _____ (bailar) y _____ (cantar) hasta las dos de la mañana. _____ (regresar) al hotel en taxi.

¡Ay, Marina, lo pasamos pura vida! Yo estoy segura de que ese viaje no _____ (ser) el último que hicimos juntos Francisco y yo.

 7-15 ¿Qué hicieron estas personas? Pregúntele a un(a) compañero(a) de clase qué hicieron las siguientes personas. Tomen turnos (*Take turns*).

MODELOS: —*¿Quién se sintió mal ayer por la noche?*
—*Yo me sentí mal ayer por la noche.*
—*¿Cuándo patinaron Laura y Mateo en el lago?*
—*Ellos patinaron el sábado por la mañana.*

	yo	Laura y Mateo	Susan	el instructor de buceo
el sábado por la mañana	nadar en la piscina	patinar en el lago	montar a caballo por cuatro horas	tener ocho horas de clase de buceo
el martes por la tarde	repetir la lección de francés	vestirse elegantemente para salir	preferir estar en casa y descansar	sentirse mareado (dizzy)
ayer por la noche	sentirse mal	servir una cena en su casa	pedir pizza por teléfono	ver la película Tiburón (Jaws)

7-16 ¿Qué pasó? Escriba una composición de tres párrafos sobre un partido de hockey, béisbol, fútbol, básquetbol, etcétera, en el que Ud. se divirtió mucho. Use las siguientes preguntas como guía.

Párrafo 1: ¿Dónde fue el partido? ¿Con quién fue Ud.? ¿Se vistió Ud. (Se vistieron Uds.) de forma diferente?

Párrafo 2: ¿A qué hora llegó Ud. (llegaron Uds.) al partido? ¿Qué comieron y bebieron? ¿Quién pidió la comida y las bebidas? ¿Qué quiso hacer Ud.? ¿Qué no quisieron hacer sus amigos?

Párrafo 3: ¿A qué hora salió Ud. del partido? ¿Adónde fue? ¿A qué hora se acostó Ud.? ¿Se durmió inmediatamente o no? ¿Por qué?

CULTURA

■ La búsqueda internacional de atletas

El béisbol es uno de los deportes favoritos de México, Centroamérica, Venezuela y el Caribe. Tradicionalmente, muchos entrenadores (coaches) norteamericanos buscan y emplean a los buenos jugadores de béisbol de estos países y regiones para sus equipos en Canadá y los Estados Unidos. De igual manera, algunos entrenadores latinoamericanos emplean a los buenos jugadores estadounidenses de básquetbol para sus equipos profesionales.

Los Beisbolistas de la República Dominicana

Cruzando las lluvias tropicales que con frecuencia caen sobre la República Dominicana, una bola de béisbol surca el cielo para consagrar nuevos ídolos de este deporte en Canadá.

Desde principios de siglo, la República Dominicana ha sido una verdadera fábrica de beisbolistas talentosos, tanto que hoy 17 de los 26 equipos de las Ligas Mayores tienen academias de béisbol en este país. Desde ahí se desarrolla el talento de algunos de los mejores jugadores.

7-17 Entrevista (Interview). Imagine que Ud. va a entrevistar a un(a) conocido(a) atleta hispano o canadiense. Escriba tres o cuatro preguntas para saber lo que hizo esta persona en el pasado. Un(a) compañero(a) de clase va a actuar y contestar como el (la) atleta.

MODELOS: *¿De dónde es Ud.? ¿Dónde jugó Ud.? ¿A qué edad comenzó a jugar/ nadar/practicar este deporte? ¿Cuándo comenzó Ud. a tener mucho éxito? ¿Con qué otras personas famosas trabajó Ud.?*

GRAMÁTICA esencial

In this section, you will learn how to express your likes, dislikes, and preferences and to ask others about theirs.

Indirect Object Pronouns with **gustar**

The Verb **gustar** + Infinitive

To express likes and dislikes, Spanish speakers often use the verb **gustar** *(to be pleasing).*

To express *to whom* an action is pleasing, use one of the following indirect object pronouns with the verb form **gusta** + infinitive.

Indirect Object Pronouns				
Singular		**Plural**		**gusta** + infinitive
me	*to me*	**nos**		*to us*
te	*to you* (informal)	**os**		*to you* (informal)
le	*to you* (formal), *to him/to her*	**les**		*to you, to them*

—¿Qué **te gusta hacer**?	What **do you like to do**?
—**Me gusta ir** al cine.	**I like to go** to the movies.
	(Going to the movies **pleases me**.)
—¿**Te gustaría bucear**?	**Would you like to scuba dive**?
—Sí, **me gustaría bucear**.	Yes, **I would like to scuba dive**.

As you see in the chart, the indirect object pronouns **le** and **les** have more than one meaning. To clarify *to whom* something is pleasing, specify the person or persons with **a** *(to),* such as **a Lisa** and **a tus amigos**, and remember to include the **le** or **les**.

—¿**A Lisa le** gusta nadar?	*Does Lisa like to swim?*
—Sí. También **le** gusta patinar.	*Yes. She also likes to skate.*
—**A tus amigos les** gusta patinar?	*Do your friends like to skate?*
—No. **Les** gusta jugar al tenis.	*No. They like to play tennis.*

¡Practiquemos!

7-18 Los gustos. Exprese los gustos de los amigos de Canadá y de Centroamérica, usando **le** o **les**.

1. A David _____ gusta jugar al fútbol.
2. A Lisa y a Marina _____ gusta estudiar negocios.
3. A los padres de Tomás _____ gusta hacer fiestas.
4. A la mamá de Luis _____ gusta trabajar en el restaurante Café Tico.
5. A Sara _____ gusta pasear por la Ciudad de Panamá.
6. A ellos _____ gusta sacar fotos con su cámara.
7. A Tomás _____ gusta la comida guatemalteca.
8. A Pierre _____ gusta visitar Santiago de Chile.

7-19 Los fines de semana. Pierre y su primo Jorge están haciendo planes para conocer Santiago de Chile. Complete la conversación, usando **me**, **te**, **le**, y **nos** para saber qué lugares les gustaría visitar a ellos.

JORGE: ¿Qué _____ gustaría hacer este fin de semana en Santiago, Pierre?

PIERRE: _____ gustaría caminar por el Parque Metropolitano.

JORGE: Ah, ¿sí? A mi amigo Pedro _____ gusta caminar por allí también.

PIERRE: Y a ti, ¿qué _____ gustaría hacer este fin de semana, Jorge?

JORGE: _____ gustaría ir de compras, comer en un restaurante y pasear por los viñedos.

7-20 Preferencias. Exprese sus preferencias con un(a) compañero(a) de clase.

MODELOS: *Me gusta ir al cine frecuentemente.*
          No me gusta escuchar música rock en la radio.

Me gusta... / No me gusta...

ir al cine frecuentemente	ver películas de misterio en la tele
jugar a las cartas con mi familia	tomar exámenes de español los viernes
escuchar música rock en la radio	divertirme con mis amigos los domingos
ir de compras los fines de semana	hablar español frecuentemente en clase

Ahora, dígale a otro(a) estudiante las preferencias de su compañero(a) de clase.

7-21 Situaciones. En grupos de dos o tres personas, traten de resolver las siguientes situaciones.

MODELO: A Ud. le gustaría jugar al béisbol pero a sus amigos les gustaría jugar al tenis y no quieren practicar con Ud. Déles *(Give them)* las razones de por qué es mejor *(it's better)* jugar al béisbol hoy. Los (Las) otros(as) amigos(as) debaten y le dan a Ud. las razones para jugar al tenis.

Me gustaría jugar al béisbol hoy porque tengo mucho tiempo sin practicar béisbol y mañana voy a jugar con el equipo de la universidad. También me gustaría correr porque en el béisbol una persona corre mucho...

▨ A Ud. le gusta comer palomitas de maíz *(popcorn)* en el cine pero a su novio(a) no le gusta comer en el cine porque no puede escuchar bien la película. ¿Qué hacen?

▨ Ayer por la noche Ud. invitó a unos amigos a ir al teatro. Sus amigos se durmieron en el teatro y ahora estas personas llaman por teléfono para explicarle a Ud. todas las actividades que hicieron ayer y la razón por la que se durmieron en el teatro.

Indirect Object Pronouns with **gustar** (continued)

The Verb **gustar** + Noun

You have just learned to express likes and dislikes in Spanish by using an indirect object pronoun with the verb form **gusta** + infinitive.

—¿Qué **te gusta tomar?**   *What **do you like to drink?***
—**Me gusta tomar** café.   *I **like to drink** coffee.*

▨ To express to whom something is pleasing, use one of the following indirect object pronouns with the verb form **gusta** (singular) or **gustan** (plural) plus a definite article and a noun. The verb form, the definite article, and the nouns must match; they must all be either singular or plural.

Indirect Object Pronouns

$$
\text{me/te/le/nos/os/les} + \begin{cases} \textbf{gusta} + \textbf{el/la} + \text{singular noun} \\ \textbf{gustan} + \textbf{los/las} + \text{plural noun} \end{cases}
$$

—**¿Te gustan los partidos de béisbol?**   *Do you like baseball games?*
—No. Pero **me gusta la Serie Mundial**.   *No. But **I like the World Series**.*

¡Practiquemos!

7-22 Sara y Francisco. Complete la conversación, usando **me**, **te** o **nos**.

SARA:	¿Por qué no _____ gusta el café, Francisco?
FRANCISCO:	Porque no _____ gusta, Sara. Prefiero el té.
SARA:	Pero a mí, _____ gusta mucho el café. Me gustaría un café ahora.
FRANCISCO:	Yo tengo hambre. ¿_____ gusta ese restaurante? ¿Vamos?
SARA:	Sí, vamos. _____ gusta el lugar también. Tiene un ambiente agradable.
FRANCISCO:	Por lo menos, _____ gusta el mismo lugar.

7-23 Los deportes. Complete la conversación, usando **gusta** o **gustan** adecuadamente para saber qué deportes le gustan a Pierre.

JORGE: ¿Qué deportes te _____, Pierre?
PIERRE: Me _____ el fútbol, el béisbol y el tenis.
JORGE: ¿Qué otro deporte te _____?
PIERRE: Me _____ los partidos de fútbol por la televisión.
JORGE: A mí me _____ los partidos de fútbol y de béisbol por la tele también.

Ahora, use la conversación entre Jorge y Pierre como modelo para conversar con un(a) compañero(a) de clase. Cambien los deportes según (according to) sus propios gustos.

7-24 Los pasatiempos. Complete la conversación entre Marina y Emiliano usando **me**, **te**, **le**, **nos** o **les** con el verbo **gustar** en singular (**gusta**) o en plural (**gustan**).

EMILIANO: Marina, ¿_____ _____ nadar en el mar o en la piscina?
MARINA: _____ _____ nadar en el mar. ¿Por qué no vamos a Yucatán para bucear? A ti, ¿_____ _____ bucear?
EMILIANO: Sí, podemos invitar a mis amigos Juan y Alberto. A ellos _____ _____ nadar en el mar. Juan fue mi instructor de buceo en Honduras durante el verano pasado.
MARINA: Pues si a Juan _____ _____ las fiestas también, igual que a nosotros, debemos ir a Cozumel. Es el lugar perfecto para nosotros.
EMILIANO: Claro, porque a nosotros _____ _____ las fiestas y _____ _____ nadar en el mar y bucear, así que...
MARINA: ¿Qué esperamos para ir a Cozumel?

GRAMÁTICA esencial

Uses of *por* and *para*

The prepositions **por** and **para** have different uses and meanings. Although both can mean "for" in English, they are not interchangeable.

1. **Por**, in general, conveys the underlying idea of a cause, reason, or source behind an action. Following are some additional uses of **por**.

   • Duration of time *(for, in, during)*

José descansó **por** una hora.	*José rested **for** an hour.*
Marina hizo ejercicio **por** la noche.	*Marina exercised **at** night.*
¿**Por** cuántas horas estudiaste anoche?	***For** how many hours did you study last night?*

Lección 7 ✖ **ciento ochenta y cinco** 185

- Idiomatic expressions

Los profesores trabajaron mucho el semestre pasado; **por ejemplo**, el profesor Gómez trabajó doce horas todos los días.
*The professors worked a lot during last semester; **for example**, Professor Gómez worked twelve hours every day.*

Marina habló **por teléfono** con Sara.	*Marina talked **on the telephone** with Sara.*
Por favor, necesito tu libro.	***Please**, I need your book.*
Gracias por todo.	***Thanks for** everything.*
Por nada. / De nada.	***Don't mention it.***

2. In general, **para** conveys the underlying idea of purpose or use, recipient, and destination.

- Purpose *(in order to + infinitive)*

Forme oraciones **para** expresar sus opiniones.
*Form a few sentences **in order to** express your opinions.*

Nosotros jugamos al tenis **para** hacer ejercicio.
*We play tennis **in order to** get exercise.*

- Recipient *(for)*

¿Estudias mucho o poco **para** los exámenes?
*Do you study a little or a lot **for** the exams?*

El libro **Intercambios** es **para** la clase de español.
*The **Intercambios** book is **for** Spanish class.*

- Destination *(for)*

Pierre sirvió una cena chilena en su casa **para** su familia.
*Pierre served a Chilean dinner at home **for** his family.*

De vacaciones, los Ramírez fueron **para** Cancún.
*For their vacation, the Ramírezes went **to** Cancún.*

¡Practiquemos!

CD2 - 43

7-25 *Por o para.* Complete las siguientes oraciones con la preposición **por** o **para**.

1. Trinidad estudió inglés _____ la noche.
2. Concepción habló _____ teléfono con Tomás la semana pasada.
3. Pierre camina _____ los viñedos todos los fines de semana.
4. Lisa y Emiliano estudiaron _____ la clase de contabilidad el semestre pasado.
5. ¿Estudiaste mucho o poco _____ nuestra clase de español?
6. ¿_____ cuántas horas estudiaste matemáticas?
7. ¿Qué haces _____ practicar español?
8. ¿Escuchas música clásica o de rock _____ descansar?

7-26 Navegar por la Red. Para saber si a Lisa y a Pierre les gusta navegar por la Red, complete el párrafo con la preposición **por** o **para**.

Lisa y Pierre se escribieron mensajes electrónicos _____ la Red. Ellos navegaron por la Red _____ poder estar en contacto y saber lo que hicieron en México y en Chile. Pierre también navegó por la Red _____ buscar y encontrar un hotel en Chiloé. Lisa usó su computadora _____ escribir sus trabajos en la universidad y _____ trabajar en su internado en la Ciudad de México _____ tres meses durante el verano. Ahora los dos navegan por la Red _____ hablar con su familia y con sus amigos Sara y Francisco que están en Centroamérica.

■ RETO CULTURAL

Ud. decidió pasar el verano en Valdivia, Chile, para estudiar y practicar español. Ud. vive con una familia chilena y este fin de semana es el primer *(first)* fin de semana que pasa con ellos. Ud. quiere saber lo que van a hacer y lo que hace la familia típicamente *(typically)* durante los fines de semana. Por eso le hace al (a la) hijo(a) de la familia (un[a] compañero[a] de clase) las siguientes preguntas.

*   ¿Qué hacen Uds. aquí en Valdivia los fines de semana?
*   ¿Qué hacen las familias típicamente? ¿Adónde van?
*   ¿A quiénes visitan las personas los domingos?

¡Practiquemos más!

For additional practice on the material covered in this chapter, go to **Lección 7** of the *Intercambios* Workbook/Laboratory Manual.

For additional grammar, vocabulary, and conversation practice, go to **Lección 7** of the *Flex-Files*.

Atajo Writing Assistant Software for Spanish can be used to complete the writing activities in your *Workbook/Laboratory Manual*.

Intercambios Video: Activities to accompany the *Intercambios* Video can be found in the *Flex-Files*.

Visit *Intercambios* on the World Wide Web at **http://www.intercambios.nelson.com**.

ASÍ SE DICE

Sustantivos
la guitarra *guitar*
el (la) invitado(a) *guest*

Lugares
el gimnasio *gym*
el mar / el océano *sea/ocean*
el museo *museum*
la piscina / la alberca (Mexico) *swimming pool*
la playa *beach*
el río *river*
el teatro *theatre*
el viñedo *vineyard*

Los pasatiempos
acampar en el lago / en las montañas *to camp at the lake / in the mountains*
cantar *to sing*
ir a la playa *to go to the beach*
ir al teatro *to go to the theatre*
ir a un concierto *to go to a concert*
ir de compras *to go shopping*
jugar a las cartas *to play cards*
navegar *to sail*
navegar por la Red *to surf the Web*
pasear *to take a walk*
pescar en el río *to fish in the river*
sacar fotos *to take pictures*
tocar (la guitarra) *to play (the guitar)*
tomar el sol *to sunbathe*
ver un partido de fútbol *to watch a soccer game*
visitar museos *to visit museums*

Los deportes
andar en bicicleta *to go bicycle riding*
bucear *to scuba dive*
correr en un parque *to jog in a park*
esquiar *to ski*
hacer ejercicio *to exercise*
jugar al fútbol/béisbol/tenis/básquetbol/vólibol *to play soccer/baseball/tennis/basketball/volleyball*
montar a caballo *to go horseback riding*
nadar en una piscina *to swim in a swimming pool*
patinar *to skate*
practicar deportes *to practise sports*

Para los deportes
el equipo *team*
el juego *game*
el partido *game, match*

Verbos (Irregulares en el pretérito)
dar *to give*
decir *to say, to tell*
estar *to be*
hacer *to do, to make*
ir *to go*
poder *to be able to*
poner *to put*
querer *to want*
saber *to know*
ser *to be*

tener *to have*
traer *to bring*
venir *to come*
ver *to see*

Verbos (Pretérito con cambio en la tercera persona singular y plural)
dormir (o → u) *to sleep*
pedir (e → i) *to ask for, to order*
preferir (e → i) *to prefer*
repetir (e → i) *to repeat*
sentir(se) (e → i) *to feel*
servir (e → i) *to serve*
vestir(se) (e → i) *to dress*

Preposiciones
para *purpose (in order to + infinitive)*
  recipient (for)
  destination (for)
por *duration of time (for, in, during)*
  *idiomatic expressions (**por favor, por ejemplo, por teléfono, gracias por todo, por nada**)*

Expresiones idiomáticas
¡Buena onda! *All right!*
¡Lo pasé muy bien! *I had a great time!*
Me/te gustaría... *I/you would like . . .*
¿Quiubo? [¿Qué hubo?] *What's happening?*
tener ganas de + *infinitive* *to feel like (doing something)*

LECCIÓN 8
¡Salud y buen provecho!

❈ ENFOQUE ❈

■ METAS COMUNICATIVAS

Va a poder describir diferentes comidas, pedir una comida en un restaurante y describir algunas de sus actividades diarias.

■ IDIOMA

Nombrar alimentos básicos
Hablar de preferencias
Pedir una comida
Referirse a cosas específicas
Referirse a cosas ya mencionadas

■ VOCABULARIO ESENCIAL

Alimentos básicos
Meriendas comunes
Expresiones para usar en el restaurante

■ GRAMÁTICA ESENCIAL

Pronombres de objeto directo
Pronombres de objeto directo e indirecto
El imperfecto

■ CULTURA

Costumbres en restaurantes del mundo hispano
La hora de la comida en Latinoamérica y España
Los bares de tapas

■ RETO CULTURAL

¿Cuál es la comida más importante para los hispanos? ¿A qué hora comen los hispanos? ¿Cuáles son algunas diferencias y similitudes entre las sociedades hispanas y la canadiense?

Pierre y el tío Pablo están en casa después de un día de trabajo en el viñedo.

TÍO PABLO: Cuando tu madre era° joven y vivía° aquí con nosotros, Pierre, ella trabajaba° en mi viñedo como tú acabas de hacerlo°.

PIERRE: Fue un placer°, tío. Me gustó mucho ayudarles.

TÍO PABLO: Te va a gustar también probar el vino nuestro. ¿Estás acostumbrado a tomar vino?

PIERRE: En realidad, yo no bebo mucho. En Montreal a veces tomábamos° un vino francés o italiano en casa. Cuando salía° con mis amigos, íbamos° a escuchar la música y bebíamos° un poco de cerveza. Pero yo sé que el vino chileno es muy famoso y tengo ganas de probarlo.

TÍO PABLO: Esta noche vamos a tener dos vinos en la mesa, un vino blanco para el pescado y un vino tinto para el curanto.[1]

PIERRE: ¡Qué rico! En Montreal le encantaba° a mi madre preparar curanto. Siempre me gustaba invitar a mis amigos quebequenses° para comer ese guisado de pescado, mariscos, pollo, salchichas y papas. Se lo servíamos en platos bien grandes....

TÍO PABLO: Aquí también te lo vamos a servir en un plato bien grande, Pierre.

PIERRE: Tío, esta mañana recibí otro mensaje electrónico de Marina, mi amiga mexicana. Me dijo que quería° venir a Chile por una semana antes de regresar a clase. ¿Podemos invitarla a quedarse con nosotros aquí?

TÍO PABLO: Se lo preguntamos a tía Laura. Personalmente, no veo ningún inconveniente°. Me dijiste, Pierre, que tu madre te hablaba del sur de Chile. Me gustaría llevarlos a ti y a tu amiga a la isla de Chiloé. Es un lugar precioso°.

PIERRE: ¡Muchísimas gracias, tío!

(Más tarde, en la mesa. Todos tenían vasos de vino en la mano.)

TÍA LAURA: Quiero brindarte° la bienvenida, Pierre. ¡Salud!

TODOS: ¡Salud! ¡Buen provecho°!

era... *was*
vivía... *used to live*
trabajaba... *used to work*
como tú acabas de hacerlo... *as you have just done*
Fue un placer... *It was a pleasure*
a veces tomábamos... *we sometimes used to drink*
Cuando salía... *When I used to go out*
íbamos... *we used to go*
bebíamos... *we used to drink*
le encantaba... *it used to delight her*
quebequenses... *Québécois (plural)*
quería... *(she) wanted to*
inconveniente... *obstacle*
un lugar precioso... *a beautiful spot*
brindar... *to toast*
¡Salud! ¡Buen provecho!... *Cheers! Have a good meal!*

Nota de texto

Curanto is one of Chile's finest dishes. It is a hearty stew made of fish, shellfish, chicken, sausage, pork, lamb, beef, and potato, which are steamed together for many hours in a makeshift underground oven.

■ Conexión cultural

Algunos de los países latinoamericanos que más negocios hacen con Canadá, y particularmente con Québec, son México, Venezuela, Colombia, Chile, Cuba, Argentina, Perú y Costa Rica.

8-1 **¿Comprendió Ud.?** Diga si las siguientes oraciones son ciertas o falsas según lo que Ud. leyó. Si una oración es falsa, cámbiela para que sea correcta.

1. Pierre y Marina están en Chile.
2. El vino chileno es famoso, pero Pierre no tiene ganas de probarlo.
3. La familia toma vino tinto con el pescado y vino blanco con el curanto.
4. Esta mañana Pierre recibió un mensaje electrónico de Marina.
5. La isla de Chiloé es un lugar precioso.

VOCABULARIO esencial

In this section, you will learn to name foods you like and dislike, and to order a meal in a restaurant.

Cómo se conversa sobre la comida

¿Qué come Ud. para ¿el desayuno? ¿el almuerzo? ¿la cena?

El desayuno

El pan francés

El pan

La mermelada

El queso blanco

El queso amarillo

El té

El café

El almuerzo

La ensalada

La sopa

El pescado con arroz

La carne con papas fritas

Las bebidas

Los refrescos /
Las gaseosas

Una botella
de agua

La leche

La cerveza

Los postres

El arroz con leche

La copa de helado

El flan

Las frutas

Las manzanas

La papaya

Las uvas

Las fresas /
Las frutillas

La merienda

Palomitas de maíz

Chocolate

Galletas dulces

Galletas saladas

Maní / cacahuates

Yogur

La cena

La sopa

La carne con arroz

El sándwich de
jamón y queso

Una copa de vino
tinto/blanco

Otras carnes   (Other meats)

las chuletas de cerdo	*pork chops*
el guisado de carne	*meat stew*
el pollo con vegetales	*chicken with vegetables*

Otras aves   (Other poultry)

los huevos	*eggs*
el pavo	*turkey*

Pescados y mariscos   (Fish and seafood)

los camarones / las gambas (Spain)	*shrimp*
la langosta	*lobster*
los mariscos	*seafood*

Los condimentos   (Condiments)

el aceite de oliva	*olive oil*	la sal	*salt*
el azúcar	*sugar*	la salsa de tomate	*ketchup*
la mostaza	*mustard*	el vinagre	*vinegar*
la pimienta	*pepper*		

Verbos para cocinar   (Verbs for cooking)

cocinar la carne	*to cook the meat*
condimentar el guisado	*to spice the stew*
preparar la comida	*to prepare the meal*

En un restaurante   (In a restaurant)

¿Qué le gustaría beber/comer?	*What would you like to drink/eat?*
Me gustaría beber...	*I would like to drink . . .*
un vaso de agua **con/sin hielo.**	*a glass of water **with/without** ice.*
un vaso de agua **con/sin gas.**	*a glass of **sparkling/still** water.*
una **taza** de **té con limón/leche.**	*a **cup** of **tea with lemon/milk.***
un café **con/sin azúcar.**	*coffee **with/without** sugar.*
Me gustaría comer pollo con ensalada.	*I would like to eat chicken with salad.*
¿Le gustaría tomar postre o café?	*Would you like to have dessert or coffee?*
Sí, un flan de caramelo y un café pequeño.	*Yes, a caramel flan and a small coffee.*

¡**Mesero(a)**, **la cuenta**, por favor.
Tengo prisa!
Esta **propina** es para el (la) mesero(a).

Waiter/waitress, *the **bill***, *please.*
I am in a hurry!
*This **tip** is for the waiter/waitress.*

> "Poner toda la carne en el asador *(grill)*". —refrán popular

¡Practiquemos!

8-2 En categorías. En cada grupo, escriba una oración que indique qué palabra es de otra categoría y por qué.

MODELO: el vino, el bistec, el café, el jugo
El bistec es de otra categoría porque no es bebida.

1. la sopa, el agua, el café, la leche
2. el jugo, el flan, el pastel, el helado
3. el jamón, el pollo, el pescado, el bistec
4. la leche, el refresco, la manzana, el agua
5. el limón, la naranja, el pan, la banana

8-3 Mis bebidas preferidas. Exprese sus preferencias.

1. Con el desayuno prefiero tomar...
2. Cuando estudio en casa, tomo...
3. Cuando tengo mucha sed, bebo...
4. Con el almuerzo me gusta beber...
5. En las fiestas me gusta tomar...
6. A veces, los fines de semana tomo...
7. Con la cena, prefiero beber...
8. Cuando estoy en el cine, tomo...

café con leche.
leche (chocolate).
té caliente/helado *(iced).*
chocolate caliente.
limonada (con hielo).
agua mineral (con hielo).
jugo de tomate/naranja.
un refresco (frío)/una soda (fría).
una cerveza (fría).
vino tinto/blanco.

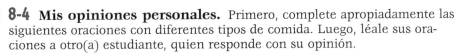

8-4 Mis opiniones personales. Primero, complete apropiadamente las siguientes oraciones con diferentes tipos de comida. Luego, léale sus oraciones a otro(a) estudiante, quien responde con su opinión.

MODELO: —El *queso* contiene mucho colesterol.
—*Estoy de acuerdo.* (I agree.)
o —*No estoy de acuerdo.*

1. Un sándwich de _____ es delicioso.
2. Es recomendable tomar vino _____ con pescado.
3. El arroz con _____ es una comida muy nutritiva *(nutritious).*
4. El pan con _____ y café es un buen desayuno.
5. El bistec con _____ y vino tinto es un almuerzo perfecto.
6. Los mariscos con ensalada y _____ es una buena cena.
7. El _____ de tomate es una bebida nutritiva.

8. Cuando uno tiene mucha sed, es preferible tomar _____.
9. El _____ tiene muchas/pocas calorías.
10. La _____ es una buena bebida para los niños.

8-5 ¡Preparemos el menú! En grupos de tres o cuatro estudiantes, Uds. van a decidir lo que van a comprar para un picnic o una parrillada (*barbecue*) con sus amigos y una cena elegante con su jefe(a) y su esposo(a). Compartan sus respuestas con toda la clase.

MODELO: *Para el picnic con la familia, vamos a comprar agua mineral, refrescos y vinos.*

	Bebidas	Comida	Postres
Picnic con la familia y los amigos en el lago			
Parrillada con la familia y los amigos			
Cena con el (la) jefe(a) y su esposo(a)			

8-6 ¡Buen provecho! (*Have a good meal!*) Imagínense que Uds. están en el restaurante La Barraca en Valencia, España y que son las dos y media de la tarde, la hora de comida. Un(a) estudiante va a hacer el papel de cliente y otro(a) va a hacer el papel de mesero(a). Usen el vocabulario que ya aprendieron en la conversación.

Mesero(a)

1. Buenas _____, (señor/señorita/ señora).

3. ¿Qué desea beber?

5. Perdón, pero hoy no hay_____.

7. Sí, (señor/señorita/señora).

9. ¿Qué le gustaría comer, carne o pescado?

11. ¡Muy bien!

Después de almorzar...

12. ¿Quiere usted café, (señor/señorita/ señora)?

14. Muy bien. ¿Y de postre?

16. _____.

Cliente

2. _____.

4. Deseo _____, por favor.

6. Ah, ¿no? Bueno, ¿hay _____?

8. Pues, quiero _____.

10. Me gustaría comer _____.

13. Sí, con _____, por favor. (No, prefiero _____.)

15. De postre quiero _____.

17. _____.

Ahora cambien de papel (*switch roles*) y hagan otra conversación.

8-7 Café Monterrey. ¿A Ud. le gusta el café? Lea el siguiente anuncio; luego conteste las preguntas.

Lo invitamos a tomar un buen café, rico en aroma, delicioso en sabor. CAFÉ MONTERREY conserva, gracias a su exclusivo TOSTADO NATURAL, todo el sabor y aroma de los finos cafés en grano con que ha sido elaborado. PREPARACIÓN • Vacíe el contenido de este sobre en una taza y añada agua a punto de hervir o leche caliente.

Elaborado por CORPORA S.A. Rodríguez 240 Valparaíso-Chile. AUT. S.N.S. V Región Res. No 2346 del 21.11.83 Rol Ind. 12136 - 1/9. Marcas Registradas. Fabricación chilena.

100% PURO CAFÉ

Café Monterrey
Tostado Natural
Clásico
Instantáneo en polvo.
Peso Neto 2 g.
PURO 100% CAFÉ

1. ¿Dónde se produce el Café Monterrey?
2. ¿Qué palabras describen el café?
3. ¿Cómo se dice **instantáneo en polvo** en inglés?
4. ¿Cómo se prepara el café?

COMIDA PARA LLEVAR

BREVE DICCIONARIO GASTRONÓMICO ILUSTRADO ARGENTINO

Parrilla EL MANGRULLO
Restaurante Argentino

Francisco Vitoria, 19 – Teléfono: 976 21 49 29
mangrullo@spainmail.com
Zaragoza

■ A la hora de comer

En el mundo hispano se toma el desayuno entre las seis y las ocho de la mañana. Es una comida muy sencilla que los europeos llaman un desayuno continental. En algunos países de Latinoamérica y en España el desayuno consiste en una taza de café, pan con mermelada o mantequilla, queso y a veces, fruta.

La comida principal del día es el almuerzo, que se come entre la una y las tres de la tarde. El almuerzo consiste en una sopa, pescado o carne con vegetales o verduras y papas o arroz, una ensalada, y luego fruta, queso o pastel de postre. Después del almuerzo, los adultos toman café o té y hablan por media hora o más, una costumbre que se llama **la sobremesa.** En algunos países, muchas oficinas se cierran por dos horas o más para permitirles almorzar a los empleados. En otros países, los empleados tienen solamente una hora o media hora para almorzar. En estos casos, el almuerzo consiste en solamente un sándwich y café o té caliente.

En algunos países latinoamericanos se cena después de las ocho de la noche y en otros países, como España, Chile y Argentina, se sirve la cena entre las nueve y las once. Esta comida es algo más ligera *(light)* que el almuerzo. Puede consistir en un sándwich o una tortilla *(potato omelette in Spain).* Puesto que la cena se sirve tan tarde, algunos hispanos toman una merienda entre las cinco y las seis de la tarde. La merienda consiste en sándwiches, pasteles servidos con chocolate, té, café con leche o refresco. En Chile, la merienda se llama la once, que se toma a las cinco de la tarde. Se dice que durante la época colonial, cuando los hombres chilenos querían salir a tomar aguardiente *(brandy),* palabra que contiene once letras, les decían a las mujeres: "Vamos a tomar once", para no ofenderlas *(not to offend them)* con la palabra "aguardiente".

¿Qué dice Ud.?   Hágale preguntas a un(a) compañero(a) de clase.

1. Comparen las horas cuando Uds. desayunan, almuerzan y cenan con la información de esta lectura.
2. ¿A qué hora comen Uds. la merienda? ¿Qué comen y beben?

Parrilla (Barbecue) El Mangrullo.   Lea el anuncio. Luego conteste las preguntas.

1. ¿Qué tipo de restaurante es la Parrilla El Mangrullo?
2. ¿Dónde está este restaurante?
3. ¿Cuál es el teléfono del restaurante?
4. ¿Qué es "comida para llevar"?

GRAMÁTICA esencial

In this section, you will learn to communicate more smoothly in Spanish by not repeating the names of people or things.

Direct Object Pronouns

What are pronouns?

A pronoun is a word that is used in place of a noun to avoid repeating the name of a person, place, or thing. For example, in the following sentences, the subject pronoun **ella** replaces **Marina**, and the subject pronoun **ellos** replaces **el tío Pablo y la tía Laura**.

Marina recibió un regalo.
(*Marina received a gift.*)

Ella está muy contenta.
(*She is very happy.*)

Los tíos de Pierre son muy simpáticos.
(*Pierre's uncle and aunt are very nice.*)

Ellos son muy amables.
(*They are very nice.*)

What are direct object pronouns?

1. All sentences have a subject and a verb. Many sentences also have a direct object, which receives the action of the verb. For example, in the sentence below, the direct object **(un regalo)** receives the action of the verb **(recibió)**, which is performed by the subject **(Marina)**.

Subject	Verb	Direct Object
Marina	recibió	un regalo.

 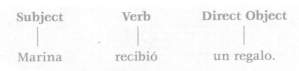

2. Because the direct object of a sentence is usually a person or a thing, it answers the questions *Who(m)?* or *What?* in relation to the action of the verb.

Pierre quiere a su nueva familia. ➞ *Whom does he love?*

. . . **Su nueva familia** *(His new family)* answers the question *whom?* Therefore, in this case, **su nueva familia** is the direct object of the verb **quiere**.

Marina recibió un regalo. ➞ *What did she receive?*

. . . **Un regalo** *(A gift)* answers the question *what?* Therefore, **un regalo**, in this case, is the direct object of the verb **recibió**.

3. A direct object pronoun may be used in place of a direct object noun.

Pierre quiere **a su nueva familia**. ➞ Pierre **la** quiere.
Marina recibió **un regalo**. ➞ Marina **lo** recibió.

In the preceding sentences, the direct object pronouns **la** and **lo** replace the direct object nouns **su nueva familia** and **un regalo**, respectively.

How to use direct object pronouns

Direct Object Pronouns			
Singular		**Plural**	
me	*me*	nos	*us*
te	*you* (informal)	os	*you* (informal)
lo	*him, you* (masculine formal), *it* (masculine)	los	*them* (masculine), *you* (formal)
la	*her, you* (feminine formal), *it* (feminine)	las	*them* (feminine), *you* (formal)

—Pierre, ¿conoces a **los Ramírez**?
*(Pierre, do you know **the Ramírez family**?)*

—Sí, **los** conozco.
*(Yes, I know **them**.)*

—¿Comiste **el helado**, Lisa?
*(Did you eat **ice cream**, Lisa?)*

—No, no **lo** comí.
*(No, I didn't eat **it**.)*

Where to place direct object pronouns

1. Place the pronoun in front of the conjugated verb.

—¿Comiste **las fresas**, Emiliano?
—Sí, señora Ramírez. Ya **las** comí.

*Did you eat **the strawberries**, Emiliano?*
*Yes, Mrs. Ramírez. I already ate **them**.*

2. In negative sentences, place the **no** in front of the pronoun.

—¿Preparaste **la cena**, Emiliano?
—No, no **la** preparé.

*Did you make **supper**, Emiliano?*
*No. I didn't make **it**.*

3. **Lo**, **la**, **los**, and **las** must agree with the gender of the noun they are replacing.

—¿Compraste **la botella de vino**, Pierre?   *Did you buy **the bottle of wine**, Pierre?*

—Sí, **la** compré.   *Yes, I bought **it**.*

—¿Compraste **los mariscos** para la cena?   *Did you buy **the shellfish** for dinner?*

—Sí, **los** compré.   *Yes, I bought **them**.*

4. When the pronoun is used with an infinitive or a present participle, place it either before the conjugated verb or attach it to the end of the infinitive or the present participle. (A written accent is needed to retain the stressed vowel of a present participle when a direct object pronoun is attached to it.)

La voy a preparar pronto.
or
Voy a preparar**la** pronto.   } *I'm going to make **it** soon.*

La estoy preparando ahora.
or
Estoy prepar**á**ndo**la** ahora.   } *I'm preparing **it** now.*

¡Practiquemos!

8-8 La comida de los Urrutia. Para saber lo que hicieron estas personas en casa de los Urrutia, subraye *(underline)* los nombres que contestan las preguntas **¿Qué?** o **¿Quién?** y luego complete la oración.

MODELO: Pierre compró el vino. *Lo compró.*

1. Los Sres. Urrutia invitaron a Marina y a Pierre a cenar con ellos.   _____ invitaron.

2. La Sra. Urrutia preparó las carnes.   _____ preparó.

3. El Sr. Urrutia abrió el vino.   _____ abrió.

4. Marina probó *(tasted)* los postres.   _____ probó.

4. Los Sres. Urrutia cocinaron *(cooked)* la cena.   _____ cocinaron.

5. Pierre bebió los diferentes vinos.   _____ bebió.

6. Marina ayudó a la Sra. Urrutia con la comida.   _____ ayudó.

7. El Sr. Urrutia comió el pescado con papas.   _____ comió.

8-9 La comida. Ahora Ud. y sus compañeros prepararon la comida para cenar y el (la) invitado(a) de honor *(special guest)* hace preguntas sobre la cena. Tiene que contestar las preguntas sin repetir el nombre de la comida que prepararon.

MODELO: INVITADO(A) DE HONOR: ¿Quién preparó _la ensalada_ ?
UD.: _La_ preparó Raúl.

INVITADO(A) DE HONOR: Renata, ¿quién _____ ayudó con esta cena?
UD.: _____ ayudaron los compañeros de clase.
INVITADO(A) DE HONOR: ¿Quién preparó la carne y el arroz?
UD.: El arroz, _____ preparó Kelly y la carne, _____ preparó Sonia.
INVITADO(A) DE HONOR: ¿Quién compró los quesos?
UD.: _____ compró Betty.
INVITADO(A) DE HONOR: ¿Quién compró las botellas de agua mineral?
UD.: _____ compraron Frank y Mike.
INVITADO(A) DE HONOR: ¿Quién hizo el postre? ¡Está delicioso!
UD.: _____ hizo Mark.
INVITADO(A) DE HONOR: ¿Quién compró el vino tinto? ¡Está buenísimo!
UD.: _____ compré yo.

8-10 En la cena. El tío Pablo, la tía Laura y Pierre están cenando en casa. Complete los diálogos con un verbo y el pronombre apropiado.

MODELO: —Tía Laura, no quiero comer más carne, gracias.
—Bueno, puedes comer_la_ mañana.

1. —Laura, no podemos tomar estas tres botellas de vino.
   —Podemos _____ más tarde, Pablo.
2. —Pierre, ¿ya comiste el guisado?
   —Pues... _____ ahora.
3. —Esta noche quiero pescado y arroz, Laura, por favor.
   —No, Pablo, lo siento. Voy a _____ para mañana.
4. —De postre, quiero torta de fresas o frutillas, como dicen en Chile.
   —Bien. Voy a _____ más tarde.

8-11 Preguntas. La tía Laura habla con Pierre y tiene muchas preguntas para él. ¿Qué dice Pierre?

MODELO: —¿Dónde conociste a Marina? (...en México, tía Laura.)
—*La* conocí en México, tía Laura.

Tía Laura	Pierre
1. —Pierre, ¿quieres mucho a Marina?	(—Sí,... mucho. Somos buenos amigos.)
2. —¿Dónde aprendiste español?	(—...en casa y en México.)
3. —Pierre, ¿Marina habla español contigo?	(—Sí, nosotros... siempre.)
4. —¿Van a visitar la playa?	(—Sí, vamos a... el viernes.)
5. —¿Ven Uds. el fútbol por la tele?	(—Sí,... por la tele.)

8-12 En casa. Lea las siguientes situaciones. Luego, escriba una oración para terminar cada conversación lógicamente. Use los pronombres de objeto directo en cada oración.

MODELO: El tío Pablo y la tía Laura están en el salón.

TÍA LAURA: ¿Por qué estás escuchando música clásica, querido?

TÍO PABLO: *Estoy escuchándola porque quiero descansar un poco.*

1. Pierre y su primo Jorge están comiendo carne con papas fritas, ensalada y vino tinto.

   PIERRE: ¿Por qué preparó una comida tan especial esta noche, tía Laura?

   TÍA LAURA: _____

2. El tío Pablo está hablando con Jorge, que no quiere jugar al fútbol.

   TÍO PABLO: ¿Por qué no puedes jugar al fútbol hoy, Jorge?

   JORGE: _____

3. Pierre está comiendo un flan cuando Jorge lo ve.

   JORGE: ¿Por qué estás comiendo ese flan? Ése es mi flan.

   PIERRE: _____

4. La tía Laura llegó del mercado. Necesita la ayuda de su esposo.

   TÍO PABLO: ¿Necesitas mi ayuda, Laura?

   TÍA LAURA: _____

8-13 ¡A divertirse! Hágale preguntas a otro(a) estudiante, como en el modelo.

MODELO: ver películas en video (¿Cuándo? / ¿Con quién?)

   —¿Cuándo ves películas en video?
   —Las veo cuando tengo tiempo.
   —¿Con quién las ves?
   —Las veo con mis amigos.

1. comer la merienda (¿Con quién? / ¿Cuándo? / ¿Dónde?)
2. celebrar tu cumpleaños (¿Cuándo? / ¿Con quiénes?)
3. hacer fiestas (¿Cuándo? / ¿Con qué frecuencia?)
4. sacar fotos (¿En qué ocasiones? / ¿Dónde?)

8-14 Entrevista. Hágale las siguientes preguntas a un(a) compañero(a) de clase.

1. ¿Cómo se llama uno de tus buenos amigos? ¿Dónde lo conociste? ¿Cómo es? ¿Quién es una de tus amigas? ¿Dónde la conociste? ¿Cómo es ella? ¿Cuándo la llamas por teléfono? ¿De qué hablan Uds.? ¿Cómo se divierten Uds.?

2. ¿Cuál es tu deporte favorito? ¿Cuándo y dónde lo juegas? ¿Cuándo aprendiste a jugarlo? Normalmente, ¿con quién lo juegas? ¿Lo juegan Uds. bien o mal? ¿Lo jugaron la semana pasada? ¿Cuándo van a jugarlo otra vez? ¿Qué otro deporte te gusta mucho?

3. ¿Ves mucho o poco la televisión? ¿Por cuántas horas la ves a la semana? ¿Qué programas de televisión te gustan? ¿A qué hora los ves? ¿Con qué frecuencia los ves?

CULTURA

▪ Los bares de tapas

Los bares de tapas son como una institución social en España. Entre las cinco y las siete de la tarde, muchos españoles van a los bares de tapas para charlar con sus amigos y para hacer nuevos amigos.

Las tapas son aperitivos *(appetizers)* como, por ejemplo, pedazos *(pieces)* de jamón o queso, salchichas pequeñas, calamares *(squid)*, sardinas y gambas al ajillo *(shrimp with garlic)*. Otra tapa popular es la tortilla española, que es una tortilla de patatas, huevos y cebolla frita *(fried onion)* en aceite de oliva. En los bares de tapas, también se sirven bebidas alcohólicas, como vino y cerveza, y no alcohólicas como gaseosas y café.

Estos jóvenes españoles van frecuentemente a los bares de tapas para charlar con sus amigos.

¿Qué dice Ud.? Hágale preguntas a un(a) compañero(a) de clase.

1. ¿Qué piensas de los bares de tapas?
2. ¿Qué tapas te gustan? ¿Qué tapas te gustarían comer esta tarde?
3. ¿Te gustaría ir a algún bar de tapas? ¿Por qué?
4. ¿Qué te gusta comer entre comidas? ¿Y qué bebes?
5. ¿Se sirve café en los bares en Canadá?
6. ¿Hay bares aquí en Canadá como los bares de tapas de España?

GRAMÁTICA esencial

In this lesson, and in **Lección 7**, you learned how to use indirect and direct object pronouns to refer to people and things. Sometimes you may want to use both kinds of pronouns together in the same sentence. When you use an indirect and a direct object pronoun together in the same sentence, this is referred to as a double object pronoun.

Remember, *direct objects* answer the question *Whom?* or *What?*, and are people and things, while *indirect objects* answer the question *To whom?* or *For whom?* and are usually people.

Vamos a servir **la cena** a las nueve.	*We're going to serve **dinner** at 9:00.*
Vamos a servirles la cena a **tus padres**.	*We're going to serve dinner to **your parents**.*

La cena is a direct object. (*What* are we going to serve? Dinner.) **Tus padres** is an indirect object. (*To whom* are we going to serve dinner? To your parents.)

Double Object Pronouns

1. Indirect object pronouns always *precede* direct object pronouns. To help you remember this, use the initials of your student ID: Indirect-Direct.

Indirect	before	Direct		Indirect	before	Direct
me		me		nos		nos
te		te		os		os
le (→ se)		lo, la		les (→ se)		los, las

—¿*Me* compraste **las manzanas**, Pierre?
*Did you buy **me the apples**, Pierre?*

—Sí, *te* **las** compré.
*Yes, I bought **them** for you.*

—Pierre, y los vinos, ¿*me* **los** compraste también?
*Pierre, and the wines, did you buy **them** for me also?*

—Sí, *te* **los** compré también.
*Yes, I bought **them** for you as well.*

—¿*Te* puedo comprar **unas peras**?
*May I buy **you some pears**?*

—Claro que *me* **las** puedes comprar.
*Of course, you can buy **them** for me.*

2. The indirect object pronouns **le** and **les** always change to **se** when they are used together with the direct object pronouns **lo**, **la**, **los**, and **las**.

La tía Laura **les** cocinó algunos platos chilenos a Pierre y a Jorge.
Aunt Laura cooked some Chilean dishes for Pierre and Jorge.

***Se* los** cocinó para la cena de ayer.
*She cooked them **for them** for dinner yesterday.*

También *le* compró una botella de vino a su esposo.
*She also bought a bottle of wine **for** her husband.*

***Se* la** compró en el centro.
*She bought it **for him** downtown.*

3. To contrast, emphasize, or clarify the meaning of the indirect object pronoun **se**, use **a Ud.**, **a él**, **a ella**, **a Uds.**, **a ellos**, or **a ellas**, as shown.

¡El flan está delicioso! La tía Laura *se* lo hizo *a ella*.
*The flan is delicious! Aunt Laura made it **for her**.*

Se* lo hizo *a ella para la cena.
*She made it **for her** for dinner.*

4. In verb phrases, pronouns may be placed before conjugated verbs or attached to the end of infinitives or present participles. When two pronouns are attached, an accent mark is written over the stressed vowel of the verb.

Lisa quiere comprarles unos regalos a sus amigos de Toronto.

Se los va a comprar hoy.   →   Va a comprár**selos** hoy.
Se los está comprando ahora.   →   Está comprándo**selos** ahora.

CD3 - 1

8-15 El almuerzo de los Rodríguez. Uds. tienen una empresa que prepara comidas y por eso les prepararon el almuerzo a los Sres. Rodríguez. Su supervisor(a) le va a hacer preguntas para saber si todo estuvo bien. Cambie los nombres a pronombres. (Recuerde: ID [Indirecto-Directo] y **se + lo, la, los o las**.)

MODELO: SUPERVISOR(A): ¿Le prepararon la carne con condimentos a la Sra. Rodríguez?

UD.: Sí, ___*se la*___ preparamos.

1. ¿Les compraron las botellas de agua con gas a los Sres. Rodríguez?
   Sí, _____ compramos.
2. ¿Le cocinaron bien el pescado a la Sra. Rodríguez?
   Sí, _____ cocinamos bien.
3. ¿Le hicieron el flan al Sr. Rodríguez?
   No, no _____ hicimos. Le hicimos arroz con leche.
4. ¿Les prepararon tres ensaladas de frutas a los Sres. Rodríguez?
   Sí, _____ preparamos.
5. ¿Les compraron quesos del mercado principal?
   Sí, _____ compramos.
6. ¿Le condimentaron mucho el guisado a la Sra. Rodríguez?
   No, _____ condimentamos poco.
7. ¿Le hicieron unas papas fritas al Sr. Rodríguez?
   Sí, _____ hicimos.
8. ¿Les sirvieron bien la comida a los Sres. Rodríguez?
   Sí, _____ servimos muy bien.

CD3 - 2

8-16 En el restaurante. Pierre y Marina están cenando en el Restaurante Los Caminos. Complete la siguiente conversación entre Marina, Pierre y el mesero, usando pronombres adecuados.

MODELO: MARINA: Me gustaría la ensalada de tomate y cebolla. ¿Me trae una, señor?

MESERO: ¡Por supuesto, señorita! ___*Se la*___ traigo inmediatamente.

1. PIERRE: Quiero sopa de verduras, por favor.
   MESERO: ¡Cómo no, señor! _____ traigo rápidamente.
2. MARINA: Me gustaría cenar mariscos, por favor.
   MESERO: ¡Claro, señorita! _____ traigo ahora.
3. PIERRE: Tengo mucha sed. Quiero agua mineral sin gas y con hielo.
   MESERO: ¡Sí, señor! _____ traigo inmediatamente.
4. PIERRE: Me gustaría probar el pescado, por favor.
   MESERO: ¡Sí, señor! _____ traigo rápidamente.
5. MARINA: De postre, quiero frutas frescas: manzanas, uvas y papaya.
   MESERO: Las frutas están muy buenas, señorita. _____ traigo ahora.
6. PIERRE: Queremos un café, por favor.
   MESERO: Entonces son dos cafés. _____ traigo en este momento.

CULTURA

CD3 - 3, 4

■ Las costumbres en los restaurantes hispanos

En Latinoamérica y en España, la mayoría de los restaurantes tiene un menú a la entrada. El menú indica los precios de la comida a la carta y la comida a precio fijo *(fixed)*, que se llama el plato del día.

Cuando uno entra a un restaurante, el (la) mesero(a) lo saluda y le indica dónde puede sentarse. Por lo general, no hay una sección de no fumar *(non-smoking section)* como en los restaurantes canadienses.

Al terminar la comida, el (la) mesero(a) va a ofrecerle café y postre. Generalmente, no le trae la cuenta hasta que Ud. se la pide. Para atraer su atención, tiene que decirle "Camarero", "Señorita", "Mesero" o "Señor", según el país en que se encuentre. Muchas veces, la cuenta incluye la propina; si no, es normal dejar una propina adecuada entre el 10 y el 15 por ciento. Si Ud. no está seguro(a) de si la cuenta incluye la propina o no, es necesario preguntar.

¿Qué dice Ud.? Hágale preguntas a un(a) compañero(a) de clase.

1. ¿Por qué hay un menú a la entrada de muchos restaurantes? ¿A Ud. le gusta esta costumbre? ¿Por qué?
2. ¿Cómo se atrae la atención *(do you get the attention)* de los meseros(as) en su país?
3. ¿Cuándo se trae la cuenta en los restaurantes de España y Latinoamérica? ¿Cuándo se trae la cuenta en los restaurantes canadienses? ¿A Ud. le gusta esta costumbre? ¿Por qué?
4. Cuando Ud. come en un restaurante, generalmente, ¿qué porcentaje (%) de la cuenta deja *(do you leave)* de propina? ¿Qué es preferible: incluir o no incluir la propina en la cuenta? ¿Por qué?

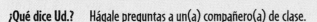

8-17 ¡Qué amigos tan generosos! Cuando Uds. van de viaje a visitar otro país, Uds. traen muchos regalos a sus parientes y amigos. Su amiga Sonia quiere saber para quién son los regalos. Contéstenle las preguntas, según el modelo.

MODELO: SONIA: ¿A quién le compraste este libro de Chile?
  UD.: *Se lo compré a mi hermano.*

Sonia	**Ud.**
1. ¿A quién le compraste este libro de México?	a mi hermana Gisela
2. ¿A quién le compraste este vino?	a mi amigo Miguel
3. ¿Y ese reloj?	a mi amiga Kelly
4. ¿Y esos condimentos?	a mis primos
5. ¿Y ese periódico?	a mis tíos
6. ¿Y esos videos?	a mi mamá

8-18 Entrevista. Hágale estas preguntas a un(a) compañero(a) de clase.

1. Cuando necesitas dinero para ir de compras, ¿a quién se lo pides? ¿Te lo dan? ¿Cuándo se lo devuelves *(you pay back)* a la persona que te prestó *(lent)* el dinero?
2. Cuando vas de viaje, ¿a quiénes les compras regalos? ¿Qué cosas les compras a tus amigos?
3. ¿Te gusta comprar regalos en los aeropuertos *(airports)*?

Lección 8 **doscientos siete** 207

GRAMÁTICA esencial

In this section, you will learn how to describe activities that you and others used to do, to describe incomplete actions or conditions, and to describe an action that coincides with another action in the past. The verb tense used for this is called the imperfect.

Imperfect Tense

How to form the imperfect

1. The imperfect tense is equivalent to four common forms in English:
Yo **trabajaba** en un viñedo en Chile.
I would work / worked / used to work / was working in a vineyard in Chile.

2. To form the imperfect, add the following endings to the verb stem. Note the identical endings for **-er** and **-ir** verbs.

	trabajar	beber	divertirse
(yo)	trabaj**aba**	beb**ía**	me divert**ía**
(tú)	trabaj**abas**	beb**ías**	te divert**ías**
(Ud., él, ella)	trabaj**aba**	beb**ía**	se divert**ía**
(nosotros/nosotras)	trabaj**ábamos**	beb**íamos**	nos divert**íamos**
(vosotros/vosotras)	trabaj**abais**	beb**íais**	os divert**íais**
(Uds., ellos, ellas)	trabaj**aban**	beb**ían**	se divert**ían**

—Lisa, ¿por qué no **hablabas** español todos los días antes?
*Lisa, why **didn't you speak** Spanish every day before?*
—Porque no **hablaba** bien.
*Because I **didn't use to speak** well.*

3. Three Spanish verbs are irregular in the imperfect.

ir		ser		ver	
iba	íbamos	era	éramos	veía	veíamos
ibas	ibais	eras	erais	veías	veíais
iba	iban	era	eran	veía	veían

—Cuando **era** niña, **iba** al cine con mis padres.
*When **I was** a young girl, I **used to go** to the movies with my parents.*
—¿Qué tipo de películas **veían** Uds.?
*What kind of films **would you see**?*
—**Veíamos** documentales y películas de Disney.
*We **would see** documentaries and Disney films.*

4. The imperfect tense of **hay** is **había** (*there was / there were*).
—¿**Había** muchas fiestas en tu casa?
Were there a lot of parties at your house?
—No, pero siempre **había** mucha gente.
No, but there were always a lot of people.

How to use the imperfect

1. To describe habitual actions

Lisa no **nadaba** y no **hablaba** español todos los días como lo hacía en México.	Lisa *did* not *swim* or *speak* Spanish *every day as she used to do in Mexico.*

2. To describe states of mind and feelings in the past

Lisa **estaba** muy contenta cuando **vivía** en Monterrey, México.	Lisa *was very happy when she **lived** in Monterrey, Mexico.*

3. To describe weather in the past

Hacía mucho calor cuando Pierre llegó a Santiago de Chile.	*It **was** very hot when Pierre arrived in Santiago, Chile.*

4. To express age and describe the time.

Lisa **tenía** nueve años cuando **vivía** en Ottawa.	Lisa ***was** nine years old when she **lived** in Ottawa.*
Eran las diez de la noche cuando la tía Laura sirvió la cena.	*It **was** ten o'clock when aunt Laura served dinner.*

5. To describe two or more simultaneous past actions in progress

Lisa **trabajaba** en la universidad cuando **estudiaba** negocios.	Lisa ***was working** at the university when she **was studying** business.*

Spanish speakers use the imperfect to describe actions, conditions, and events that occurred routinely or repeatedly in the past. Notice how Pierre uses the imperfect tense to describe how things were when he was a boy.

Cuando **era** niño mi vida **era** diferente. **Tenía** menos responsabilidades y **estaba** menos ocupado. Por ejemplo, los sábados **me levantaba** tarde porque no **había** mucho que hacer. **Tomaba** una taza de chocolate caliente, **comía** un sándwich de queso y **miraba** la televisión. Por la tarde, mis amigos y yo **jugábamos** al fútbol. Después, **comprábamos** refrescos y **nos divertíamos** en el parque. Yo **volvía** a casa cansado pero contento.

The imperfect tense can be translated in different ways, depending on the context of the sentence.

De niña, Lisa **vivía** *(lived)* en Ottawa, Ontario. Los sábados ella y su mamá **iban** *(used to go)* de compras a las tiendas donde **compraban** *(they would buy)* ropa y comida. Un sábado, cuando **caminaban** *(they were walking)* por el centro, vieron un accidente terrible de un amigo de Lisa que **andaba** *(was riding)* en su bicicleta. El muchacho **iba** *(was going)* de paseo por el centro.

¡Practiquemos!

8-19 Las vacaciones. ¿Adónde iban o qué deporte practicaban estas personas cuando eran niños? Complete cada oración con la forma apropiada del verbo.

MODELO: Luis _jugaba_ (jugar) al fútbol con sus primos.

1. Juan y Ana _____ (practicar) tenis todos los días en el club.
2. Nosotros _____ (ir) al cine todos los sábados y _____ (comer) palomitas de maíz.
3. Yo _____ (levantarse) tarde los domingos.
4. Tommy y Santiago _____ (andar) en bicicleta por las montañas.
5. Mi mamá _____ (cocinar) nuestra comida favorita los viernes por la noche.
6. Todd y Beth _____ (ver) los juegos de béisbol en la televisión.
7. Nosotras _____ (beber) leche con chocolate para la merienda.
8. Yo _____ (nadar) todas las tardes en la piscina.
9. Jerome _____ (correr) por el parque muy temprano por la mañana.
10. Ellas _____ (preparar) flan de caramelo para el postre.

8-20 Hace tres años... Escriba seis oraciones usando elementos de cada columna para describir la vida de estas personas de hace tres años.

MODELO: *Hace tres años, yo hacía ejercicio todos los días.*

¿Quién?	¿Qué?	¿Cuándo?
yo	comer	por el parque
tú	estudiar	helado con la merienda
Marisa	trabajar	en la escuela secundaria *(high school)*
nosotros(as)	viajar	para trabajar
Rodolfo y Adonis	practicar	en una compañía internacional
tú y yo	divertirse	en la piscina los sábados

 8-21 Recuerdos. Hágale preguntas a un(a) compañero(a) de clase.

1. La familia: ¿Dónde y con quién vivías cuando tenías seis años? ¿Cuántos hermanos tenías? ¿Quién era el menor *(youngest)*? ¿y el mayor *(oldest)*? ¿Qué tipo de trabajo tenía tu papá? ¿Trabajaba tu mamá también? (¿Dónde? ¿Qué hacía?) ¿Cuándo visitabas a tus familiares? ¿Qué otras cosas hacían tú y tu familia?

2. Los amigos: ¿Tenías muchos o pocos amigos en la escuela primaria? ¿Cómo te divertías con ellos? ¿Cómo se llamaba tu mejor amigo(a) en la escuela secundaria? ¿Dónde vivía? ¿Qué hacían Uds. juntos(as)? ¿Tenías novio(a)? ¿Cómo se llamaba? ¿Cómo era? ¿Dónde vive ahora?

3. Los pasatiempos: De adolescente, ¿cómo pasabas el tiempo cuando no estudiabas o trabajabas? ¿Practicabas algún deporte? ¿Cuál? ¿Con qué frecuencia ibas al cine? ¿Qué tipo de películas veías? ¿Qué programas de televisión mirabas? ¿Con quién los mirabas? ¿Qué otras cosas hacías para divertirte?

8-22 ¿Y Ud.? Escriba un párrafo sobre algunas actividades que Ud., su familia y sus amigos(as) hacían cuando Ud. tenía entre diez y quince años.

Cuando yo tenía quince años, mi familia y yo vivíamos en... Nuestra casa (Nuestro apartamento era)... Mi papá trabajaba en... y mi mamá... En general, mis padres... Mis hermanos y yo nos divertíamos mucho. Por ejemplo... Yo tenía un(a) amigo(a) que se llamaba... A veces, él (ella)... y yo... También...

■ RETO CULTURAL

Ud. está viviendo en este momento con una familia chilena en Valdivia, donde tiene un trabajo como interno en un viñedo, en una escuela de cocina o en una agencia de viajes. Ud. está confundido *(confused)* con las horas de comida y con lo que comen los chilenos. Su compañero(a) de clase está en Chile desde hace tres meses y por eso ya sabe lo de las comidas.

Hágale las siguientes preguntas:

- En este momento es la una de la tarde. Tengo mucha hambre pero nadie va a comer todavía. ¿Qué pasa?
- ¿A qué hora se desayuna, se almuerza y se cena?
- ¿Qué es eso que llaman "merienda"?
- ¿Qué puedo comer para el desayuno, el almuerzo y la cena?
- ¿Cuál es la comida más importante y la más grande en cantidad?

¡Practiquemos más!

 For additional practice on the material covered in this chapter, go to **Lección 8** of the *Intercambios Workbook/Laboratory Manual*.

 For additional grammar, vocabulary, and conversation practice, go to **Lección 8** of the *Flex-Files*.

 Atajo Writing Assistant Software for Spanish can be used to complete the writing activities in your *Workbook/Laboratory Manual*.

 Intercambios Video: Activities to accompany the *Intercambios Video* can be found in the *Flex-Files*.

 Visit *Intercambios* on the World Wide Web at **http://www.intercambios.nelson.com**.

ASÍ SE DICE

Referente a la comida
el brindis   *toast*
la comida   *food, meal, lunch*
la cuenta   *bill*
el mesero(a)   *waiter/waitress*
la propina   *tip*
el servicio   *service*

Las comidas
el almuerzo   *lunch*
la cena   *dinner, supper*
el desayuno   *breakfast*

Los platos principales
el bistec   *steak*
los camarones / las gambas   *shrimp*
la carne con papas fritas   *meat with French fries*
la chuleta de cerdo   *pork chop*
el guisado de carne   *meat stew*
los huevos   *eggs*
el jamón   *ham*
la langosta   *lobster*
los mariscos   *seafood*
el pavo   *turkey*
el pescado con arroz   *fish with rice*
el pollo con verduras   *chicken with vegetables*
la sopa   *soup*

Las frutas y las verduras
la ensalada   *salad*
la fresa / la frutilla   *strawberry (Chile, Argentina)*
la manzana   *apple*
la papa / la patata   *potato*
la papaya   *papaya*
el tomate   *tomato*
las uvas   *grapes*
las verduras   *vegetables*

Pan
el pan (francés)   *(French) bread*
el sándwich de jamón y queso   *cheese and ham sandwich*

La merienda
el chocolate   *chocolate*
las galletas dulces   *cookies*
las galletas saladas   *crackers*
el maní / el cacahuate   *peanut*
las palomitas de maíz   *popcorn*
el yogur   *yogurt*

Los condimentos
el aceite de oliva   *olive oil*
el azúcar   *sugar*
la mermelada   *jam*
la mostaza   *mustard*
la pimienta   *blackpepper*
la sal   *salt*
la salsa de tomate   *ketchup*
el vinagre   *vinegar*

Los postres
el arroz con leche   *rice pudding*
la copa de helado   *dish of ice cream*
el flan   *caramel custard*
el pastel / la torta   *cake*
el queso   *cheese*

Las bebidas
la botella de agua   *bottle of water*
el café   *coffee*
la cerveza   *beer*
la copa de vino tinto/blanco   *glass of red/white wine*
la leche   *milk*
los refrescos / las gaseosas   *sodas*
el té   *tea*
el vino blanco   *white wine*
el vino tinto   *red wine*

Expresiones en un restaurante
Me gustaría beber...   *I would like to drink . . .*
un vaso de agua con/sin hielo   *a glass of water with/without ice*
con/sin gas   *with/without fizz*
un café con/sin azúcar   *coffee with/without sugar*
una taza de té con limón/leche   *a cup of tea with lemon/milk*

Verbos
ayudar   *to help*
brindar   *to toast*
celebrar   *to celebrate*
cocinar la carne   *to cook the meat*
condimentar el guisado   *to spice the stew*
preparar la comida   *to prepare the meal*
probar (o → ue)   *to try (something), to taste*

Pronombres directos
me   *me*
te   *you (informal)*
lo   *him, you (formal), it (masc.)*
la   *her, you (formal), it (fem.)*
nos   *us*
os   *you (informal)*
los   *you (formal), them (masc.)*
las   *you (formal), them (fem.)*

Expresiones
¡Buen provecho!   *Have a nice meal!*
estar en onda   *to be fashionable*
¡Salud!   *Cheers!*

LECCIÓN 9
¿Vacaciones de verano en diciembre?

❈ ENFOQUE ❈

■ METAS COMUNICATIVAS

Usted va a poder nombrar varios tipos de regalos, describir reuniones familiares y describir algunas actividades de su niñez

■ IDIOMA

Nombrar regalos que usted recibió
Nombrar regalos que usted necesita o desea
Sugerir qué regalos comprar
Expresar ideas negativas
Expresar lo que le gusta y no le gusta
Describir experiencias de la niñez

■ VOCABULARIO ESENCIAL

Joyas
Aparatos electrónicos
Equipo deportivo
Otros regalos comunes

■ GRAMÁTICA ESENCIAL

Expresiones afirmativas y negativas
El pretérito contrastado con el imperfecto
Verbos con sentido distinto en el pretérito y en el imperfecto

■ CULTURA

Días festivo-religiosos en los países de habla hispana
Navidad

■ RETO CULTURAL

¿Cómo celebra la gente en Argentina, Chile, Uruguay y Paraguay los días festivos? ¿En qué fechas? ¿Cómo celebra usted las vacaciones de diciembre en Canadá?

Pierre está pasando las vacaciones de Navidad° en la isla de Chiloé con Marina, el tío Pablo y la tía Laura. Los cuatro andan° juntos por la playa.

PIERRE:	Marina, ¿recibiste noticias de Centroamérica? Parece que se enamoraron° tu hermano Francisco y mi amiga Sara.
MARINA:	Sí, lo supe por un mensaje electrónico que me mandó Sara. Después hablé por teléfono con mi hermano. Sabía que le caía muy bien° Sara y cuando ellos decidieron viajar juntos yo sospeché° que pasaba algo.
TÍA LAURA:	Cuando yo era señorita los jóvenes no hacíamos cosas así. La primera vez que viajamos juntos Pablo y yo fue durante nuestra luna de miel°, después de la boda°.
TÍO PABLO:	El mundo era distinto entonces. Pero los tiempos cambiaron, Laura.
TÍA LAURA:	Nadie puede decirme que pudo cambiar algo tan básico.
PIERRE:	Hoy en día, tía, muchos jóvenes paseamos° juntos.
TÍO PABLO:	Yo tampoco entiendo cómo viven los jóvenes, Laura, pero me parece que algunas cosas cambiaron y que no podemos ni negarlo ni condenarlo°. Así es la vida.
TÍA LAURA:	*(a Marina):* Entonces, señorita, ¿vino a Chile como la novia de mi sobrino?
MARINA:	*(se pone roja°):* No, señora. En México Pierre y yo nunca fuimos más que amigos.
TÍO PABLO:	Me imagino que cuando ustedes se conocieron en México nunca pensaron que iban a visitar Chiloé. ¿No es muy bella esta isla? La primera vez que vine a Chiloé los pescadores todavía andaban en lancha°. Hoy usan barcos mucho más grandes.
PIERRE:	Sin embargo, tío Pablo, algunos guardan la costumbre° de vivir en palafitos°.
MARINA:	Me encantan esos palafitos. Chiloé me gusta mucho más que Viña del Mar.[1] Allá todo costaba muy caro.
PIERRE:	Viña del Mar era un lugar° bueno para hacer compras. Allá pude comprar mis regalos de Navidad.
TÍO PABLO:	Esta Navidad vamos a seguir la costumbre chilena de darnos nuestros regalos en la Nochebuena. [2]
PIERRE:	¡Qué bien! Y lo bueno es que no hace frío. Nunca pensé que podía pasar Navidad en un clima de verano. [3]
MARINA:	¡Qué padre! Siempre me voy a acordar° de estas vacaciones con ustedes.

Navidad... *Christmas*
andan... *they walk*
se enamoraron... *they fell in love with each other*
le caía muy bien... *she made a very good impression on him* or *he liked her a lot*
yo sospeché... *I suspected*
luna de miel... *honeymoon*
boda... *wedding ceremony*
paseamos... *we travel*
ni negarlo ni condenarlo... *neither deny it nor condemn it*
se pone roja... *she blushes*
lancha... *motorboat*
guardan la costumbre... *maintain the custom*
palafitos... *houses on stilts*
lugar... *place*
me voy a acordar... *I'm going to remember*

Notas de texto

1. Viña del Mar is the best-known beach resort in Chile. It is known as the "Garden City" because of its subtropical landscape of palm and banana trees.

2. Chileans receive their Christmas gifts either on Christmas Eve (**la Nochebuena**) or on Christmas morning. In some Hispanic countries, such as Spain and Puerto Rico, gifts are exchanged on January 6, **el Día de los Reyes Magos** (*Day of the Wise Men, or Epiphany*).

3. Remember that the seasons are reversed in the Northern and Southern Hemispheres. Therefore, students have their summer vacation from school in December, January, and February.

■ Conexión cultural

¿Sabías que ScotiaBank tiene más de 700 sucursales por toda Latinoamérica y que ha sido nombrado el mejor banco extranjero en Costa Rica y Perú por las revistas *Euromoney* y *Latin Finance*?

9-1 ¿Comprendió Ud.?

A. 1. Sara le caía muy bien a Francisco.
   2. La tía Laura y el tío Pablo viajaron juntos antes de su boda.
   3. Cuando era joven el tío Pablo, los pescadores de Chiloé andaban en lancha.
   4. Viña del Mar no era un buen lugar para hacer compras.
   5. En la Navidad hace mucho frío en Chiloé.

B. Ahora hable con un(a) compañero(a) de clase.
   1. ¿Cuándo son tus vacaciones de verano? ¿Celebras tú alguna fiesta especial durante el verano?
   2. ¿Cómo celebras tú las Navidades, Hanuka, Ramadán, etcétera?
   3. ¿Qué actividades haces tú durante el verano y el invierno?

VOCABULARIO esencial

In this section, you will learn to name gifts that you have received and others that you want to give.

Los regalos   *(Gifts)*

En la joyería   *(In the jewellery store)*

los relojes

los aretes

los anillos

los brazaletes / las pulseras

los collares

En un almacén *(In a department store)*

Equipo electrónico

la calculadora

el reproductor de CD portátil

la computadora / el ordenador (España)

el equipo de sonido

el juego de video

la máquina de afeitar

la máquina de fax

el secador de pelo

la cámara de video

la videocasetera

la radiograbadora

la impresora

el reproductor de DVD

la cámara de fotografía digital

el escáner plano

Equipo deportivo *(Sports equipment)*

el juego de pesas

la caminadora

la patineta

la raqueta, la pelota, el guante de béisbol

Otros regalos

la ropa

las flores

los juguetes

Cómo se habla de los regalos

—El sábado es el cumpleaños de la
Sra. Ramírez.

Saturday is Mrs. Ramírez's birthday.

—¿Qué vas a comprarle?

What are you going to buy (for) her?

—Pensé regalarle algo para el hogar.

*I thought of giving her something for her
home.*

—¿Cuánto quieres gastar?

How much do you want to spend?

—No sé, pero no tengo mucho dinero.

*I don't know, but I don't have much
money.*

—Puedes comprarle un reloj para el
comedor o para la cocina.

*You can buy her a clock for the dining
room or for the kitchen.*

—¿Son caros los relojes?

Are clocks expensive?

—Algunos son caros y otros son
baratos.

*Some are expensive and others are
inexpensive.*

—Pues, creo que voy a regalarle un
reloj para la cocina.

*Well, I think I'm going to give her a clock
for the kitchen.*

—Buena idea.

Good idea.

¡Practiquemos!

9-2 En categorías. Ud. es el (la) gerente de una tienda por departamentos
y tiene que hacer un inventario *(inventory)* de las cosas que hay en el
almacén. Coloque *(Place)* los productos en los siguientes departamentos.

el reproductor de CD portátil
la cámara de fotografía digital
los anillos
el juego de pesas

la patineta
los juegos de video
el secador de pelo
los relojes

Joyería	Equipo electrónico	Equipo deportivo	Juguetes	Para el hogar

 Luego, compare su lista con la de otro(a) estudiante. Hágale las siguientes
preguntas a su compañero(a) de clase.

1. ¿Qué productos tienes en el departamento de equipo electrónico, de
equipo deportivo, de joyería, de juguetes y del hogar?
2. ¿Qué cosas tienes ya de cada departamento?
3. ¿Qué cosas te gustaría comprar de los diferentes departamentos?

9-3 Regalos ideales. Revise la lista anterior del ejercicio **9-2** y piense en un regalo adecuado para las siguientes personas, según su edad y la función indicada. Luego escriba el nombre del regalo.

Persona	Edad	Función	Regalo
la tía Laura	cincuenta y cinco años	cumpleaños	...
Pierre Lemieux	veinte años	Navidad	...
Marina Ramírez	diecinueve años	Navidad	...
Jorge Urrutia	dieciséis años	graduación del colegio *(high-school graduation)*	...
el tío Pablo y la tía Laura	treinta y cinco años	aniversario de matrimonio	...
yo	...	...	...

Luego, compare su lista de regalos con la de otro(a) estudiante. Hágale las siguientes preguntas a su compañero(a) de clase.

1. ¿Dónde vas a comprar el regalo?
2. ¿Cuánto te va a costar el regalo?
3. ¿Por qué no compras un(a)... ?

9-4 ¿Y Ud.? Conozca mejor a un(a) compañero(a) de clase haciéndole estas preguntas.

1. ¿Cuándo fue tu último cumpleaños? ¿Qué regalos recibiste?
2. ¿Qué regalos quieres recibir en tu próximo cumpleaños? ¿De quién?
3. ¿Qué otros regalos recibiste este año? ¿Quién te dio esos regalos?
4. ¿Gastaste mucho o poco dinero comprando regalos este año?
5. ¿A quiénes les diste regalos este año? ¿Qué les regalaste a esas personas?
6. ¿Qué regalos necesitas comprar este año? ¿Para quiénes son? ¿Dónde vas a comprarlos?

9-5 ¡Felicidades! Ud. tiene varios parientes y amigos que van a celebrar sus cumpleaños, matrimonios, graduaciones, etcétera. Lea cada situación y decida a qué departamento va a ir y qué cosas va a comprar allí. Después, compare lo que Ud. escribió con las decisiones de un(a) compañero(a) de clase.

MODELO: Sus amigos Roberto y Carmela necesitan comprar sus anillos de boda o matrimonio *(wedding)*.
Van a una joyería para comprarlos.

Situaciones

1. Su amiga Luciana va a graduarse de la universidad.
2. Su amigo Víctor quiere hacer ejercicio en casa.
3. Su prima Lisa va a cumplir años y quiere tomar fotografías digitales y mandárselas a sus amigos por correo electrónico.
4. Roberto debe comprar ropa para una fiesta especial de cumpleaños.
5. Su hermano quiere regalarle a su novia unos aretes para el matrimonio.

CULTURA

La religión en Latinoamérica

Los españoles trajeron a América la religión católica desde el siglo XV, cuando Cristóbal Colón descubrió *(discovered)* América, en 1492. En América, las civilizaciones indígenas tenían su propia *(own)* religión y sus propios dioses *(gods)*. Los dioses tenían diferentes funciones: el dios de la lluvia, el dios de la guerra *(war)*, la diosa de la agricultura, etcétera. Los indígenas notaron *(noticed)* que los santos *(saints)* de los católicos tenían también sus propias funciones. Es por eso que los santos tienen mucha importancia en Latinoamérica y en muchos pueblos la fiesta más importante del año es la fiesta del santo patrón *(patron saint)* o de la santa patrona. A estos santos, hay que agregarles *(add to them)* las creencias *(beliefs)* de los esclavos *(slaves)* de África que llegaron a América en el siglo XVI. Así, en la religión y en la cultura de varios países latinoamericanos se siente la influencia del elemento europeo, indígena y africano.

Preguntas. Hágale preguntas a otro(a) estudiante.

1. ¿Cuál es la fiesta más importante que celebran en tu pueblo/ciudad?
2. ¿En qué mes es la celebración?
3. ¿Qué haces en esa celebración?
4. ¿Qué elementos religiosos existen en la cultura de Canadá?

GRAMÁTICA esencial

Affirmative and Negative Words

In this section, you will learn more ways to make affirmative and negative statements in Spanish.

Affirmative and Negative Expressions			
algo	something, anything	nada	nothing, not... at all
alguien	someone, anyone	nadie	nobody, no one, not anyone
algún	some, any	ningún	no, none, not any
alguno(a/os/as)	some, any	ninguno(a)	no, none, not any
siempre	always	nunca	never, not ever
también	also, too	tampoco	neither, not... either
o... o	either... or	ni... ni	neither... nor

How to use these expressions

1. In a Spanish negative sentence, at least one negative comes before the verb. There are often several negatives in one sentence.

—¿Recibiste **algunas** cartas?　　*Did you receive **some** letters?*
—No, **no** recibí **ninguna**.　　*No, I did**n't** receive **any**.*

Use **ningún** before masculine singular nouns. **Ningún** and **ninguna** do not have plural forms.

—¿Tienes **algunos** amigos chilenos?   *Do you have **any** friends from Chile?*

—No, no tengo **ningún** amigo chileno.   *No, I don't have **any** Chilean friends.*

2. Omit the word **no** if a negative word precedes the verb.
   No + verb + negative word   →   Negative word + verb

   No viene **nadie** conmigo.   →   **Nadie** viene conmigo.
   No voy **nunca** al centro.   →   **Nunca** voy al centro.

3. The words **alguno**, **alguna**, **algunos**, and **algunas** are adjectives; use **algún** before a masculine singular noun in the affirmative.

   —¿Hay **algún** postre, Sr. Urrutia?   *Is there **any** dessert, Mr. Urrutia?*
   —Sí, hay **algunas** tortas.   *Yes, there are **some** cakes.*

4. Place **ni** before a pair of nouns or verbs to express *neither and/or nor*.

   —¿Prefieres ropa o joyas para tu regalo?   *Do you prefer clothing or jewellery for your present?*
   —No quiero **ni** ropa **ni** joyas.   *I want **neither** clothes **nor** jewellery.*

   —¿Prefieres correr o jugar al tenis hoy?   *Do you prefer to jog or to play tennis today?*
   —No quiero **ni** jugar al tenis **ni** correr.   *I want **neither** to play tennis **nor** to jog.*

¡Practiquemos!

9-6 Entre dos amigas chilenas. La tía Laura y su amiga Carmela hablan sobre sus actividades durante el día de Navidad. Complete la siguiente conversación, usando **también**, **tampoco**, **siempre** y **nunca** para saber lo que ellas y sus familias hacen.

TÍA LAURA: Mi familia _____ almuerza en casa el día de Navidad. Es más barato que comer en algún restaurante.

CARMELA: Estoy de acuerdo contigo, Laura. Nosotros _____ comemos en un restaurante ese día. ¿Y sabes qué? Mi futuro esposo Roberto _____ me va a ayudar a preparar la cena navideña *(Christmas dinner)* este año.

TÍA LAURA: ¡Qué bueno, Carmela! Roberto es muy simpático. ¿Van a abrir Uds. los regalos el 25 de diciembre?

CARMELA: No, _____. Nos gusta abrirlos _____ el 24 en la noche.

TÍA LAURA: A nosotros _____.

9-7 Entre esposos. El tío Pablo y la tía Laura están conversando en casa. Complete las dos conversaciones siguientes, usando **algo**, **nada**, **alguien**, **nadie**, **o... o** y **ni... ni**.

TÍA LAURA:	Pablo, voy al supermercado porque no hay casi _____ en el refrigerador. ¿Quieres comer _____ especial esta noche?
TÍO PABLO:	No, gracias, querida. No quiero comer _____ más hoy porque comí mucho en el almuerzo.
TÍA LAURA:	Bueno. Hasta luego, querido.
(MÁS TARDE...)	
TÍA LAURA:	¡Hola, cariño (honey)! Oye, conocí a _____ en el supermercado que te conoce.
TÍO PABLO:	Ah, ¿sí? Debe ser _____ un amigo _____ un compañero de trabajo. ¿Quién es?
TÍA LAURA:	No es _____ un amigo _____ un compañero tuyo (of yours). Se llama Enriqueta Reyes.
TÍO PABLO:	¿Cómo? ¿Enriqueta Reyes? No conozco a _____ con ese nombre.
TÍA LAURA:	¿No? Pues, ella me dijo que fue tu novia una vez.
TÍO PABLO:	¿Mi novia? ¡Imposible! _____ estás bromeando (you are kidding) _____ estás jugando conmigo, Laura.

9-8 De mal humor. Pierre está de mal humor y por eso les contesta negativamente a sus amigos hoy. ¿Qué les dice?

MODELO: BEN: ¿Quieres ir a bucear conmigo? (nadie)
　　　　　PIERRE: *No quiero ir a bucear con nadie.*

Amigos　　　　　　　　　　　　　　　　　　　　　　**Pierre**
1. Raúl:　¿Quieres jugar al fútbol con nosotros?　(nadie)
2. Patricia:　¿Tienes ganas de hacer algo hoy?　(nada)
3. Ben:　¿Te gustaría ir a alguna tienda?　(ninguna)
4. Samuel:　¿Quieres ir al parque a correr?　(tampoco)
5. Gloria:　¿Prefieres jugar al tenis o patinar?　(ni... ni)
6. Tomás:　¿No haces mucho ejercicio hoy, Pierre?　(ningún)

 9-9 Plan para visitar Chile. Ud. y un(a) compañero(a) de clase quieren planear un viaje a Chile. Hablen de lo que Uds. quieren o no quieren hacer.

MODELO: ir a Chile en julio
　　　　　—*Yo no quiero ir a Chile en julio; hace mucho frío.*
　　　　　—*Yo tampoco. Yo prefiero ir en enero cuando hace frío aquí en Winnipeg.*

1. querer ir a Santiago o a la playa en Viña del Mar
2. comprar algunas botellas de vino chileno para traérselas a algunos amigos
3. ir a algún partido de fútbol
4. celebrar alguna fiesta navideña con algunas personas chilenas

9-10 Mis preferencias. Hable con otro(a) estudiante, usando las oraciones incompletas como guías. La línea en blanco (_____) indica que Ud. debe usar palabras apropiadas.

MODELO: Siempre me gusta jugar *al tenis* con mi *amigo Brian*.

En el verano me gusta jugar _____ con algunos(as) _____. También me gusta _____, pero casi nunca juego _____ porque... Tampoco me gusta _____ porque... En el invierno me gusta _____ en _____ donde siempre hace _____. En el invierno, normalmente no juego ni _____ ni _____ porque... Algún día quiero aprender a _____ con alguien muy _____.

CULTURA

■ La Navidad

La Navidad es una de las fiestas religiosas celebradas con más alegría *(happiness)* en el mundo hispano. En España, la Navidad comienza el 8 de diciembre con la fiesta de la Virgen María, la Inmaculada Concepción. Se celebra con un baile de seis niños cerca de la Catedral Gótica en Sevilla.

El 24 de diciembre o Nochebuena *(Christmas Eve)*, se celebra en familia junto al nacimiento *(nativity scene)* que hay en todas las casas. Un dulce tradicional para la Navidad es el turrón *(almond candy)*, un tipo de caramelo de almendras *(almonds)*. Los niños en España y Puerto Rico reciben regalos en la fiesta de Epifanía o la fiesta de los Reyes Magos *(Wise men)*, el 6 de enero.

Celebración navideña en Burgos, España.

En México, la celebración de la Navidad comienza el 16 de diciembre con las posadas *(inns)*, que cuentan la historia de María y José en busca de un lugar donde dormir en Belén *(Bethlehem)*. La familia y los amigos visitan a otros amigos hasta que una familia abre la puerta e invita a pasar a todos a la casa donde hay puesto un nacimiento y donde se sirve de comer a los invitados, mientras que los niños rompen la piñata.

En Venezuela, la celebración empieza el 16 de diciembre con misas muy temprano, a las cuatro de la mañana. Estas misas se llaman Misa de Aguinaldo *(early morning Mass)*. En Caracas, se acostumbra patinar *(to roller skate)* después de la misa y muchas calles se cierran hasta las ocho de la mañana. Después de la misa, las personas comen arepas *(flat pancakes made from white corn flour)* y toman café y chocolate caliente.

Preguntas. Converse con un(a) compañero(a) de clase.

1. Describa la foto. ¿Qué están celebrando?
2. ¿Cómo se celebra la Nochebuena en España?
3. ¿Qué son las posadas? ¿Cuándo se rompen las piñatas?
4. ¿Cómo se celebra la Navidad en Venezuela?
5. ¿Cómo se celebran las fiestas religiosas en tu ciudad y en tu familia?

GRAMÁTICA esencial

Preterite and Imperfect Tenses

In this section, you will practise narrating in the past. In **Lecciones 6** and **7** the preterite tense was studied and practised. In **Lección 8** the imperfect tense was introduced and practised. In this section, the two tenses will be combined to study how to express the past in Spanish.

How to use the preterite

The preterite is used to describe completed actions or events. It is also used to indicate changes in mental or physical states that occurred at a certain point in the past, often as a reaction to something else that happened.

1. Completed actions or a series of actions

> En Monterrey, México, Lisa **conoció** a la familia Ramírez. Ella **vivió** en Monterrey el verano pasado. **Estudió** negocios y después **trabajó** para Scotiabank Inverlat en la Ciudad de México. A Lisa le **gustó** mucho su experiencia en México.

2. Completed events

> Pierre **terminó** sus cursos en la universidad y **decidió** ir a visitar a sus tíos en Chile. Cuando **llegó** a Santiago de Chile, **tuvo** que tomar un autobús por dos horas para llegar a Rengo, la zona de los viñedos donde viven el tío Pablo y la tía Laura. Pierre **aprendió** mucho sobre el negocio de los vinos.

3. Completed mental and physical states

> Después de que **llegaron** a Panamá, Sara y Francisco **tomaron** un taxi que los **llevó** al hotel. Al llegar al hotel, **hablaron** con Lisa por teléfono y enseguida **se acostaron.** Al día siguiente, ellos **se levantaron** muy bien y con mucha energía para pasear todo el día.

4. Expressions that are frequently used with the preterite:

> Ayer, anoche, la semana pasada, un fin de semana, el verano pasado, el año pasado, de repente, enseguida, en un momento...

How to use the imperfect

1. The imperfect is used to describe past actions and events that were repeated habitually. In English, we often express these actions with *used to* or *would* + a verb: *Lisa used to live in Ottawa. Every winter she would go skiing in Collingwood, Ontario.* The imperfect describes how people, places, things, events, and conditions were or how they used to be.

Todos los inviernos, Lisa, sus padres y sus hermanos **iban** a esquiar a la "Montaña Azul" cerca de Collingwood, Ontario. **Hacía** mucho frío y **había** mucha nieve, por eso ellos **esquiaban** muy bien. Todos **se divertían** mucho durante el invierno.

2. The imperfect is also used to describe actions and conditions that were in progress in the past. The person describing them tells what was happening, often when something else was going on at the same time. When telling a story, the imperfect sets the scene. External conditions such as time, date, and weather are usually expressed with the imperfect.

   Eran las cinco de la mañana y **hacía** buen tiempo en el viñedo. Mientras Pierre y el tío Pablo **trabajaban**, la tía Laura y Marina **preparaban** el desayuno de café con leche, pan, queso y mermelada. Ellos siempre **tenían** mucha hambre por la mañana.

3. The imperfect is used to describe people's appearance, age, physical traits, and feelings.

   Marina **estaba** muy contenta de estar en Santiago de Chile para visitar a Pierre. Y él **estaba** muy entusiasmado con su nuevo trabajo en el viñedo.

4. Expressions that are often used to imply the imperfect

   Todos los inviernos, siempre, casi siempre, todos los días, durante...

How to use the preterite and imperfect together

Spanish speakers often use these two tenses together to describe past experiences and to put past actions and events within the framework of what was happening at the time they occurred.

   Para el desayuno todos **tenían** mucha hambre. Por eso, la tía Laura les **preguntó** si ellos **querían** comer algo más. El tío Pablo **contestó** que **estaba** bien con un buen café y pan con queso. A Pierre y a Marina les **gustaba** mucho este tipo de desayuno.

In summary, the imperfect sets the stage for a narration by describing the background, such as the weather, the time, and what was going on. The preterite, on the other hand, describes the sequence of the actions and events that took place within the setting established by the imperfect.

¡Practiquemos!

9-11 **¿Pretérito o imperfecto?** Lea las siguientes oraciones y decida si las acciones de estas personas se deben describir usando el pretérito o el imperfecto.

MODELO: Lisa _asistió_ (asistió / asistía) a la universidad en México el semestre pasado.

1. Lisa _____ (vivió / vivía) en Monterrey por un semestre.
2. Lisa _____ (hizo / hacía) su internado con Scotiabank Inverlat en la Ciudad de México de junio a agosto.
3. Pierre _____ (estuvo / estaba) muy contento cuando Marina llegó a visitarlo.
4. Pierre y Marina siempre _____ (fueron / iban) a los partidos de fútbol en Santiago.
5. Los amigos de Pierre y Marina _____ (fueron / iban) a Centroamérica a visitar a su familia el verano pasado.
6. Sara y Francisco _____ (visitaron / visitaban) los parques nacionales en Costa Rica en julio.
7. Los padres de Luis Chávez _____ (estuvieron / estaban) felices durante el verano con la visita de su hijo.
8. Sara y Francisco _____ (viajaron / viajaban) juntos a Panamá donde _____ (hizo / hacía) mucho calor.

9-12 **Querida amiga…** Marina está escribiéndole una carta a Sara sobre lo que hizo en Chile. Complete la carta y escoja la forma correcta de los verbos. Decida entre el imperfecto o el pretérito.

> Querida Sara,
>
> Cuando llegué a Santiago, el aeropuerto (fue / era) muy grande y Pierre me (esperó / esperaba) con mucha paciencia. Afuera del aeropuerto (hizo / hacía) mucho sol y mucho calor. (Fue / Era) verano en Chile. ¡Qué feliz (estuve / estaba)!
>
> Al día siguiente, Pierre me (buscó / buscaba) en el hotel y nos (fuimos / íbamos) a pasear por la capital. Nosotros (paseamos / paseábamos) por el Mercado Central y yo (compré / compraba) unos regalos para mi familia. Luego nosotros (vimos / veíamos) el Palacio de la Moneda y (caminamos / caminábamos) por el Paseo Ahumada. Yo (entré / entraba) al Museo de Santiago y Pierre (tomó / tomaba) fotos con su nueva cámara digital. Al mediodía, nosotros (almorzamos / almorzábamos) en un restaurante chileno. Por la tarde, nosotros (seguimos / seguíamos) caminando para conocer la ciudad. Santiago es una ciudad muy bonita y cosmopolita. Te escribo pronto, Marina

9-13 La respuesta de Sara. Ahora Sara le escribe a Marina un mensaje electrónico en que le cuenta las actividades que ella y sus amigos hicieron en Centroamérica.

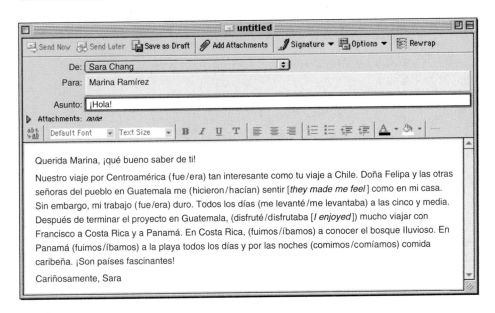

Querida Marina, ¡qué bueno saber de ti!

Nuestro viaje por Centroamérica (fue/era) tan interesante como tu viaje a Chile. Doña Felipa y las otras señoras del pueblo en Guatemala me (hicieron/hacían) sentir [they made me feel] como en mi casa. Sin embargo, mi trabajo (fue/era) duro. Todos los días (me levanté/me levantaba) a las cinco y media. Después de terminar el proyecto en Guatemala, (disfruté/disfrutaba [I enjoyed]) mucho viajar con Francisco a Costa Rica y a Panamá. En Costa Rica, (fuimos/íbamos) a conocer el bosque lluvioso. En Panamá (fuimos/íbamos) a la playa todos los días y por las noches (comimos/comíamos) comida caribeña. ¡Son países fascinantes!

Cariñosamente, Sara

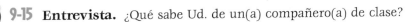

9-14 El último viaje. Pregúntele a un(a) compañero(a) de clase lo que hizo en su último viaje y cómo se sentía cuando lo hizo.

MODELO: ir de viaje la última vez
—¿Adónde fuiste de viaje la última vez?
—Fui con mis hermanos a esquiar en Alberta por primera vez.

1. tener miedo de esquiar
2. describir el tiempo
3. comer en diferentes restaurantes
4. conocer a nuevas personas
5. hacer otras actividades: bailar, hablar, leer, descansar...

9-15 Entrevista. ¿Qué sabe Ud. de un(a) compañero(a) de clase?

1. Su niñez: ¿Dónde vivías cuando eras niño(a)? ¿Por cuánto tiempo viviste allí? ¿Te gustaba vivir allí? ¿Por qué? ¿Tenías muchos o pocos amigos? ¿Cómo eran tus amigos? ¿Tenías miedo cuando fuiste a la escuela por primera vez? ¿Cómo se llamaba tu escuela? ¿Qué actividades hacías? ¿Cómo celebrabas tu cumpleaños? ¿Te hacían piñatas?
2. Su adolescencia: ¿Cómo se llamaba tu escuela secundaria y dónde estaba? ¿Dónde vivías? ¿Tenías novio(a)? ¿Cómo era tu novio(a)? ¿Qué hacías los fines de semana? ¿Qué deporte practicabas? ¿Adónde iban de vacaciones tú y tu familia? ¿Qué hacían allí?

GRAMÁTICA esencial

Verbs with different meaning in the preterite and the imperfect

In Spanish, if you use the preterite or the imperfect with some verbs, the meaning will vary.

conocer

Preterite

It means *met*.
Conocí a Pierre en la universidad.
*I **met** Pierre at the university.*

Imperfect

It means *knew, was acquainted with*.
Lisa ya **conocía** México antes de vivir en Monterrey.
*Lisa already **knew** Mexico before she lived in Monterrey.*

saber

Preterite

It means *found out* or *learned*.
Francisco **supo** la verdad sobre Tikal.
*Francisco **found out** the truth about Tikal.*

Imperfect

It means *knew, had knowledge*.
Sara **sabía** que la cultura maya era muy importante en Guatemala.
*Sara **knew that** the Mayan culture was very important in Guatemala.*

poder

Preterite

It means *succeeded in* when used affirmatively.
Tomás **pudo** ayudar a su papá en el trabajo.
*Tomás **succeeded in** helping his father at work.*

Imperfect

It means *was able*.
Tomás **podía** trabajar en Panamá, aunque no había mucho trabajo.
*Tomás **was able** to work in Panamá, even though there wasn't much work.*

When used negatively, it means *failed*.
Sara y Francisco **no pudieron** visitar a Pierre en Chile.
*Sara and Francisco **failed** to visit Pierre in Chile.*

¡Practiquemos!

9-16 En Hispanoamérica. Vamos a recordar *(to remember)* lo que les pasó a Lisa, a Pierre y a Sara en Hispanoamérica. Escoja *(Choose)* el pretérito o imperfecto de los verbos, según el contexto.

MODELO: Lisa (<u>pudo</u> / podía) vivir en México por seis meses antes de visitar Sudamérica.

1. Marina (pudo / podía) llegar a Santiago después de muchos problemas en el aeropuerto de México.
2. Sara y Francisco (no supieron / no sabían) que el Canal de Panamá era tan bonito.
3. Pierre (conoció / conocía) a sus tíos el mismo día que llegó a Chile.
4. Pierre (pudo / podía) pasear con Marina y mostrarle la ciudad de Santiago después de comenzar a trabajar en los viñedos.
5. Lisa (no supo / no sabía) nada del trabajo de los bancos canadienses en Hispanoamérica antes de trabajar para Scotiabank Inverlat.

9-17 En la clase. Los estudiantes de la clase fueron a hablar con el profesor Vogh. ¿Qué pasó? Escoja el pretérito o imperfecto de los verbos, según el contexto.

MODELO: Lisa (<u>supo</u> / sabía) que el examen era la semana próxima.

1. El Sr. Hernández (conoció / conocía) al nuevo profesor.
2. Kirsten y Jenn (pudieron / podían) ayudar al profesor Vogh con los programas de la computadora.
3. Yo ya (conocí / conocía) a algunos de mis nuevos compañeros y (pude / podía) hablar con ellos en la oficina del profesor.
4. Nosotros (no pudimos / no podíamos) hablar uno por uno *(one by one)* con el profesor porque él estaba muy ocupado.
5. ¿(Supiste / Sabías) que las tareas eran muy difíciles antes de hablar con el profesor?
6. Ellos (pudieron / podían) hablar con el profesor un momento y pedirle el teléfono de su oficina.

9-18 Situaciones. En parejas, traten de resolver las siguientes situaciones.

- Todos los años Ud. le regalaba a su esposo(a), novio(a) o a su mejor amigo(a) flores para su cumpleaños, pero este año quiere regalarle algo muy especial. Ahora está en la tienda por departamentos y el (la) vendedor(a) (compañero[a] de clase) le hace preguntas sobre los regalos. Ud. da su opinión sobre lo que le gusta a la persona para quien usted busca el regalo. ¿Qué le regaló a esa persona el año pasado? ¿Le gustó el regalo? ¿Por qué sí o no? ¿Qué le quiere regalar este cumpleaños? ¿Puede regalarle... ?
- Ustedes no pudieron ir a trabajar ayer. Su jefe(a) (compañero[a] de clase) va a hacerles preguntas. Uds. tienen que responder y explicar la razón por la que no fueron a trabajar.

■ Ud. tiene una entrevista de trabajo (en una tienda por departamentos) y su entrevistador(a) (compañero[a] de clase) le va a hacer preguntas sobre su vida. ¿Qué hacía Ud. antes de este trabajo? ¿Dónde trabajaba? ¿Dónde vivía? ¿Dónde estudió y qué? ¿Por qué desea este trabajo y en qué departamento le gustaría trabajar?

■ RETO CULTURAL

Ud. está de vacaciones en Santiago de Chile en el mes de diciembre. Ud. vive con una familia chilena para estudiar y practicar español. Quiere saber qué celebran y cómo celebran las Navidades en Santiago y por eso habla con alguien (compañero[a] de clase) sobre esto. Luego, hagan una comparación de las celebraciones navideñas en Chile y en Canadá.

- ¿Qué fiestas especiales celebran? ¿Cómo celebran las Navidades en Chile o en algún país de Latinoamérica?
- ¿Qué deporte podemos practicar durante esta estación en Chile, Argentina, Uruguay o Paraguay?
- ¿Adónde va la gente de vacaciones en Chile o Argentina?

¡Practiquemos más!

For additional practice on the material covered in this chapter, go to **Lección 9** of the *Intercambios* *Workbook/Laboratory Manual*.

For additional grammar, vocabulary, and conversation practice, go to **Lección 9** of the *Flex-Files*.

Atajo *Writing Assistant Software for Spanish* can be used to complete the writing activities in your *Workbook/Laboratory Manual*.

Intercambios *Video:* Activities to accompany the *Intercambios* *Video* can be found in the *Flex-Files*.

Visit *Intercambios* on the World Wide Web at **http://www.intercambios.nelson.com**.

Sustantivos
el hogar *home*
la Navidad *Christmas*
los palafitos *houses on stilts*
la tienda por departamentos
department store

En la joyería
el anillo *ring*
los aretes *earrings*
el brazalete *bracelet*
el collar *necklace*
las joyas *jewellery*
la pulsera *bracelet*
el reloj *watch*

Equipo electrónico
la calculadora *calculator*
la cámara de fotografía digital
digital camera
la cámara de video *videocamera*
la computadora / el ordenador
(España) *computer*
el disco compacto *CD*
el equipo de sonido *boombox*
el escáner plano *scanner*
la impresora *printer*
el juego de video *video game*
la máquina de afeitar *electric razor*
la máquina de fax *fax machine*

la radiograbadora *radio-cassette player*
el reproductor de CD portátil
portable CD player
el reproductor de DVD *DVD player*
el secador de pelo *blow dryer*
la videocasetera *VCR*

Equipo deportivo
la caminadora *static walker*
el guante de béisbol *baseball glove*
el juego de pesas *weights*
la patineta *skateboard*
la pelota *ball*
la raqueta *racket*

Otros regalos
las flores *flowers*
el juguete *toy*
la ropa *clothing*

Verbos
abrir *to open*
costar (o ➙ ue) *to cost*
gastar *to spend (money)*
pasar *to spend (time)*
poner *to play (e.g., a stereo)*
regalar *to give (as a gift)*

Adverbio
junto *near, close, at the same time*

Expresiones afirmativas
algo *something, anything*
alguien *somebody, someone, anyone*
algún *some, any*
alguno(a/os/as) *some, any*
o... o *either . . . or*
siempre *always*
también *also, too*

Expresiones negativas
nada *nothing, not . . . at all*
nadie *nobody, no one, not anyone*
ningún *no, none, not any*
ninguno(a) *no, none, not any*
ni... ni *neither . . . nor*
nunca *never, not ever*
tampoco *neither, not . . . either*

Expresiones
¡Feliz Navidad! *Merry Christmas!*
Lo pasamos muy bien. *We had a good time.*
Me parece increíble. *It seems incredible to me.*
¡Regio! *Great!*

Palafitos

PERSPECTIVAS

IMÁGENES   Los pasatiempos en Chile

 Antes de leer: **Discuta estas preguntas con dos o tres compañeros de clase.**

1. ¿Cuáles son sus pasatiempos favoritos? ¿Qué le gusta hacer a usted en su tiempo libre?

2. ¿Cuáles son los pasatiempos de las personas en Chile?

3. ¿Qué hacen y cómo se divierten los chilenos en el invierno?

4. ¿En qué meses es el verano y en qué meses es el invierno en Chile?

La geografía de Chile

La geografía de Chile es muy variada. El país tiene una extensión de 4.300 kilómetros y va desde el desierto *(desert)* en el norte, donde nunca llueve, hasta los glaciares en el sur en la Patagonia donde nieva regularmente. Chile limita *(borders)* con el Océano Pacífico por el oeste y por el este con la cordillera de los Andes. La costa de Chile tiene playas magníficas para pescar, nadar, bucear y hacer surfing. Chile posee dos islas muy interesantes y misteriosas como son la Isla de Pascua a 3.700 km y la de Juan Fernández a 700 km al oeste de la costa chilena.

Los pasatiempos en Chile

Debido a su variada geografía, Chile puede ofrecer a sus habitantes y a sus visitantes una variedad de pasatiempos especiales en diferentes estaciones del año, como por ejemplo caminar por las montañas, montar a caballo, practicar deportes acuáticos *(water sports),* esquiar en las altas montañas de los Andes y jugar al fútbol. En Chile hay más de ciento cuarenta clubes que juegan al fútbol regularmente.

Las canchas de esquí del centro del país (a solamente dos o tres horas de Santiago, la capital) son las más altas y las mejores equipadas *(best equipped)* para esquiar. Estas canchas *(ski runs)* ofrecen una gran cantidad de servicios para los esquiadores como hoteles, restaurantes de comida típica y de comida internacional, clases de esquí, canchas de *snowboard,* patinaje sobre hielo, etcétera. También hay oportunidades para hacer *heli-skiing* y esquí *off-piste* con la compañía de un guía. Los precios *(prices)* de estos paquetes *(packages)* de esquí son más baratos que en Canadá y Europa. Y la temporada *(season)* va desde finales de junio hasta principios de octubre, pero la cantidad de nieve varía de año a año.

¡A leer!

Guessing from Context

Efficient readers use effective strategies for guessing the meaning of unfamiliar words and phrases in a reading selection. For example, they rely on what they already know about the reading topic (background information), they guess what the reading will be about (prediction), and they use ideas they understand in the passage (context).

Background information

1. What do you do in your leisure time?
2. When do you take time off to do the activities you like to do?
3. Do you do these activities by yourself or with friends?

Prediction

1. What would you like to do if you had more free time?
2. What countries would you like to visit?
3. What sports would you like to practise more?

Context

1. What is the main purpose of this article?
2. What is the tone of the writer, factual or opinionated?

¿Comprendió Ud.?

Lea las siguientes oraciones. Luego indique si son ciertas o falsas, según la lectura. Si las oraciones son falsas, corríjalas.

1. La geografía del norte de Chile es muy diferente a la geografía del sur.

2. Chile posee tres islas misteriosas al oeste de su costa.

3. En Chile las personas no pueden practicar deportes acuáticos.

4. En Chile se puede esquiar de junio a octubre.

5. Las canchas de esquí les ofrecen muchos servicios a sus visitantes.

6. Los precios de los paquetes para esquiar son más caros en Chile que en Canadá.

¿Qué dice Ud.?

Piense en las siguientes preguntas. Luego exprese sus ideas y opiniones por escrito o con un(a) compañero(a) de clase, según las indicaciones de su profesor(a).

1. ¿Les gustaría esquiar en Chile mientras que en Canadá es verano?

2. ¿Les gustaría visitar la Patagonia y los glaciares o la Isla de Pascua con sus enormes estatuas de piedra llamadas *moais*?

Los Chilenos en Canadá

CD3 - 12, 13

De acuerdo a Statistics Canada, hay 34,115 chilenos que viven en todas partes del país. La mayoría de estas personas vive en Quebec y Ontario pero hay chilenos también en todas las provincias y territorios de Canadá. En la ciudad de Montreal habitan casi diez mil chilenos que han establecido negocios y centros culturales; un número similar se ha radicado en Toronto. También hay muchos chilenos en otros centros urbanos como Calgary, Edmonton y Vancouver.

La primera ola de inmigrantes chilenos llegó a Canadá durante el gobierno de Salvador Allende democráticamente elegido a la presidencia de Chile en 1970. El 11 de septiembre de 1973 un golpe militar derrocó el gobierno socialista de Allende. La dictadura de Augusto Pinochet, quien reemplazó a Allende, duró hasta 1990. Debido a la política socialista que siguió el gobierno de Allende, muchos chilenos tuvieron que exiliarse. Sin embargo, el grupo más grande de chilenos que salió del país, lo hizo después del golpe de estado.

Golpe de estado en Chile, 1973

Inicialmente, los refugiados chilenos llegaron a Canadá en grupos pequeños que pedían asilo político en la Embajada canadiense en Santiago; ésas eran las primeras víctimas de la guerra militar en contra del comunismo. Cuando grupos religiosos y organizaciones no gubernamentales se empezaron a movilizar para que Canadá ayudara a los refugiados de Chile, el gobierno implementó un programa migratorio especial para el gran número de personas que eran víctimas de abusos de los derechos humanos.

Los chilenos han continuado emigrando a Canadá, aunque algunos han regresado a su país para rehacer sus vidas.

Muchos de estos inmigrantes chilenos eran profesionales y han podido contribuir a la vida intelectual, económica y política de Canadá. Su presencia se puede apreciar en todas las esferas de la vida social y cultural; hay cantantes, pintores, escritores, políticos y gente de negocios que ayudan a enriquecer la experiencia multicultural canadiense.

Oscar López, músico, Calgary

Luis Torres, poeta y profesor,
Universidad de Calgary

¡A escribir!

Editing Your Writing

Editing your written work is an important skill to master. It is a good idea to edit it several times; for example, check your composition for the following:

Content

▶ 1. Does the title capture the reader's attention?

▶ 2. Is the information interesting to the reader?

▶ 3. Is the information pertinent to the topic?

Organization

▶ 1. Is there one main idea in the paragraph?

▶ 2. Do all the sentences relate to one topic?

▶ 3. Is the order of the sentences logical?

Cohesion and style

▶ 1. Can you connect any sentences with **y (e)**, **que**, **pero**, or **donde**?

▶ 2. Can you begin any sentences with **después** or **luego**?

▶ 3. Can you avoid repeating any nouns by using direct object pronouns?

Actividad

Escoja un tema y escriba uno o dos párrafos:

- Imagine que usted estaba en Chile cuando ocurrió el golpe de estado en contra de Salvador Allende. Escríbale una carta a un amigo(a) de Montreal sobre la situación y coméntele sobre los planes que sus padres tienen de emigrar a Canadá, y sobre cómo se siente usted al respecto.

- Imagine que usted trabaja para la revista Picante Xpress que se publica en Toronto y tiene que escribir una reseña literaria y una sobre música. Escoja las obras de artistas chilenos y explique por qué cree que son grandes ejemplos para otros hispanos en Canadá.

Para editar y revisar:

- Después de escribir su párrafo, léalo tres veces y edítelo.

- La primera vez, revise el vocabulario y la gramática.

- La segunda vez, revise la organización del párrafo.

- La tercera vez, revise el estilo del párrafo.

- Haga los cambios necesarios en el párrafo.

Cambie su párrafo con el de un(a) compañero(a) de clase y revísenlos. Luego, escriba el párrafo por segunda vez y déselo a su profesor(a) para la corrección final.

De compras

Bandera de Argentina

PARAGUAY

CHILE

ARGENTINA

URUGUAY

★ Buenos Aires

CORDILLERA DE LOS ANDES

TIERRA DEL FUEGO

VENEZUELA

Océano
Atlántico

COLOMBIA

SURINAM
GUYANA GUAYANA
FRANCESA

ECUADOR

BRASIL

PERÚ

BOLIVIA

Océano
Pacífico

CHILE   PARAGUAY

ARGENTINA

URUGUAY

CORDILLERA DE LOS ANDES

TIERRA DEL FUEGO

Bandera de Venezuela

Bandera de Colombia

Caracas ★
VENEZUELA

Bogotá ★

COLOMBIA

Bogotá, Colombia

El centro de Buenos Aires, Argentina

El barrio de la Candelaria, Bogotá, Colombia

Lisa Turner se gana una beca para estudiar los negocios en Hispanoamérica. En Argentina Lisa conoce al Señor Renzetti, un vendedor de vino. Visita MÁXIMO, una tienda por departamentos en Caracas, Venezuela, y después va sola a la playa. En Colombia, donde viaja con Marina Ramírez, conoce a la familia Herrera, dueños de una hacienda de café.

El Salto Ángel, Venezuela

LECCIÓN 10
¿Deseas algo más?

EN CONTEXTO CD3 - 14, 15

beca... *scholarship*
gira... *tour*
mío... *of mine*
Ve a visitarlo... *go to see
    him (informal
    command)*
Conoce... *get to know
    (informal command)*
muéstreme... *show me
    (formal command)*
mercancías...
    merchandise
Dígame... *tell me
    (formal command)*
dueño... *owner*
socio... *business partner*
¡No te olvides...!... *Don't
    forget (informal
    command)*
Saboréalo... *Enjoy it
    (informal command)*
parrillada... *mixed grill*

*Después de su curso en Monterrey, Lisa Turner trabajó para Scotiabank Inverlat
en la Ciudad de México. En el otoño se ganó una beca° para estudiar los negocios
en Hispanoamérica. La primera etapa de su gira° la llevó a Buenos Aires,
Argentina. [1] El señor Renzetti, un vendedor de vino, le habla de su negocio.*

LISA:	Buenas tardes, Señor Renzetti. Me llamo Lisa Turner. Soy estudiante de negocios en Canadá.
SEÑOR RENZETTI:	Buenas tardes. Mucho gusto. *(Señala una botella en la mesa.)* Mira esa botella. La calidad de nuestro vino argentino es tan alta como la de los mejores vinos franceses e italianos. También en Chile se produce buen vino.
LISA:	Sí, lo sé. Un compañero de clase mío° está trabajando en un viñedo en Chile.
SEÑOR RENZETTI:	Ve a visitarlo° si puedes. Conoce° el vino en el lugar donde se produce.
LISA:	Desgraciadamente no tengo tiempo para ir a Chile. Por favor, señor, muéstreme° sus mercancías°.
SEÑOR RENZETTI:	La botella en la mesa es mejor que los vinos que se compran en los supermercados. Pero este vino.... *(le muestra otra botella)* ...éste es el mejor vino de todos.
LISA:	*(mirando la botella)* Dígame°, señor ¿cómo decide usted el precio del vino?
SEÑOR RENZETTI:	No soy el único dueño° de este negocio. Por eso, siempre hablo con mi socio°. Decidimos el precio juntos. Si ponemos un precio alto la ganancia por botella es mayor pero vendemos una menor cantidad de botellas.
LISA:	Y, ¿por qué vende usted vino?
SEÑOR RENZETTI:	En mi familia hay una tradición larga de trabajar con el vino. Mis antepasados inmigraron a Argentina desde Italia. Muchos argentinos tienen antepasados italianos.
LISA:	¡Y muchos canadienses también! Mi madre nació en Italia. Pero no hablo italiano muy bien.
SEÑOR RENZETTI:	¡No te olvides° de tu italiano! *(Abre la botella de vino.)* Toma un poco de este vino. Pruébalo... ¡Cuidado! No lo bebas rápido. Saboréalo°.

Lisa bebe un poco de vino.

LISA:	Muchas gracias. Hágame un favor, señor Renzetti. Dígame qué comidas debo probar antes de irme de Argentina.
SEÑOR RENZETTI:	No te vayas de Argentina sin comer una parrillada° bien grande. Y pide un mate para beber. El mate es la bebida más conocida de Argentina. [2] ¿Deseas algo más?
LISA:	No, señor. Muchas gracias. Adiós.
SEÑOR RENZETTI:	Hasta luego, pues.

Notas de texto

1. Buenos Aires is the capital of Argentina and has a population of 12 million people. Buenos Aires is situated on the banks of the Río de la Plata. It is a very attractive city with beautiful residential zones, famous restaurants, and open-air cafés where writers, poets, and other artists get together to discuss politics and economics. It is known for its nightlife and all-night book-stores as well as for its tango music.

2. **Mate** is a tea-like beverage consumed mainly in Argentina, Uruguay, Paraguay, and southern Brazil during the afternoon. It is brewed from the dried leaves and stemlets of the perennial tree *Ilex paraguarensis* (**yerba mate**). The name **mate** is derived from the Quechua word *matí,* which is a cup or vessel used for drinking. To prepare the **mate** infusion (called **mate**), the dried minced leaves of the **yerba mate** are placed inside a gourd, also called **mate** (usually it's a hard shell from a local fruit, but it can also be any suitable metal, glass, or wooden receptacle), and hot water (at approximately 85° C) is added (this process is called **cebar el mate**). The infusion is sipped through a metal straw called a **bombilla**, which has a strainer at its lower end to prevent the minced leaves from going through the straw.

■ Conexión cultural

La poeta Margarita Feliciano, de origen argentino e italiano, actualmente profesora de español en el Glendon College de York University, es una de las fundadoras y organizadoras de la Celebración Cultural del Idioma Español, que se celebra todos los años en Toronto para destacar el patrimonio lingüístico y cultural del mundo hispánico en Canadá.

10-1 ¿Comprendió Ud.?

A. Indique la respuesta correcta, según la conversación.

1. El señor Renzetti....
   a. vive en Santiago.
   b. vive en Buenos Aires
   c. vive en Italia.
2. El señor Renzetti...
   a. es dueño de un viñedo.
   b. es dueño de un banco.
   c. es dueño de una tienda de vino.

3. Lisa Turner...
   a. va a ir a Italia.
   b. va a ir a Chile.
   c. no tiene tiempo para ir a Chile.
4. El señor Renzetti vende vino...
   a. porque su socio quiere vender vino.
   b. porque así gana mucho dinero.
   c. porque hay una larga tradición de trabajar con el vino en su familia.

B. Ahora hable con un(a) compañero(a) de clase.

1. ¿Dónde compran Uds. sus verduras y frutas?
2. ¿Les gustaría probar la yerba mate? ¿Por qué?
3. ¿Cuáles son las ventajas y las desventajas de ir a comprar las verduras y las frutas en tiendas especializadas?

CULTURA

CD3 - 21, 22

■ Tiendas especializadas

Aunque se hacen cada año más populares los supermercados en Latinoamérica y los hipermercados en España, especialmente en las ciudades grandes, muchas personas prefieren comprar sus frutas y verduras en tiendas especializadas. En España hay también tiendas de ultramarinos, en las que se venden especialidades de diferentes países además de los productos del país. En Puerto Rico y en España, las tiendas pequeñas de barrio *(neighbourhood)* se llaman colmados. Allí uno puede encontrar productos de primera necesidad.

Hay muchos tipos de tiendas especializadas, cuyo nombre termina en **-ería**; por ejemplo, se puede ir a una lechería para comprar leche, a una carnicería por bistec, jamón y otras carnes y a una panadería por pan y dulces *(sweets)*. Muchas veces se encuentran dos tiendas combinadas en un solo lugar como, por ejemplo, la carnicería-pescadería o la panadería-pastelería.

Preguntas. Responda a las siguientes preguntas. Luego compare sus respuestas con las de un(a) compañero(a) de clase.

1. Normalmente, ¿dónde compra Ud. comestibles? ¿Dónde los compró Ud. esta semana?
2. A veces, ¿compra Ud. comestibles en tiendas especializadas? ¿Qué productos prefiere comprar allí y no en un supermercado? ¿Por qué?
3. ¿Qué se compra en una cafetería, en una frutería o en una pescadería?
4. Indique la tienda con la cual Ud. asocia más las siguientes frases:

   S = Supermercado   T = Tienda especializada

   _____ muchos anuncios   _____ productos importados
   _____ servicio excelente   _____ variedad de productos
   _____ los mejores precios   _____ los productos más frescos
   _____ uso de computadoras   _____ buena cantidad de productos

VOCABULARIO esencial

In this section, you will learn to name some fruits and vegetables in Spanish and to buy food in Hispanic grocery stores and markets.

Las frutas y las verduras

En el mercado se venden...

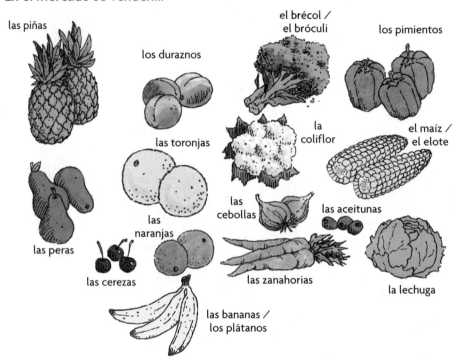

las piñas

los duraznos

el brécol /
el bróculi

los pimientos

las toronjas

la
coliflor

el maíz /
el elote

las peras

las
naranjas

las
cebollas

las aceitunas

las cerezas

las zanahorias

la lechuga

las bananas /
los plátanos

Cómo comprar frutas y verduras en una tienda especializada

En la frutería...

—¿En qué puedo servirle, señora?   *(How) May I help you, Madam?*
—Deme dos kilos de esas peras, por favor.   *Give me two kilos of those pears, please.*
—Muy bien. ¿Algo más?   *Very well. Anything else?*
—Estas aceitunas, ¿están frescas?   *These olives . . . are they fresh?*
—Sí, están muy frescas.   *Yes, they're very fresh.*
—Deme medio kilo, por favor.   *Give me half a kilo, please.*
—Medio kilo. Bien. ¿Otra cosa?   *Half a kilo. Okay. Anything else?*
—Sí, necesito tres cuartos de kilo de zanahorias. Ponga ésas en la bolsa. Gracias.   *Yes, I need three-quarters of a kilo of carrots. Put those in the bag. Thanks.*
—¿Algo más?   *Anything else?*
—No. Eso es todo, gracias.   *No. That's all, thank you.*

¡Practiquemos!

10-2 ¡Coma bien y siéntase mejor! Lea el siguiente artículo y luego complete las oraciones, según la información.

¡Coma bien y siéntase mejor!

Después de todo la mayoría de las medicinas tiene productos químicos que se encuentran en las verduras y las frutas que están incluidos en nuestra dieta; conozca qué cualidades tienen ciertas frutas y verduras para mejorar y conservar su salud *(health)*.

La manzana: reduce el nivel *(level)* de colesterol, aminora la presión alta, estabiliza el nivel de azúcar, regula el apetito y reduce los riesgos de contraer resfriados *(colds)*.

Plátanos: previenen las úlceras y reducen el colesterol en la sangre *(blood)*; como contienen potasio ayudan a prevenir enfermedades de los huesos *(bones)*.

Bróculi: reduce los riesgos de contraer cáncer al colon, porque como es una fibra natural ayuda *(helps)* a la digestión y mantiene saludable el colon.

Espinacas: ayudan al organismo porque contienen hierro *(iron)* y combinadas con zanahorias reducen los riesgos de cáncer en el páncreas.

Ajo *(Garlic)***:** combate infecciones, ayuda a la coagulación de la sangre, combate también la parasitosis y su composición química previene también contra la formación de células cancerígenas, además de que estimula el sistema inmunológico.

1. Para reducir los riesgos de contraer cáncer, se debe comer _____, _____ y _____.
2. Dos alimentos que reducen el nivel de colesterol en la sangre son _____ y _____.
3. _____ y _____ son buenos para la sangre.
4. Otra palabra para describir vegetales es _____.

10-3 Preferencias. Hágale preguntas a un(a) compañero(a) de clase.

1. ¿Comes poca o mucha fruta? Y de niño(a), ¿comías mucha o poca fruta?
2. ¿Cuál es tu fruta preferida? ¿Qué fruta te gustaba mucho de niño(a)?
3. ¿Qué verdura no te gusta? ¿Qué verdura no te gustaba cuando eras niño(a)?
4. ¿Qué fruta prefieres comer con helado? ¿Y con cereal?
5. ¿Qué tipo de mermelada te gusta poner en el pan tostado? ¿Y de niño(a)?
6. ¿Qué tipo de jugo prefieres: el de naranja, el de manzana o el de tomate? ¿Qué tipo de jugo tomabas de niño(a)?

10-4 Nuestra lista de comestibles para el picnic. Escriba una lista de frutas, verduras y otros alimentos que Ud. y un(a) amigo(a) quieren comprar para ir de picnic el fin de semana. Luego, comparen su lista con la de otros compañeros de clase y contesten las siguientes preguntas.

1. ¿Quién va a comprar más comestibles, Ud. o su compañero(a)?
2. ¿Adónde van Uds. a comprarlos? ¿Por qué prefieren comprar allí?
3. ¿Qué producto es el más importante de sus listas?
4. ¿Qué frutas/verduras va a comprar Ud.? ¿Qué otros alimentos va a comprar su compañero(a)?

 10-5 ¿En qué puedo servirle?

Imagínese que Ud. está en la sección de frutas y verduras en un supermercado hispano. Ud. tiene una lista de frutas y verduras que debe comprar y un(a) compañero(a) de clase, que trabaja en el mercado, lo (la) va a ayudar.

—¿Señor(a), ¿en qué puedo servirle?
—Sí, necesito comprar...

- **2 kilos de zanahorias**
- **1½ kilo de pepinos**
- **½ kilo de cebollas**
- **½ kilo de pimientos**
- **¼ kilo de cerezas**

CULTURA

CD3 - 23

■ Los mercados al aire libre *(open-air)*

En muchas ciudades hispanas hay un mercado al aire libre donde se venden diferentes productos. Mucha gente compra diariamente en estos mercados porque sabe que allí puede encontrar mejores precios que en los supermercados o en las pequeñas tiendas especializadas. Además, a veces los productos agrícolas de los mercados al aire libre están más frescos.

Generalmente los mercados están divididos en varias secciones. Por ejemplo, en una sección se venden frutas y verduras frescas; en otra sección hay una selección de carnes y pescados donde se puede comprar también mantequilla, huevos, arroz y pan.

Mercado al aire libre

Preguntas. Hable con dos o tres compañeros(as) de clase sobre las siguientes preguntas.

1. En su opinión, ¿cuál es un aspecto interesante de un mercado al aire libre? ¿Quiere Ud. visitar uno? ¿Por qué?
2. ¿Cuáles son algunas ventajas (beneficios) y desventajas de comprar en un mercado al aire libre?
3. Imagínese que Ud. está en un mercado al aire libre ahora. ¿A qué sección del mercado le gustaría ir primero? ¿Por qué?

GRAMÁTICA esencial

Affirmative Informal **tú** Commands

In this section, you will learn how to form affirmative and negative informal (**tú**) commands. Spanish speakers use affirmative informal commands to tell their children, friends, relatives, and pets what to do in certain circumstances.

- To form the affirmative **tú** command, use the **Ud.**, **él**, **ella** verb forms of the present indicative:

Verbs (Indicative)	**Ud., él, ella**	**tú** command	
estudiar	estudia	**estudia**	*study*
aprender	aprende	**aprende**	*learn*
escribir	escribe	**escribe**	*write*
dormir	duerme	**duerme**	*sleep*

- There are eight verbs that have irregular affirmative **tú** commands:

Verbs (Indicative)	**tú** command	Verbs (Indicative)	**tú** command
decir	**di** *say*	salir	**sal** *leave*
hacer	**haz** *do, make*	ser	**sé** *be*
ir	**ve** *go*	tener	**ten** *have*
poner	**pon** *put*	venir	**ven** *come*

Pon las verduras en el refrigerador.

> **Put** the vegetables in the refrigerator.

Sal temprano del trabajo y **ve** al mercado.

> **Leave** work early and **go** to the market.

- Attach pronouns to affirmative **tú** commands. If the command form has two or more syllables, it has to have an accent mark over the stressed vowel to maintain the stress of the verb.

Muéstrame el anuncio, Gildo.
¡**Déjame** ver, papá!

> **Show me** the ad, Gildo.
> **Let me** see, Dad!

¡Practiquemos!

10-6 La compra. La Sra. Moreno va a tener una cena esta noche en su casa. Por eso, sus hijos Vicente y Sofía la van a ayudar a comprar las frutas y las verduras en el mercado del Sr. Navarro. Completa cada oración con la forma apropiada del verbo.

 CD3 - 19

MODELO: Sofía, ___*compra*___ (comprar) los duraznos.

1. Vicente, _____ (ir) a la sección de las verduras y _____ (comprar) los pimientos y las cebollas.
2. Vicente, también _____ (hablar) con el Sr. Navarro y _____ (pedir) más coliflor porque no hay en el refrigerador.
3. Sofía, _____ (buscar) las cerezas más frescas. _____ (Poner) las cerezas en la bolsa.
4. Sofía, _____ (tener) paciencia con los ayudantes del Sr. Navarro.

10-7 Arreglar la casa. Ahora la Sra. Moreno les pide ayuda a sus hijos para arreglar la casa. Completa cada oración con la forma apropiada del verbo.

MODELO: Salvador, ___*pon*___ (poner) las frutas y las verduras en la cocina.

1. Sofía, _____ (poner) la mesa, por favor.
2. Vicente, _____ (lavar) los platos, por favor.
3. Sofía, _____ (arreglar) la sala ahora.
4. Vicente, _____ (limpiar) el cuarto de baño rápidamente.
5. Vicente, _____ (hacer) la cama de tu habitación y la de tu hermana.

10-8 La fiesta de la clase. En grupos de cuatro personas, Uds. tienen que planear una fiesta para la clase de español. Uds. tienen que darle un mandato informal a cada persona de su grupo para decirle lo que tiene que hacer: las frutas, las verduras, las bebidas o los pasteles que tiene que comprar. Luego, discutan con toda la clase lo que es para su grupo lo más importante comprar o hacer para la fiesta.

MODELO: JOSÉ: *Luis,* ve al mercado y compra *una gaseosa.*
          MARÍA: *Roberto,* compra *un pastel de cerezas y otro de manzanas.*
          ANA: *Cynthia,* arregla *las sillas de la clase.*

Negative informal *(tú)* commands

In order to give negative commands to your friends, members of your family, or pets, add the following endings to the stem of the verb:

-ar verbs → -es	-er verbs → -as	-ir verbs → -as
conversar	beber	dormir
no converses	no bebas	no duermas

¡No converses tanto por teléfono, Javier!	*Don't talk on the phone so much, Javier!*
¡Gatico, no duermas en mi cama!	*Kitty, don't sleep on my bed!*

Some verbs have irregular negative **(tú)** command forms:

dar	ir	estar	ser
no des	no vayas	no estés	no seas

Mamá, no me des más trabajo.	*Mum, don't give me more work.*
¡Hijo, no vayas a caminar si es de noche!	*Son, don't go out walking if it's too late!*
Sonia, no estés triste esta noche.	*Sonia, don't be sad tonight.*
¡Dennis, no seas malo con tu hermana!	*Dennis, don't be mean to your sister!*

For verbs that end in **-gar**, add **u** before **e** to maintain the original sound of the infinitive. For verbs that end in **-car**, add **qu** before **e**. For those ending in **-zar**, change the **z** to **c**.

Infinitive	Command		
comenzar	no comiences	¡No comiences ahora!	*Don't start now!*
llegar	no llegues	¡No llegues tarde!	*Don't arrive late!*
jugar	no juegues	¡No juegues en la calle!	*Don't play in the street!*
sacar	no saques	¡No saques la basura todavía!	*Don't take out the garbage yet!*

¡Practiquemos!

10-9 **En el mercado de los Navarro.** El Sr. Navarro le dice a Lisa las cosas que no debe hacer en una tienda de frutas y verduras. Escriba la forma apropiada de cada verbo.

MODELO: Lisa, no __*salgas*__ (salir) temprano del negocio.

1. No _____ (llegar) tarde al trabajo.

2. No _____ (sacar) las frutas o las verduras por la tarde, sino temprano al día siguiente.

3. No _____ (estar) preocupada por las finanzas todo el tiempo.

4. No _____ (ser) demasiado generosa con los clientes.

5. No _____ (ir) al mercado al aire libre tarde. _____ (Ir) a las cinco de la mañana cuando los productos están más frescos.

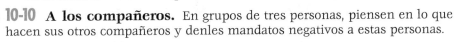

10-10 **A los compañeros.** En grupos de tres personas, piensen en lo que hacen sus otros compañeros y denles mandatos negativos a estas personas.

MODELO: llegar tarde

Compañero(a) 1: *Luis siempre llega tarde a clase.*

Compañero(a) 2: *Luis, no llegues tarde a clase.*

Compañero(a) 3: *Luis, no te levantes tarde por la mañana.*

1. hablar inglés en clase

2. salir de clase temprano

3. dormir en clase

4. estudiar poco

5. practicar poco

6. hacer la tarea tarde

GRAMÁTICA esencial

Comparatives

In this section, you will learn how to make comparisons between people, things, and places.

English speakers make comparisons either by adding the ending **-er** to an adjective (e.g., *fresher*) or by using the words *more* or *less* with an adjective (e.g., *more appetizing, less expensive*). Spanish speakers make comparisons as follows.

How to make unequal comparisons

1. Use **más** *(more)* or **menos** *(less)* before an adjective, an adverb, or a noun, and **que** *(than)* after it.

más		adjective (**frescos[as]**)		
	+	adverb (**rápido/despacio**)	+	que
menos		noun (**frutas/vegetales**)		

En el mercado de los Navarro, hay **frutas más frescas que** en el mercado de los Martínez.

*At the Navarros' market, there are **fresher fruits than** at the Martínezes'.*

The preposition **de** is used before a number and means *than*.

más or **menos** + **de** + noun (**20 pesos argentinos**)
Tengo **más/menos de** 20 pesos argentinos.

*I have **more/less than** 20 Argentine pesos.*

2. The following comparatives are irregular:

mejor(es) *better*   **mayor(es)** *older*
peor(es) *worse*   **menor(es)** *younger*

En casa...

—Mami, ¿qué es **mejor** comer, una manzana o un chocolate para la merienda?

*Mum, what is **better** to eat, an apple or a chocolate for a snack?*

—Es **mejor** comer una manzana para la merienda, Víctor.

*It's **better** to eat an apple for a snack, Victor.*

En la tienda...

—¿Es el Sr. Renzetti **mayor** que Lisa?

*Is Mr. Renzetti **older** than Lisa?*

—Sí, Lisa es **menor** que el Sr. Renzetti.

*Yes, Lisa is **younger** than Mr. Renzetti.*

How to make equal comparisons

1. Use **tan** (*as*) before an adjective or adverb and **como** (*as*) after it.

		adjective (**caras/baratas**)		
tan	+	adverb (**frecuentemente**)	+	**como**

—Estos tomates están **tan** baratos **como** esos pimientos.

*These tomatoes are **as** cheap **as** those peppers.*

—Por eso, vengo de compras aquí **tan** frecuentemente **como** puedo.

*That's why I shop here **as** often **as** I can.*

2. Use **tanto(a)** *(as much)* or **tantos(as)** *(as many)* before a noun and **como** *(as)* after it.

tanto (trabajo)		
tanta (tarea)		**como**
tantos (exámenes)	+	
tantas (responsabilidades)		

—Cuando eras niño, ¿tenías **tanta** tarea **como** yo ahora, papá?

*When you were a boy, did you have **as much** homework **as** I do now, Dad?*

—Claro, hijo. También tenía **tanto** trabajo y **tantas** responsabilidades **como** tienes tú ahora.

*Of course, son. I also had **as much** work and **as many** responsibilities **as** you have now.*

—Pero estoy seguro que no tenías **tantos** exámenes **como** yo.

*But I'm sure that you didn't have **as many** exams **as** I do.*

- Observe that **tanto(a/os/as)** must agree in gender (masculine or feminine) and number (singular or plural) with the noun it modifies. In contrast, **tan** has only one form and is used with adjectives and adverbs, not with nouns.

Ella tiene **tantas** tareas como yo. *She has **as many** assignments as I do.*
¡Qué día **tan** difícil! *What a difficult day!*

- **Tan** can also be used for emphasis:

¡Este mercado es **tan** grande! *This market is **so** big!*
¡Qué día **tan** bonito! *What a beautiful day!*

- **Tanto(a/os/as)** can also be used to show a great amount of something:

¡Hace **tanto** calor! *It's **so** hot!*
¿Vas a comprar **tanta** fruta? *Are you going to buy **so much** fruit?*

¡Practiquemos!

10-11 ¿Qué tienen? Con otro(a) estudiante, compare la cantidad de cosas que tienen María Alexandra y su amiga Tami. Use **más/menos... que, tan... como** o **tanto(a/os/as)... como** en sus oraciones.

A: *¿Cuántos regalos tiene María Alexandra?*
B: *Tiene menos regalos que Tami.*

María Alexandra

regalos

cintas

Tami

tarjetas postales

10-12 ¿Cómo es Ud.? Complete las siguientes oraciones con un(a) compañero(a) de clase.

MODELO: Soy más/menos inteligente que _____.
Soy más inteligente que Lisa Turner.
Soy menos inteligente que mi hermana.

1. Soy más/menos guapo(a) que _____.
2. Estoy tan ocupado(a) como _____.
3. Hablo español mejor/peor que _____.
4. Hago tanto ejercicio como _____.
5. Tengo más/menos problemas que _____.

10-13 ¿Qué opina Ud.? Escriba un párrafo en que Ud. hace comparaciones entre las personas y las cosas de la primera lista y los adjetivos de la segunda lista u otros adjetivos que Ud. ya aprendió.

MODELO: *Los empleados de la tienda donde yo compro comestibles son más simpáticos que los empleados del supermercado de mi barrio. También, el servicio es mejor y muchas veces los productos son tan baratos en la tienda como en el supermercado.*

Personas y cosas	Adjetivos	
los precios	caro	fresco
el servicio	malo	barato
los productos	peor	simpático
los empleados	bueno	alto *(high)*
los (super)mercados	mejor	bajo *(low)*
las tiendas (de comestibles)	ocupado	trabajador

GRAMÁTICA esencial

Superlatives

English speakers single out someone or something from a group by adding the ending *-est* to an adjective (e.g., *warmest*) or by using expressions such as *the most* and *the least* with an adjective (e.g., *the most elegant, the least expensive*). Spanish speakers form superlatives as follows.

How to form superlatives

1. Use a definite article before the person, thing, or place being compared, plus **más** *(most)* or **menos** *(least)* and an adjective.

el (novio)
la (hermana)   más
los (padres)   +   menos + adjective
las (compañeras)
los mercados

—Tengo mucha suerte, Lisa.	*I'm very lucky, Lisa.*
—¿Por qué, señor Renzetti?	*Why, Mr. Renzetti?*
—Porque tengo **los padres más generosos**, **el socio más inteligente** y **la tienda más organizada** del mundo.	*Because I have **the most generous parents**, **the most intelligent business partner**, and **the most organized store in the** world.*

Use the word **de** to express *in* or *at* after superlatives if they are followed by a noun (la tienda más organizada **del** mundo).

2. The following superlatives are irregular in Spanish:

el/los ⎱	**mejor(es)**	*the best*	el/los ⎱	**menor(es)**	*the youngest*
la/las ⎰	**peor(es)**	*the worst*	la/las ⎰	**mayor(es)**	*the oldest*

—Los Sres. Navarro tienen uno de **los mejores** mercados del barrio.	*The Navarros have one of **the best** markets in the neighbourhood.*
—Sí y creo que el mercado de la calle Sucre es **el peor**.	*Yes, and I think the market on Sucre Street is **the worst**.*
—¿Cuántos hermanos tienes, Luis?	*How many brothers and sisters do you have, Luis?*
—Tengo dos, una hermana y un hermano. Cristina es **la mayor** y Rodrigo es **el menor**.	*I have two, one sister and one brother. Cristina is **the oldest** and Rodrigo is **the youngest**.*

¡Practiquemos!

10-14 Comparaciones de comida. Conteste las siguientes preguntas lógicamente.

Comida	Fibra *(Fibre)* (en gramos)
1 pera	1,5
1 durazno	1,5
10 papas fritas	2,1
1 manzana mediana	3,7

1. ¿Tienen las peras más o menos fibra que los duraznos?
2. ¿Qué comida tiene más fibra? ¿Y cuál es la menos fibrosa?
3. ¿Qué comida les gusta más a Ud. y por qué?

Frutas	Calorías	Queso	Calorías
pera	100	cheddar	113
manzana	80	colby	111
naranja	58	mozzarella	80

4. ¿Qué fruta y qué queso tienen menos calorías?
5. Según Ud., ¿qué combinación de queso y fruta es la mejor?
6. ¿Qué fruta y qué queso le gustan a Ud.? ¿Por qué?

10-15 **Críticos de restaurante.** Ud. y un(a) compañero(a) de clase son críticos de restaurante y tienen que escribir una crítica del mejor y del peor restaurante de su ciudad para el periódico de la universidad. Describan la comida, el precio y el servicio de los restaurantes.

 10-16 **¡Vamos a votar!** Con un(a) compañero(a) de clase, escriba cuatro oraciones para describir a cuatro estudiantes de su clase de español, según las cuatro categorías de personalidad en la lista. Luego discutan sus resultados con la clase y decidan quién es la persona más o menos...

MODELO: *Janice es la estudiante más generosa de la clase.*
Jerry es el estudiante menos tímido de la clase.

Categorías de personalidad

más feliz	más amable	menos tímido(a)	menos
más generoso(a)	más trabajador(a)	menos perezoso(a)	antipático(a)
más estudioso(a)	más gracioso(a)	menos aburrido(a)	menos cómico(a)

GRAMÁTICA esencial

Formal (Polite) Commands

In this section, you will learn to give advice and make requests to people you address as **Ud.** or **Uds.** This is the reason they are referred to as formal commands.

When we give advice to others or ask them to do something, we often use commands such as "Don't buy produce at that store" and "Give me a pound of those apples, please." Spanish speakers use formal commands when they address people as **Ud.** or **Uds.**

How to form formal commands

1. For most Spanish verbs, drop the **-o** ending from the present tense **yo** form and add the following endings to the verb stem: **-e/-en** for **-ar** verbs and **-a/-an** for **-er** and **-ir** verbs.

	Infinitive	**yo** form	**Ud.**	**Uds.**
-ar verbs	hablar	hablo	habl**e**	habl**en**
-er verbs	volver	vuelvo	vuelv**a**	vuelv**an**
-ir verbs	venir	vengo	veng**a**	veng**an**

—**Prueben** estos duraznos chilenos.   *Try these Chilean peaches.*
—¡Qué ricos! Queremos un kilo.   *How delicious! We want a kilo.*
—Aquí lo tienen. **Paguen** en la caja.   *Here you are. **Pay** at the cashier.*

In Spanish, if you want to make commands sound more like requests than demands, you can use **Ud.** or **Uds.** after the command form.

Pague Ud. en la caja, señorita.   ***Pay** at the cashier's, Miss.*
No toquen Uds. las frutas.   ***Don't touch** the fruit.*

Spanish speakers also make requests by following commands with **por favor** (e.g., **No toquen las frutas, por favor**.) and by simply using **Favor de** + infinitive (e.g., **Favor de no tocar las frutas**.).

2. Verbs ending in **-car**, **-gar**, and **-zar** have a spelling change: **c** changes to **qu**, **g** changes to **gu**, and **z** changes to **c**.

Infinitive	Ud.	Uds.
sacar	saque	saquen
llegar	llegue	lleguen
comenzar	comience	comiencen

Sr. Peraza, **almuerce** con nosotros.   *Mr. Peraza, **have lunch** with us.*
Comiencen a comer, por favor.   ***Begin eating**, please.*

¡CUIDADO! Stem-change verbs retain their vowel change in formal commands, as in the preceding example **(comenzar: e → ie = comiencen)**.

3. Several irregular verbs vary from the pattern above.

Infinitive	Ud.	Uds.	Infinitive	Ud.	Uds.
dar	dé	den	ir	vaya	vayan
estar	esté	estén	saber	sepa	sepan
			ser	sea	sean

—**Deme** un kilo de fresas.   ***Give me** a kilo of strawberries.*
—Aquí lo tiene, Sr. Mendoza.   *Here you are, Mr. Mendoza.*
—Gracias. **Regrese** pronto, por favor.   *Thank you. **Come back** soon, please.*

4. In affirmative commands, attach reflexive and object pronouns to the end of the command, thus forming one word. If the command has three or more syllables, write an accent mark over the stressed vowel. In negative commands, place the pronouns separately in front of the verb.

—**Muéstreme** las verduras.   ***Show me** the vegetables.*
—**No las compre**. Hoy no están frescas.   ***Don't buy them**. They are not fresh today.*

—**Tráiganos** yerba mate.   ***Bring us** yerba mate tea.*
—**No nos traiga** más té.   ***Don't bring us** more tea.*

¡Practiquemos!

10-17 **Escuchen a su nuevo jefe.** El Sr. Navarro está hablando con dos empleados que acaban de comenzar a trabajar con él y con María Alexandra en el mercado. ¿Qué les dice?

MODELO: llegar a tiempo todos los días
Lleguen a tiempo todos los días.

1. comenzar a trabajar a las nueve
2. tener paciencia con los clientes
3. escuchar lo que les pregunten
4. contestar las preguntas y comentarios de los clientes
5. servirles a los clientes rápidamente
6. nunca comer mientras están trabajando
7. llamarme si no pueden venir a trabajar
8. ser simpáticos con los otros empleados de la tienda
9. lavarse las manos frecuentemente
10. recordar que los clientes siempre tienen la razón

10-18 **Cómo vivir bien.** La Sra. Mercedes Navarro está viendo un programa de televisión. La presentadora Cristina entrevista a una psicóloga. Complete su entrevista usando mandatos afirmativos y negativos de los verbos entre paréntesis.

CRISTINA: Doctora, ¿qué consejos *(advice)* tiene Ud. para nuestro público sobre cómo vivir bien?

DOCTORA: Primero, _____ (tomar) Ud. un buen desayuno todos los días, pero no _____ (comer) muchas cosas muy dulces como pasteles. Segundo, _____ (poner) en la mesa frutas frescas, especialmente para los niños y _____ (servirles) yogur porque es algo nutritivo.

CRISTINA: Mmm. ¡A mí me gusta el yogur con fresas! Los refrescos de dieta, ¿está bien tomarlos, doctora?

DOCTORA: Con moderación, sí. Pero no los _____ (beber) con frecuencia porque pueden contener mucha cafeína. Por esta razón tampoco _____ (tomar) mucho café.

CRISTINA: Buenos consejos, doctora. ¿Cuántas horas cree Ud. que debemos dormir todos los días, perdón... todas las noches?

DOCTORA: Depende de la persona. _____ (Dormir) lo necesario y nada más. No _____ (acostarse) muy tarde ni _____ (levantarse) muy tarde por la mañana. Si duerme mal, _____ (leer) o _____ (escuchar) música clásica antes de acostarse y _____ (pensar) en algo tranquilo.

CRISTINA: Muy bien. Es importante tener una vida social, ¿verdad, doctora?

DOCTORA: Sí, sí. _____ (Hacer) muchos amigos y _____ (salir) con ellos frecuentemente. _____ (Ir) Uds. al cine, _____ (correr) juntos por algún parque o _____ (invitarlos) a casa a comer. En una sola palabra: _____ (divertirse) con sus amigos y _____ (vivir) simplemente sin preocupaciones.

CRISTINA: Doctora, muchas gracias por sus consejos tan valiosos.

DOCTORA: Por nada, Cristina.

10-19 ¡Qué manzanas tan ricas! ¿A Ud. le gustan las manzanas y el helado? Complete esta receta venezolana, usando los mandatos formales de los verbos indicados.

remojar *(to soak)*   **sacar** *(to take out)*   **adornar** *(to decorate)*
poner *(to put in)*   **cortar** *(to cut)*   **escurrir** *(to drain)*

Manzanas rellenas (filled) de helado

6 manzanas rojas
1 litro de helado de vainilla
6 galletas de barquillo con chocolate

_____ la parte superior de la manzana, horizontal- mente. _____ la pulpa para poner ahí el helado. _____ las manzanas en agua con un poco de sal para que no se pongan negras y quince minutos antes de servirlas, _____las. Ya para servir, _____les el helado y _____lo con las galletas.

■ En Buenos Aires, tomen nota *(be aware)*

• Vayan a la plaza situada cerca de La Recoleta, que es el barrio más divertido de Buenos Aires y visiten un puesto *(stand)* de información turística para guiar *(to guide)* a los turistas por la capital. Pidan su información allí.

• No se pierdan *(Don't miss)* la experiencia del tren histórico, que en primavera y verano tiene excursiones muy divertidas en trenes viejos. El viaje incluye *(includes)* el almuerzo. Coman el famoso y popular asado argentino. El asado está hecho *(is made)* a fuego lento, se sirve en su mesa en una pequeña parrilla y tiene varios tipos de carnes.

• Para alojarse *(To lodge)* en Buenos Aires, quédense en una estancia, la tradicional casa argentina.

• Compren artículos hechos de cuero que tienen fama *(fame)* internacional, tales como zapatos *(shoes)*, ropa *(clothes)* y accesorios.

• Compren como regalo de la Argentina, las originales pipas *(gourds)* hechas de calabazas *(small squash)* para el té de yerba mate.

Preguntas. Hable con un(a) compañero(a) de clase y contesten las siguientes preguntas sobre la lectura de Buenos Aires.

1. ¿Qué actividades pueden hacer Uds. en Buenos Aires?
2. ¿Qué deben pedir en el puesto de información en el barrio La Recoleta?
3. ¿Cómo es ese barrio?
4. ¿Qué deben comer en el tren histórico para el almuerzo?
5. ¿Qué cosas pueden Uds. comprar de regalos?

Ahora, subrayen los mandatos formales en el artículo.

10-20 Situaciones. En grupos de tres o cuatro estudiantes, traten de resolver las siguientes situaciones.

■ Ud. y sus amigos tienen que decidir a qué restaurante van a ir a cenar esta noche. Uno(a) de sus compañeros(as) no está convencido(a) y Uds. tienen que convencerlo(la) explicándole los aspectos positivos del restaurante.

■ Uno(a) de sus compañeros(as) va a hacer una fiesta el sábado por la noche. Uds. tienen que darle mandatos (informales) a su amigo(a) de las cosas que tiene que hacer para tener una fiesta exitosa *(successful)*.

■ Ud. trabaja en una tienda especializada de comida. Sus clientes (compañeros[as] de clase) entran a la tienda y Ud. quiere ayudarlos. Deles sugerencias (mandatos informales) a sus amigos sobre los productos que deben comprar en la tienda. Y Uds., los clientes, deben pedirle ayuda al (a la) empleado(a).

■ RETO CULTURAL

Ud. está en Buenos Aires trabajando por un semestre y uno(a) de sus amigos(as) está en Buenos Aires de visita. Este(a) amigo(a) quiere saber dónde puede comprar verduras y frutas frescas ya que quiere probar productos típicos de la Argentina. Ud. debe contestar las siguientes preguntas:

- ¿Dónde puedo comprar frutas y verduras frescas?
- ¿Qué productos son típicos de la Argentina?
- ¿Hay supermercados aquí como en Canadá?
- ¿Cuáles son las diferencias y las semejanzas entre los mercados pequeños y los supermercados aquí?
- ¿Cuáles son las ventajas de tener tiendas especializadas para comprar las verduras y las frutas?

¡Practiquemos más!

 For additional practice on the material covered in this chapter, go to **Lección 10** of the *Intercambios* Workbook/Laboratory Manual.

 For additional grammar, vocabulary, and conversation practice, go to **Lección 10** of the *Flex-Files*.

 Atajo Writing Assistant Software for Spanish can be used to complete the writing activities in your *Workbook/Laboratory Manual*.

 Intercambios Video: Activities to accompany the *Intercambios* Video can be found in the *Flex-Files*.

 Visit *Intercambios* on the World Wide Web at **http://www.intercambios.nelson.com**.

Sustantivos

los abarrotes *groceries*
el anuncio *advertisement*
la calidad *quality*
el (la) dueño(a) *owner*
el precio *price*
el premio *prize*
el (la) socio(a) *business partner*
la tienda *store*
la venta *sale*

Tiendas especializadas

la cafetería *coffee shop*
la carnicería *butcher shop*
la frutería *produce store*
la panadería *bakery*
la pastelería *pastry shop*
la pescadería *fish market*

Las frutas

la banana, el plátano *banana, plantain*
la cereza *cherry*
el durazno / el melocotón *peach*
la naranja *orange*
la pera *pear*
la piña *pineapple*
la toronja *grapefruit*

Las verduras

la aceituna *olive*
el ajo *garlic*
el brécol / el bróculi *broccoli*
la cebolla *onion*
la coliflor *cauliflower*
la lechuga *lettuce*
el maíz / el elote *corn*
el pimiento *pepper*
la zanahoria *carrot*

Las cantidades

el kilo *kilo*
medio kilo *half a kilo*

Adjetivos

despacio *slow*
fresco *fresh*
rápido *quick*

Comparativos y superlativos

bueno, mejor, el (la) / los (las) mejor(es) *good, better, the best*
malo, peor, el (la) / los (las) peor(es) *bad, worse, the worst*
el (la) más + *adjective* *the most _____, the ____-est*
más/menos que *more/less than*
mayor *older*
menor *younger*
tan... como *as . . . as*
tanto(a)... como *as much . . . as*
tantos(as)... como *as many . . . as*

Verbos

comentar *to comment*
vender *to sell*

Verbos para cocinar

adornar *to decorate*
cortar *to cut*
escurrir *to drain*
poner *to put in*
remojar *to soak*
sacar *to take out*

Expresiones idiomáticas

¿Desea algo más? *Do you want something else?*
¿En qué puedo servirle/ayudarle? *(How) May I help you?*
¿En qué piensas? *What are you thinking about?*
estar premiados(as) *to be rewarded*
hacer un pedido *to place an order*
¿Otra cosa? *Anything else?*
¿Qué más? *What else?*

LECCIÓN 11
¡Vamos de compras! ¡Qué chévere!

❋ ENFOQUE ❋

■ METAS COMUNICATIVAS

Ud. va a poder hablar sobre sus actividades en el futuro y también hacer preguntas y expresar sus necesidades y deseos en tiendas por departamentos.

■ IDIOMA

Hablar de preferencias
Hablar sobre qué ropa ponerse
Hablar con dependientes
Hablar sobre planes en el futuro
Persuadir a otros
Expresar deseos
Expresar intenciones

■ VOCABULARIO ESENCIAL

Prendas de vestir
Accesorios de ropa
Expresiones para hacer compras
Números de más de 2.000

■ GRAMÁTICA ESENCIAL

El tiempo futuro
El presente del subjuntivo después del verbo **querer**

■ CULTURA

Carolina Herrera
Talla de ropa canadiense versus la europea

■ RETO CULTURAL

¿Qué tipo de tiendas hay en los países hispanos para comprar prendas de vestir y accesorios? ¿Las tallas son iguales en Canadá y en los países hispanos?

En la segunda etapa° de su gira Lisa viaja a Venezuela. En Caracas,[1] va a MÁXIMO, una tienda por departamentos, para investigar los precios de la ropa. Allá conoce a la señora Gómez, quien trabaja como gerente.

SEÑORA GÓMEZ:	¿Qué clase de ropa quiere usted que le muestre°, señorita?
LISA:	Quiero que me diga cuánto cuesta un traje sastre°, una blusa, un cinturón, unas medias...
SEÑORA GÓMEZ:	Iremos a la sección de ropa para damas. Allá podrá ver todo lo que le interese.
LISA:	Y para mí compraré° gafas de sol. ¡Venezuela es un verdadero país del trópico! Hace mucho calor y siempre es fuerte el sol.
SEÑORA GÓMEZ:	Usted tendrá que ir a la playa. Si sube a Monte Ávila, verá° la ciudad entera y la costa.
LISA:	¿Puedo irme sola° a Monte Ávila?
SEÑORA GÓMEZ:	No, no. Seguro que habrá excursiones. Aquí estamos. Mire, señorita. Este traje sastre cuesta 200.000 bolívares. [2]
LISA:	Son 125 dólares canadienses. ¡Es bien barato!
SEÑORA GÓMEZ:	Es barato para ustedes, no para nosotros.
LISA:	Entiendo, señora. Si tiene tiempo más tarde, ¿podrá mostrarme° los precios de otros trajes?
SEÑORA GÓMEZ:	Con mucho gusto, señorita.

Después de terminar su trabajo, Lisa visita Monte Ávila con un grupo de turistas. Le encanta el panorama° de la ciudad y la costa. Al día siguiente, ella va sola a una playa.

LISA:	*(hablando a sí misma):* ¡Qué playa tan bonita!
UN HOMBRE:	*(acercándose):* ¡Qué chica tan chévere°! ¡Chao, gringa! [3] Quiero que vengas conmigo°, mi amor.

Lisa se escapa corriendo y regresa a su hotel. Más tarde llama por teléfono a su amiga Marina, quien ahora está en casa en Monterrey, después de haber regresado° de su viaje a Chile.

MARINA:	Puede ser difícil ser mujer en Hispanoamérica. Muchas veces los hombres te dirán cosas° en la calle.
LISA:	¡Y supongo° que es peor porque soy rubia°! Marina, ¿vendrás a Colombia conmigo? Quiero que me acompañes en la última etapa de mi gira.
MARINA:	Me gustaría muchísimo, Lisa. Tendré que averiguar° si tengo el tiempo y el dinero.

etapa... *stage (of a journey or a job)*
quiere usted que le muestre... *do you want me to show you*
traje sastre... *woman's business suit*
compraré... *I will buy*
verá... *you will see*
¿Puedo irme sola?... *Can I go alone?*
podrá mostrarme... *will you be able to show me*
panorama... *panoramic view*
chévere... *fabulous (very popular in Venezuela and Colombia)*
quiero que vengas conmigo... *I want you to come with me*
después de haber regresado.... *after having returned*
te dirán cosas... *they will say things to you*
supongo... *I suppose*
rubia... *blonde*
Tendré que averiguar... *I'll have to check*

Notas de texto

1. Caracas, Venezuela, the capital city, is situated in a valley on the northern coast of the Caribbean Sea, and has nearly 5 million inhabitants. It is a cosmopolitan city with impressive modern architecture. One of the most beautiful excursions on the northern side of Caracas is to Mount Avila, which offers a superb view of the city and the coast. Several beaches within thirty kilometres of the capital have excellent taverns and restaurants.

2. The **bolívar** is the currency used in Venezuela and is named after Simón Bolívar, who fought for the independence not only of Venezuela, but also of Colombia, Ecuador, Perú, and Bolivia during the nineteenth century.

3. The word **gringo** (feminine: **gringa**) has different meanings in different Spanish American countries. In Mexico and Central America, **gringo** refers to a citizen of the United States and is sometimes spoken as a mild insult. In the Andean countries, including Venezuela, a **gringo** is simply a light-skinned foreigner. For example, a blonde Argentine might be called a **gringo** when visiting Bolivia.

■ Conexión cultural

En Canadá hay más de una docena de periódicos en español que sirven a la comunidad latinoamericana; entre los más conocidos están: el *Correo Canadiense, El Popular, El Expreso, El Latino, Prensa Latina, Raíces Latinas, Hispánicos* y otros.

11-1 ¿Comprendió Ud.?

A. Complete las siguientes oraciones según lo que Ud. leyó.
1. Lisa es de (Buenos Aires/Toronto/Caracas).
2. MÁXIMO es (una playa/una montaña/una tienda por departamentos).
3. Lisa quiere comprar gafas de sol porque (ella no ve bien/le gusta la moda de las gafas de sol/el sol es fuerte).
4. Lisa no va sola a Monte Ávila porque (tiene muchos amigos en Caracas/es un viaje muy largo/puede ser peligroso y además, hay excursiones para turistas).
5. Lisa piensa que la playa es (bonita/fea/barata).
6. Cuando regresa a su hotel, Lisa llama por teléfono a (Sara/Marina/la señora de MÁXIMO).
7. Lisa piensa que le es difícil viajar sola porque es (tímida/emprendedora/rubia).
8. Lisa quiere que Marina viaje con ella a (Colombia/Ecuador/Paraguay).

B. Ahora con su compañero(a). La semana próxima es el cumpleaños de su mejor amigo(a). Cuéntele a un(a) compañero(a) de clase qué le va a comprar, qué tipo de regalo es (útil, práctico, bonito, etcétera) y por qué pensó Ud. en ese regalo. Después, contesten estas preguntas.
1. ¿Te gusta ir de compras?
2. ¿Adónde te gusta ir de compras?
3. Cuándo vas de compras, ¿vas a una tienda por departamentos o a una tienda especializada?

VOCABULARIO esencial

In this section, you will talk and write about clothing and clothing accessories.

Cómo describir la ropa

Las prendas de vestir y los accesorios

¡Practiquemos!

11-2 **¿Qué lleva Ud.?** Complete las siguientes oraciones, según las situaciones. Los tres puntos (...) representan otras posibilidades.

1. A clase llevo...
   a. una blusa y falda.
   b. un vestido y botas.
   c. una camiseta y vaqueros.
   d. una camisa y pantalones.

2. Cuando voy a nadar llevo...
   a. un traje de baño.
   b. un sombrero grande.
   c. unos anteojos de sol.
   d. una mochila con mis cosas.

3. Cuando hace frío prefiero llevar...
   a. un abrigo y guantes.
   b. calcetines con botas.
   c. un sombrero y guantes.
   d. un suéter y una chaqueta.

4. En ocasiones formales llevo...
   a. un collar y aretes.
   b. un traje sastre.
   c. una camisa con corbata.
   d. medias y zapatos elegantes.

C&A—Tienda de modas por departamentos. En un grupo de tres estudiantes, lean el siguiente anuncio y luego contesten las siguientes preguntas. Pueden usar el diccionario.

1. ¿Cómo es la ropa que llevan los dos hombres?
2. ¿Cómo es la ropa que llevan los niños y las niñas?
3. ¿Qué servicios ofrece la tienda C &A?
4. ¿Por cuántos días le reservan (*do they hold*) la ropa?
5. ¿Hacen cambios o devoluciones (*returns*) en esta tienda?
6. ¿Cuánto cuestan los arreglos (*alterations*)?

Cómo comprar la ropa

—¿En qué puedo servirle?	*How may I help you?*
—Quiero comprar un suéter.	*I want to buy a sweater.*
—¿Qué talla usa Ud., señor?	*What size do you wear, sir?*
—Cuarenta y dos.	*Forty-two.*
—Aquí tiene dos suéteres de esa talla.	*Here are two sweaters in that size.*
—Prefiero este azul.	*I prefer this blue one.*
—¿Quiere Ud. probárselo?	*Do you want to try it on?*
—Sí, gracias. [Se lo prueba.] ¿Qué le parece?	*Yes, thank you. [He tries it on.] How do you like it?*
—Le queda muy bien, señor.	*It fits you very well, sir.*
—¿Cuánto cuesta?	*How much is it?*
—40.000 bolívares, señor.	*40,000 bolívares ($25 dollars), sir.*
—Bien. Me lo llevo.	*Fine. I'll take it.*

¡Practiquemos!

11-4 Situaciones. En un grupo de dos o tres personas, traten de resolver las siguientes situaciones.

- A: Ud. es un(a) nuevo(a) dependiente en la zapatería y quiere impresionar a su jefe(a) para así tener más comisiones. Dígale a su cliente que es mejor comprar dos pares *(pairs)* de zapatos y varios pares de calcetines.
  B: Ud. quiere comprar solamente un par de zapatos. Hable con el (la) dependiente.

- A: Ud. es dependiente en una boutique exclusiva para señoras. Ud. es muy paciente y educado(a) con sus clientes. Trate de venderles diferentes prendas de vestir y accesorios a dos personas que entraron a la tienda.
  B: Ud. es una persona que compra con mucho cuidado. Ud. necesita comprar varias prendas de vestir, pero no sabe qué color le queda bien. Hágales preguntas a su amigo(a) y al (a la) dependiente sobre estilos, tallas, etcétera.

- A: Ud. va a ir a una fiesta semi-formal con sus mejores amigos. Ud. se quiere vestir muy bien porque quiere impresionar a los otros invitados *(guests)*. Por eso llama a sus amigos(as) para pedirles consejos *(advice)*.
  B: Ud. es una persona que se pone ropa casual. Y no le parece necesario vestirse muy formal para esta fiesta. Hable con sus amigos(as) de lo que Ud. piensa.

Los números de más de 2.000

2.000 dos mil	1.000.000 un millón
200.000 doscientos(as) mil	2.000.000 dos millones

1. Use **mil** to express numbers over 1,000.

   2.000 dos mil   2.001 dos mil uno   20.000 veinte mil

2. Note that when writing numbers, Spanish uses a period where English uses a comma, and vice versa.

   English: $2,500.75
   Spanish: $2.500,75 (dos mil quinientos con setenta y cinco centavos)

3. With millón or millones, use **de** before the noun you are describing.
   ¡El premio gordo *(grand prize)* es *de* dos millones de dólares!

¡Practiquemos!

 11-5 ¡Qué precios! Máximo, una de las tiendas por departamentos más populares de Caracas, tiene una liquidación hoy. Léale los precios normales y los precios especiales de las siguientes cosas a un(a) compañero(a). Tomen turnos.

MODELO: Suéter Girbaud 47.000 bs.   45.000 bs.
El precio normal de un suéter Girbaud es cuarenta y siete mil bolívares. Hoy el precio es cuarenta y cinco mil bolívares.

	Precio normal	Precio especial
Cartera Carolina Herrera	160.250 bs.	155.500 bs.
Reloj Cassio	75.000 bs.	65.000 bs.
Chaqueta Lacoste	230.000 bs.	160.450 bs.
Zapatos Ferragamo	97.500 bs.	83.000 bs.
Vestido Guess	350.000 bs.	275.000 bs.
Traje de baño Gottex	37.500 bs.	32.350 bs.
Traje Ricardo Santana	272.500 bs.	257.500 bs.

11-6 ¿Cuánto cuestan? Dígale a un(a) compañero(a) de clase un precio adecuado en dólares canadienses para las siguientes cosas.

MODELO: un televisor a colores de 40 pulgadas *(inches)*
Cuesta quinientos dólares.

1. un Mercedes-Benz rojo, último modelo
2. una semana en París para dos personas
3. una bicicleta de montaña con veintiuna velocidades
4. un condominio elegante en Barcelona con tres dormitorios
5. una computadora IBM o MacIntosh con una impresora láser

CULTURA

■ En el mundo de la moda una venezolana conquistó América: Carolina Herrera

Carolina Herrera llegó a Nueva York hace muchos años para presentar su colección de prendas de vestir. Esta colección fue un éxito y desde entonces *(since then)* comenzó a hacer perfumes y a diseñar *(to design)* accesorios como carteras, pañuelos, cinturones y corbatas. La línea CH es reconocida en todo el mundo. Lo primero que ella diseñó fueron perfumes con flores y plantas que estaban en la casa donde vivía en Caracas, Venezuela. Ahora, Carolina Herrera vive en Nueva York y quiere que su hija Carolina trabaje con ella y aprenda el arte de la moda para que pueda ser su sucesora *(successor)*.

Preguntas. Hable con otro(a) estudiante.

1. ¿Qué diseñador(a) famoso(a) conoces?
2. ¿Te gustan las prendas de vestir que diseña ese(a) diseñador(a)?
3. ¿Te gustaría diseñar ropa?
4. ¿Qué tipo de ropa te gusta ponerte? ¿Por qué?

GRAMÁTICA esencial

The Future Tense

Up to this point, you have been using the present tense of **ir + a** + infinitive **(Voy a ir a la universidad mañana)** to describe future actions or plans in the near future. Now, you will be introduced to the future tense that describes actions that have not yet occurred. You should be able to recognize the future tense endings while listening to a speaker and while reading a story. The following endings are used to express the future in Spanish.

	-ar verbs	*-er* verbs	*-ir* verbs
	comprar	vender	visitar
(yo)	compraré	venderé	visitaré
(tú)	comprarás	venderás	visitarás
(Ud., él, ella)	comprará	venderá	visitará
(nosotros/nosotras)	compraremos	venderemos	visitaremos
(vosotros/vosotras)	compraréis	venderéis	visitaréis
(Uds., ellos, ellas)	comprarán	venderán	visitarán

Lisa le **comprará** un regalo a Marina para su cumpleaños.

Los dependientes **venderán** muchos trajes de baño en el verano.

*Lisa **will buy** a gift for Marina for her birthday.*

*The salespersons **will sell** many swimsuits during the summer.*

A few verbs have irregular stems in the future tense.

Verbs that drop e from the infinitive

poder	(to be able to)	**podr-**	podré
querer	(to want)	**querr-**	querré
saber	(to know)	**sabr-**	sabré

Verbs that change e or i in the infinitive to d

haber	(to have)	**habr-**	habré
poner/d	(to put)	**pondr-**	pondré
salir/d	(to leave)	**saldr-**	saldré
tener/d	(to have)	**tendr-**	tendré
venir/d	(to come)	**vendr-**	vendré

Verbs that drop the c and the e from the infinitive

decir	(to say, to tell)	**dir-**	diré
hacer	(to do/to make)	**har-**	haré

The future tense of **hay** is **habrá**.

—¿Qué **querrá** visitar Lisa en Venezuela?

*What **will** Lisa **want** to visit in Venezuela?*

—**Visitará** el Salto Ángel.

*She **will visit** Angel Falls.*

—¿Qué **tendrán** que hacer Lisa y Marina?

*What **will** Lisa and Marina **have** to do?*

—**Tendrán** que comprar un regalo.

*They **will have** to buy a present.*

—Yo **haré** mis maletas mañana.

*I **will pack** my suitcases tomorrow.*

¡Practiquemos!

11-7 ¿Qué harán los estudiantes? Complete los espacios en blanco para saber lo qué harán los estudiantes el próximo fin de semana.

MODELO: Mona <u>estudiará</u> (estudiar) español el sábado en la mañana.

1. Steve _____ (trabajar) en su restaurante todo el fin de semana.
2. Tú _____ (comer) en el restaurante español de tu ciudad.
3. Kimberley _____ (visitar) a su familia en Red Deer, Alberta.
4. Jenny _____ (viajar) a Costa Rica para visitar a sus amigos.
5. Sonia y Eric _____ (comprender) la lección de estadística.
6. Erkin y yo _____ (leer) el periódico en español.
7. Tú _____ (escribir) tu trabajo en la computadora de tu hermano.
8. Nosotras _____ (hablar) sobre los problemas políticos de Venezuela.
9. Shannon y yo _____ (correr) por el parque para hacer ejercicio.
10. Uds. _____ (recibir) un regalo de sus novios(as).
11. Pedro _____ (comprar) una casa nueva.
12. Roberto y tú _____ (hablar) por teléfono.

11-8 El coche de los Martínez. Los Martínez tendrán muchas cosas que hacer la semana próxima aunque *(even if)* su coche no funcione bien. Escriba cinco oraciones y cambie los verbos para expresar el futuro.

MODELO: El Sr. Martínez no ___*podrá*___ (poder) usar su coche para el trabajo porque no funciona bien.

1. Raúl Martínez _____ (tener) que estudiar para su examen de ciencias y biología en casa porque no _____ (tener) coche para ir a la biblioteca.
2. Nora Martínez _____ (salir) para su trabajo en taxi.
3. Alfredo Martínez _____ (venir) a la universidad más temprano con su amigo Julio.
4. Los Sres. Martínez _____ (poder) comprar un coche nuevo.
5. Los hermanos Martínez _____ (querer) usar el coche nuevo de sus padres.

 11-9 MÁXIMO en Caracas. Lea este anuncio y conteste las preguntas con un(a) compañero(a) de clase.

LA TIENDA POR DEPARTAMENTOS MÁS POPULAR DE CARACAS:

MÁXIMO

- Ofrecerá este próximo fin de semana los mayores descuentos *(sales)* del año.
- Ud. podrá comprar ropa, juguetes, artefactos eléctricos y todo lo que necesite para su hogar.
- Ud. tendrá todas las facilidades de pago (crédito sin interés por tres meses).
- Nosotros haremos de sus compras en MÁXIMO, lo MÁXIMO.

Preguntas. Converse con un(a) compañero(a) de clase.

1. ¿Qué podrán comprar las personas en la tienda Máximo el próximo fin de semana?
2. ¿Qué facilidades de pago tendrán?
3. ¿Harán Uds. compras con descuento próximamente? ¿En qué tienda?
4. Escriba un nuevo anuncio para la tienda Máximo (o para una tienda en su ciudad) y presénteselo a la clase.

GRAMÁTICA esencial

The Subjunctive

In this section, you will learn to express wants and intentions. Up to this point, you have used the present indicative to state facts, to describe conditions, to express actions, and to ask questions.

Lisa **es** la amiga de Marina.	*Lisa **is** Marina's friend.*
Lisa y Marina **están viendo** una revista.	*Lisa and Marina **are looking** at a magazine.*
¿Le **gustan** esos anteojos de sol?	***Do** you **like** those sunglasses?*

What do we use when we want to express wants, desire, or uncertainty?

- When you want to express doubt, desire, emotion, hope, possibility, or uncertainty, use the subjunctive mood.
- The subjunctive represents a hypothetical situation, actions that are viewed as subjective.
- If the main clause in a sentence expresses doubt, willingness, a request, a suggestion, a command, or an emotion, the subordinate clause will require the subjunctive. The subordinate clause is often introduced by **que**.

Main clause (indicative) + *que* + **dependent clause (subjunctive)**
Lisa **quiere que** Marina **compre** un regalo útil y económico.
*Lisa **wants** Marina **to buy** a useful and inexpensive gift.*

Present Subjunctive Following the Verb *querer*

The present subjunctive has many uses in Spanish. One very common use is to express what people want others to do.

Lisa **quiere** que Marina **compre** un regalo.	*Lisa **wants** Marina **to buy** a gift.*
Marina **quiere** que Lisa **visite** a sus padres.	*Marina **wants** Lisa **to visit** her parents.*

How to form the present subjunctive

1. To form the present subjunctive of most verbs, drop the **-o** from the present indicative **yo** form, and then add the following endings: **-e**, **-es**, **-e**, **-emos**, **-éis**, **-en** for the **-ar** category and **-a**, **-as**, **-a**, **-amos**, **-áis**, **-an** for the **-er** and **-ir** categories.

—Lisa, **quiero** que **compres** un suéter.	*Lisa, I **want** you **to buy** a sweater.*
—¿Por qué, Marina?	*Why, Marina?*
—No **quiero** que **tengas** frío en las montañas de los Andes.	*I don't **want** you **to be** cold in the Andes Mountains.*

2. Verb stems that end in **-car**, **-gar**, and **-zar** undergo a spelling change. Note the similarity to their formal command forms.

—Mis padres **quieren** que yo **busque** trabajo.	*My parents **want** me **to look** for work.*
—Sí, **quieren** que **comiences** pronto.	*Yes, they **want** you **to start** soon.*

3. Stem-change verbs that end in **-ar** and **-er** have the same stem changes (**e → ie**, **o → ue**) in the present indicative and in the present subjunctive.

pensar (e → ie)		volver (o → ue)	
Present Indicative	Present Subjunctive	Present Indicative	Present Subjunctive
pienso	piense	vuelvo	vuelva
piensas	pienses	vuelves	vuelvas
piensa	piense	vuelve	vuelva
pensamos	pensemos	volvemos	volvamos
pensáis	penséis	volvéis	volváis
piensan	piensen	vuelven	vuelvan

—Marina, ¿qué te dijo tu mamá?   *Marina, what did your mum tell you?*
—**Quiere** que **volvamos** a casa   *She **wants** us **to come back** home*
   temprano.   *early.*

4. Stem-change verbs that end in **-ir** have the same stem changes (**e → ie**, **o → ue**) in the present indicative and in the present subjunctive. The **nosotros** and **vosotros** forms, however, have an additional stem change (**e → i**, **o → u**) in the present subjunctive.

divertirse (e → ie, i)		dormir (o → ue, u)	
Present Indicative	Present Subjunctive	Present Indicative	Present Subjunctive
me divierto	me divierta	duermo	duerma
te diviertes	te diviertas	duermes	duermas
se divierte	se divierta	duerme	duerma
nos divertimos	nos divirtamos	dormimos	durmamos
os divertís	os divirtáis	dormís	durmáis
se divierten	se diviertan	duermen	duerman

—**Quiero** que **te diviertas** en Caracas,   *I **want** you **to have fun** in*
   Lisa.   *Caracas, Lisa.*
—Gracias. Y yo **quiero** que **recuerdes**   *Thanks. And I **want** you **to***
   escribirme, Marina. ¡Hasta luego!   ***remember** to write me, Marina.*
                                         See you later!

5. Verbs like **pedir** and **servir** that end in **-ir** and have an **e → i** stem change in the present indicative have the same stem change in the present subjunctive. The **nosotros** and **vosotros** forms of these verbs have the same additional stem change (**e → i**) in the present subjunctive: **pidamos**, **pidáis**, **sirvamos**, **sirváis**.

—**Quiero** que nos **sirvan** pronto.   *I **want** them **to serve** us soon.*
—¿**Quieres** que **pidamos** por ti?   *Do you **want** us **to order** for you?*
—No, gracias. Yo puedo hacerlo.   *No, thanks. I can do it.*

> **"**No hay mal que por bien no venga**"**. —*Anónimo*

6. There are six verbs that have irregular forms in the present subjunctive because their stems are not based on the **yo** form of the present indicative.

dar	estar	ir	saber	ser	haber
dé	esté	vaya	sepa	sea	haya
des	estés	vayas	sepas	seas	hayas
dé	esté	vaya	sepa	sea	haya
demos	estemos	vayamos	sepamos	seamos	hayamos
deis	estéis	vayáis	sepáis	seáis	hayáis
den	estén	vayan	sepan	sean	hayan

—No **quiero** que **vayas** ahora.	*I don't **want** you **to go** now.*
—**Quiero** que **seas** más paciente.	*I **want** you **to be** more patient.*
—**Quiero** que **estés** conmigo.	*I **want** you **to be** with me.*

How to use the present subjunctive

1. A form of the verb **querer** *(to want)* is followed by the present subjunctive when the subject of the dependent clause is *different* from the subject of the independent clause. The two clauses are linked together by the word **que** *(that)*.

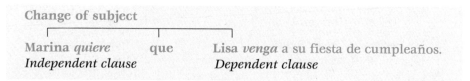

Change of subject

Marina *quiere* — que — Lisa *venga* a su fiesta de cumpleaños.
Independent clause — *Dependent clause*

¡CUIDADO! Often it is incorrect to translate word for word from Spanish into English and vice versa. For example, read both the literal and the correct translations of the Spanish sentence in the following example.

Marina quiere que Lisa venga a su fiesta.
Literal translation: *Marina wants that Lisa come to her party.*
Correct translation: *Marina wants Lisa to come to her party.*

2. In sentences that have no change of subject, an infinitive follows a form of the verb **querer**. Compare the following sentences.

No change of subject	Change of subject
Lisa **quiere ir** de compras. →	Lisa **quiere que** Marina **vaya** con ella de compras.
Lisa **wants to go** shopping.	Lisa **wants** Marina **to go** shopping with her.

3. Place pronouns before conjugated verbs in the present subjunctive.

—**Queremos** que **te diviertas**.	*We **want** you **to have fun**.*
—Y yo **quiero** que **me escriban**.	*And I **want** you **to write me**.*
—¿Tienes mi número de teléfono?	*Do you have my phone number?*
—No, pero **quiero** que **me** lo **des**.	*No. But I **want** you **to give** it **to me**.*

¡Practiquemos!

11-10 El viaje de Lisa. Un mes antes del viaje de Lisa a Venezuela, el Sr. Turner le dice a Lisa todo lo que tiene que hacer antes de ir de viaje. Complete lo que el Sr. Turner le dice a Lisa con el presente del subjuntivo.

MODELO: Sr. Turner: Lisa, quiero que ___*saques*___ (sacar) una foto para el pasaporte.

1. Sr. Turner: Lisa, quiero que _____ (firmar) el pasaporte nuevo.
2. Sr. Turner: Lisa, quiero que _____ (pagar) el pasaporte con un cheque *(check)*.
3. Sr. Turner: Lisa, quiero que _____ (hacer) las maletas con tiempo.
4. Sr. Turner: Lisa, quiero que _____ (comprar) muchos rollos de fotos *(films)*.
5. Sr. Turner: Lisa, quiero que _____ (escribir) mensajes electrónicos a casa regularmente.
6. Sr. Turner: Lisa, quiero que _____ (gastar) solamente el dinero que necesites.

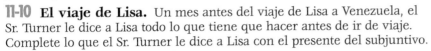

11-11 Consejos de la Sra. Turner. La mamá de Lisa también le dio algunos consejos a Lisa antes de su viaje a Caracas. Dígale a un(a) compañero(a) de clase cuáles fueron los consejos.

MODELO: la Sra. Turner: visitar los Andes
La Sra. Turner quiere que Lisa visite los Andes.

la Sra. Turner:

1. no gastar mucho dinero en comida rápida
2. buscar precios razonables en las tiendas en Caracas
3. comprar regalos bonitos para la familia en Canadá
4. sentarse en un café y tomar un café con leche al estilo venezolano
5. comer en restaurantes italianos
6. divertirse mucho con sus amigos
7. escribirles a los abuelos una tarjeta postal
8. salir con sus amigas

11-12 ¡Ay, los amigos! Todos los amigos de Lisa quieren que ella haga varias cosas en Venezuela. ¿Qué dice Lisa y qué le dicen los amigos? Complete las oraciones con el presente del subjuntivo.

MODELO: ___*Hago*___ (Hacer) un poco de ejercicio ahora, pero mis amigos quieren que yo ___*haga*___ mucho más.

1. _____ (Salir) con mis amigos frecuentemente durante la semana, pero mis amigas quieren que yo _____ con ellas solamente los fines de semana.
2. _____ (Ir) a los centros comerciales para divertirme, pero la señora de Máximo quiere que yo _____ a las montañas.
3. _____ (Viajar) a Colombia la semana próxima, pero mi amiga Marina quiere que yo _____ más pronto.

4. _____ (Ser) una buena amiga porque escribo tarjetas postales, pero mi amiga Sara quiere que yo _____ más amable y que la _____ (llamar) por teléfono.

5. _____ (Ver) muchas películas en video, pero mis amigos quieren que yo _____ películas en el cine.

11-13 **El club de español.** Los socios de este club van a tener una fiesta de fin de curso y Ud. y un(a) compañero(a) quieren que sucedan *(to happen)* varias cosas allí. Expresen sus ideas usando el presente del subjuntivo.

MODELO: poner música/latina/rock/jazz
    —*Quiero que los socios pongan música latina.*
    —*Quiero que los socios pongan música rock.*

1. servir comida española/mexicana/centroamericana/venezolana
2. invitar a todos los estudiantes de español/a los estudiantes avanzados *(advanced)*/a los estudiantes latinos
3. comenzar la fiesta temprano a las ocho/tarde a las diez y media
4. saber bailar salsa/merengue/tecno
5. servir sangría (vino con frutas)/cerveza/refrescos hispanos

11-14 **La universidad.** Ud. y dos de sus compañeros(as) fueron seleccionados para escribir cinco ideas sobre lo que Uds. quieren cambiar de la universidad, de las clases, de los horarios, de la biblioteca, de la librería, del estacionamiento *(parking)*, etcétera.

MODELO: —*Quiero que la universidad cambie los horarios de clase.*
    —*Quiero que las clases comiencen a las ocho y media y no a las siete de la mañana.*

■ RETO CULTURAL

Estudiante A

Ud. está en Venezuela de vacaciones para visitar las playas, las montañas y el Salto Ángel. Su amigo(a) estuvo en Venezuela el año pasado y le dijo que los precios eran muy económicos, especialmente los precios de la ropa y de los zapatos. Ud. quiere ir de compras y le pregunta a la persona que trabaja en información en el hotel (un[a] compañero[a] de clase) lo siguiente:

- ¿Qué tipo de tiendas hay aquí para comprar ropa y zapatos?
- ¿Hay tiendas especializadas como boutiques, zapaterías o tienda por departamentos?
- ¿Cómo son las tallas aquí? ¿Son las tallas iguales a las de Canadá?

Estudiante B

Como Ud. trabaja en información, Ud. tiene un esquema *(chart)* que explica las tallas y las diferencias entre las de Canadá, Latinoamérica y España. Explíquele a la persona que le pregunta este esquema de tallas.

Las tallas de ropa

En España y en la mayoría de los países latinoamericanos, los números de las tallas de ropa son diferentes a las de Canadá. Consulte la siguiente tabla para saber las tallas correctas para Ud.

Damas

Vestidos/Trajes

talla canadiense	4	6	8	10	12	14	16	18	20
talla europea	32	34	36	38	40	42	44	46	48

	Calcetines/Pantimedias						*Zapatos*					
número canadiense	8	$8\frac{1}{2}$	9	$9\frac{1}{2}$	10	$10\frac{1}{2}$	6	$6\frac{1}{2}$	7	8	$8\frac{1}{2}$	9
número europeo	0	1	2	3	4	5	36	37	38	$38\frac{1}{2}$	39	40

Caballeros

Trajes/Abrigos

talla canadiense	36	38	40	42	44	46
talla europea	46	48	50	52	54	56

Camisas

número canadiense	14	$14\frac{1}{2}$	15	$15\frac{1}{2}$	16	$16\frac{1}{2}$	17	$17\frac{1}{2}$	18
número europeo	36	37	38	39	41	42	43	44	45

Zapatos

número canadiense		5	6	7	8	$8\frac{1}{2}$	9	$9\frac{1}{2}$	10	11
número europeo		$37\frac{1}{2}$	38	$39\frac{1}{2}$	40	41	42	43	44	46

¡Practiquemos más!

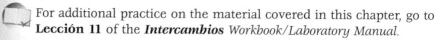

For additional practice on the material covered in this chapter, go to **Lección 11** of the *Intercambios* *Workbook/Laboratory Manual*.

For additional grammar, vocabulary, and conversation practice, go to **Lección 11** of the *Flex-Files*.

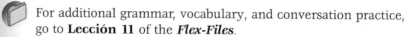

Atajo *Writing Assistant Software for Spanish* can be used to complete the writing activities in your *Workbook/Laboratory Manual*.

Intercambios *Video:* Activities to accompany the ***Intercambios*** *Video* can be found in the *Flex-Files*.

Visit ***Intercambios*** on the World Wide Web at **http://www.intercambios.nelson.com**.

■ Sustantivos

la boutique *boutique*
la caja *cashier*
el número *size (shoe)*
el par *pair*
la revista de modas *fashion magazine*
la talla *size (clothing)*
la zapatería *shoe store*

■ Las prendas de vestir / La ropa

el abrigo *overcoat*
la blusa *blouse*
las botas *boots*
los calcetines *socks*
la camisa *shirt*
la camiseta *T-shirt*
la chaqueta *jacket*
el cinturón *belt*
la corbata *necktie*
la falda *skirt*
los guantes *gloves*
los pantalones *pants*
las pantimedias *stockings*

las sandalias *sandals*
el traje de baño *swimsuit*
el traje sastre *suit*
el vestido *dress*
los zapatos *shoes*

■ Los accesorios

los anteojos/las gafas de sol *sunglasses*
el (la) bolso(a) *purse*
la bufanda *scarf*
la cartera *wallet*
el maletín *briefcase*
la mochila *backpack*
el pañuelo *handkerchief*
el paraguas *umbrella*
el sombrero *hat*

■ Verbos

llevar *to take, to carry, to wear*
pagar *to pay (for)*
probarse (o → ue) *to try on*
quedar *to fit (clothing)*
sugerir (e → ie, i) *to suggest*

■ Adverbio

entonces *then*

■ Preposición

entre *between*

■ Expresiones

¿Cómo me queda? *How does it fit me?*
¿Cuánto cuesta(n)... ? *How much is/are . . . ?*
estar listo(a) *to be ready*
estar sorprendido(a) *to be surprised*
ir a medias *to go halves (on something)/half and half*
ir de compras *to go shopping*
Le queda muy bien. *It fits you very well.*
¡Qué chévere! *How great!*
tener una idea *to have an idea*
¡Vale la pena! *It's worth it!*

LECCIÓN 12
¡Qué delicioso el café!

✖ ENFOQUE ✖

■ METAS COMUNICATIVAS

Ud. podrá hacer varias transacciones de negocios en español y expresar sus opiniones acerca de algunos asuntos económicos.

■ IDIOMA

Hablar del manejo de dinero personal
Comunicarse con el cajero/la cajera de un banco
Expresar sus emociones
Hablar de planes de viaje
Dar consejos y sugerencias
Expresar sus opiniones

■ VOCABULARIO ESENCIAL

Transacciones comunes de negocios
Manejo de dinero y terminología bancaria

■ GRAMÁTICA ESENCIAL

Presente del subjuntivo después de otros verbos de voluntad
Presente del subjuntivo después de expresiones de emoción e impersonales

■ CULTURA

Café en el mundo de habla hispana
Cambiar dinero en el extranjero
Datos curiosos sobre Colombia

■ RETO CULTURAL

¿Cómo haría Ud. negocios en el sistema bancario colombiano?
¿Hay diferencias entre el sistema bancario colombiano y el canadiense?
¿Por qué el café y los descansos para tomar café son relevantes alrededor del mundo?

Lisa y Marina visitan la hacienda de café° de la familia Herrera, cerca de Medellín, Colombia. Todos están bebiendo café. [1]

SEÑOR HERRERA: ¿Les gusta su tinto? [2] Señoritas, en esta hacienda recogemos, lavamos, secamos, y preparamos el café.[3] Muchos de nuestros obreros viven sus vidas enteras en la hacienda. Les aconsejo que hablen también con ellos.

MARINA: Por supuesto. Deseamos que nos digan cómo viven.

LISA: Me gusta el clima aquí. Hace menos calor que en Caracas.

SEÑOR HERRERA: Me alegro de que° les parezca agradable. En Colombia decimos que Medellín es la ciudad de la "primavera eterna." Es el mejor clima para cultivar el café. Bueno, les sugiero que sigan el sendero que pasa por los cafetales.

El señor Herrera regresa a casa. Lisa y Marina dan un paseo entre los cafetales.

LISA: Tengo que preguntarte algo: ¿cómo fue la visita de tu hermano a Vancouver?

MARINA: Fue fantástica. Pero ahora el pobre Francisco está más enamorado que nunca de Sara. Le está rogando que se mude° a México.

LISA: ¡No recomiendo que ella lo haga! Tiene que terminar su carrera en la universidad.

MARINA: Según Francisco, los padres de Sara son muy tradicionales. No permitirán que ella vuelva a México antes de terminar su carrera. Pero resulta que Sara pasará dos semanas trabajando en un proyecto de desarrollo en Cuba.

LISA: Ojalá que Francisco también pueda ir a Cuba. Es importante que se vean de nuevo.

MARINA: Sí, me molesta que mi hermano tenga una relación de larga distancia. Generalmente no funcionan muy bien.

LISA: Bueno... yo, por mi parte no me quejo° de que todos viajemos. En esto tenemos mucha suerte. Recibí un mensaje electrónico de Pierre. Él dice que tomará sus vacaciones este año en el norte de España.

hacienda de café... *coffee plantation*
Me alegro de que... *I'm happy that*
Le está rogando que se mude... *He's begging her to move*
no me quejo... *I'm not complaining*
en todo el mundo... *everywhere in the world*

Encuentran a un grupo de hombres y mujeres trabajando entre los cafetales.

SEÑORA RESTREPO: Buenas tardes. Me llamo María Restrepo. Trabajo en esta hacienda desde niña. ¿Ustedes son las señoritas que quieren saber cómo es la vida en la hacienda?

LISA: Sí, señora.

SEÑORA RESTREPO: Bueno, es una lástima que aquí la vida cambie con el precio del café. Vivimos bien cuando es alto el precio y vivimos mal cuando el precio es bajo. Todo depende de la exportación del café.

MARINA: Entiendo. Sé que es una industria importante. Gente en todo el mundo° bebe café.

SEÑORA RESTREPO: ¡Cómo no! ¡Espero que no pierdan la costumbre!
(Se sonríe.)

Notas de texto

1. Medellín, Colombia's second-largest city, has more than 1.5 million inhabitants and lies 1,525 metres above sea level in a narrow valley in the central mountain range. The city is primarily industrial and is the centre of the coffee and textile trades.

2. When used alone, **un tinto** means *a tiny cup of very strong, black coffee*. But when used with the word **vino** **(vino tinto)**, it means *red wine*.

3. **Recoger, lavar, secar, tostar y preparar** *(to pick up, to wash, to dry, to roast, and to prepare)* are all the steps required for preparing coffee for sale.

El Museo de Oro
en Bogotá, Colombia

■ Conexión cultural

¿Sabías que el café es la bebida más popular en el mundo entero? El 67% de los canadienses beben café todos los días y esta bebida representa el 18% de todas las bebidas que se consumen en Canadá.

CULTURA

El café en el mundo hispano

En el siglo XXI, el café es una bebida universal. Después del petróleo (oil), el café es el producto comercial que mueve (moves) más dinero en el mercado mundial. Por ejemplo, el café colombiano se exporta a todas partes del mundo, ya que tiene un valor económico y cultural. El café está presente en las costumbres de muchos países, en donde la gente lo toma diariamente (daily). En otros países millones de personas trabajan en la producción, industrialización y comercialización del café. Países como Canadá, el Japón y Alemania son grandes consumidores de esta bebida.

Cortadores de café

Los árabes usan canela (cinnamon) y clavos (cloves) para darle un sabor especial al café y lo toman en tazas sin agarraderas (cups without handles).

Los griegos y los turcos hierven (boil) tres veces el café con azúcar antes de servirlo.

Los estadounidenses inventaron (invented) el *coffee break* o el descanso para tomar un café. Esta costumbre se usa ahora en todas partes del mundo.

En España y Latinoamérica se toma café con leche y azúcar para el desayuno, el almuerzo y especialmente para la merienda. En países como Colombia, Venezuela, Cuba, Panamá y Chile, hay diferentes tamaños de tazas para tomar café. Hay tazas grandes para un café con leche grande y tazas pequeñas para un café con leche pequeño o para un café negro o tinto.

El café colombiano es reconocido en todo el mundo. El 90 por ciento de los consumidores de café conocen la calidad del café colombiano y más del 50 por ciento saben que este café es el más suave del mundo.

Preguntas. Converse con un(a) compañero(a) de clase.

1. ¿Cuáles son los dos productos que mueven más dinero en el mundo?
2. ¿Cuáles son algunas costumbres que los árabes, los turcos y los estadounidenses tienen para tomar café?
3. ¿Por qué hay tazas de café grandes y pequeñas en países latinoamericanos?
4. ¿Cómo es el café colombiano?
5. . ¿Qué tomas para la merienda?
6. ¿Te gusta tomar café? ¿Cómo lo tomas, con o sin leche, con o sin azúcar?
7. ¿Qué tipo de café te gustaría probar, el árabe o el turco?

12-1 ¿Comprendió usted?

A. Conteste las siguientes preguntas en oraciones completas.
1. ¿Dónde viven los Herrera?
2. ¿Para qué cultivo es bueno el clima de Medellín?
3. ¿Qué quiere Francisco que haga Sara?
4. ¿Cuándo empezó María Restrepo a trabajar en la hacienda de los Herrera?
5. ¿De qué depende la vida de María Restrepo?

B. Converse con un(a) compañero(a) de clase.
1. ¿Escuchas la radio? ¿Qué tipo de anuncios escuchas por la radio aquí en Canadá? ¿Hay anuncios de restaurantes y de cafés?
2. ¿Tomas café? ¿Tomas el *coffee break* o el descansito de tu trabajo o de tus estudios durante el día?

VOCABULARIO esencial

In this section, you will learn to discuss how you manage your money and to make several common business transactions at the bank.

Cómo hacer transacciones en el banco

Enrique y Gloria León están hablando sobre su visita a Bogotá, la capital de Colombia. Mire los dibujos y lea lo que dicen ellos en las páginas a continuación.

ENRIQUE:　Gloria, ahora que estamos en Bogotá, necesito ir al banco. Necesito cambiar pesos colombianos por dólares para mi viaje a Montreal.

GLORIA:　Bien... Enrique, si exportamos café a Canadá, nuestros ingresos van a aumentar y vamos a poder depositar más dinero en el banco.

ENRIQUE: Sí, pero debemos ahorrar *(to save)* dinero, pues nuestros gastos van a ser mucho más ya que tenemos que invertir mucho dinero en la exportación del café.

GLORIA: Por eso, debemos hacer un presupuesto para saber lo que invertimos y lo que ahorramos.

ENRIQUE: Tienes razón, Gloria, pero ahora tomemos un tinto y disfrutemos de Bogotá.

> "Lo que no cuesta dinero, siempre es bueno". —Anónimo

Vocabulario bancario   *Banking vocabulary*

el dinero	*money*
el gasto	*expense*
el ingreso	*earnings*
el presupuesto	*budget*
el sueldo	*salary*
ahorrar	*to save*
aumentar	*to increase*
cambiar	*to exchange*
cobrar	*to cash*
depositar	*to deposit*
ganar dinero	*to earn money*
invertir (e → ie)	*to invest*
pedir prestado	*to borrow*
prestar	*to lend*

¡Practiquemos!

12-2 Consejos de la tía de Gloria. Complete la siguiente conversación, usando palabras adecuadas de la lista.

razón	ahorrar	invertir
dinero	presupuesto	depositar
gastos	aumento	

TÍA: Gloria, parece que nunca tienes ni un dólar. Tienes que comenzar a

_____ .

GLORIA: Pero, tía, no puedo porque no ganamos suficiente _____ .

TÍA: No. El problema es que tus _____ son muy altos. Compraste mucha ropa y muchos accesorios aquí en Bogotá. Debes hacer un _____ . Así puedes controlar tu dinero.

GLORIA: Tienes _____ , pero la verdad es que necesito un _____ de sueldo. Me gustaría _____ mi dinero para _____ más en la exportación de café y _____ parte de mi sueldo en el banco.

12-3 **¿Y ustedes?** Hágale las siguientes preguntas a un(a) compañero(a) de clase.

1. ¿Dónde trabajas? ¿Qué tipo de trabajo haces? ¿Ganas mucho o poco dinero? ¿Cuándo fue la última vez que recibiste un aumento de sueldo?
2. ¿Gastas mucho o poco dinero? ¿En qué gastas más dinero? ¿Cómo puedes gastar menos dinero y vivir felizmente?
3. ¿Ahorras poco o mucho dinero? ¿Por qué? ¿Tienes un presupuesto? ¿Cómo controlas tus gastos? A veces, ¿tienes que pedir prestado dinero? (¿Sí? ¿A quién?)
4. ¿Inviertes tu dinero? (¿Sí? ¿En qué lo inviertes?) A veces, ¿prestas dinero? (¿Sí? ¿A quién?)

En el banco

Más vocabulario bancario	*More banking vocabulary*
¿A cómo está el cambio?	*What's the exchange rate?*
el cajero automático	*ATM machine*
a crédito	*on credit*
al contado	*in cash*
la chequera	*cheque book*
los cheques de viajero	*traveller's cheques*
la cuenta corriente	*chequing account*
la cuenta de ahorros	*savings account*

en efectivo   *in cash*
la tarjeta de crédito   *credit card*
sacar dinero   *to withdraw money*

¡Practiquemos!

12-4 Asociaciones en el banco. Con un(a) compañero(a) de clase, complete las oraciones con frases de la lista para describir lo que tienen que hacer estas personas en el banco.

MODELO: Cuando una persona necesita dinero, va al banco para <u>*sacar dinero*</u>.

cheques de viajero
chequera
al contado
cuenta de ahorros
cuenta corriente
sacar dinero
tarjeta de crédito

1. Cuando una persona quiere ahorrar dinero en el banco, abre una

     _____ .

2. Cuando una persona quiere pagar todo en efectivo, paga _____ .
3. Cuando una persona quiere pagar con crédito, usa su _____ .
4. Cuando una persona va de viaje y no quiere llevar dinero en efectivo, compra en el banco _____ .
5. Cuando una persona abre una cuenta corriente en el banco, recibe su

     _____ .

6. Una persona escribe cheques de su _____ .

12-5 Al llegar a Medellín. Complete la historia de Enrique antes de viajar a Montreal, con palabras y frases de la siguiente lista.

sacar   contado
crédito   cheques de viajero
cuenta de ahorros   tarjeta de crédito
depositar   cheques personales
cuenta corriente

Antes de salir para Montreal, Enrique compró _____ para tener en el viaje. En Montreal, Enrique puede ir al banco para _____ los cheques. En el banco en Medellín, Enrique piensa abrir otra _____ para ahorrar el 20 por ciento de las ganancias del negocio de la exportación del café. Él y Gloria pueden _____ dinero de su _____ para pagar al _____ sus pequeños gastos. Así pueden escribir _____ cuando no quieran usar su _____ . Pero para pagar sus cuentas más grandes, podrán usar su _____ .

CULTURA

■ Para cambiar dinero

En la mayoría de los aeropuertos grandes en Latinoamérica y en las estaciones de ferrocarril *(railroad)* metropolitanas en España, hay bancos donde se puede cambiar dinero. Cuando Ud. entra a un banco, debe buscar el letrero **Cambio**, que normalmente se encuentra sobre el mostrador *(counter)* cerca de un aviso *(sign)* de plástico de un cheque de viajero. En caso de que los bancos estén cerrados, también es posible cambiar dinero en una casa de cambio, en un hotel grande y, a veces, en una tienda o en un restaurante. Generalmente estos lugares ofrecen un tipo de cambio *(exchange rate)* más bajo que en los bancos. Su pasaporte es el mejor documento de identificación cuando cambia dinero en Latinoamérica o España. Si no quiere un tipo de cambio más bajo, lo mejor será buscar un cajero automático *(ATM)*, donde el tipo de cambio es exactamente igual al del banco. Además, es muy fácil usar este servicio.

Tarjetas postales del viaje de Bogotá

la estampilla / el sello
stamp

la oficina de correos
post office

el periódico
newspaper

la revista
magazine

la tarjeta postal
postcard

¡Practiquemos!

12-6 Entrevista.
Hágale preguntas a un(a) compañero(a) de clase y luego repórtele a toda la clase la información.

1. ¿Con qué frecuencia recibes tarjetas postales? ¿De quién las recibes? ¿Tienes una colección de tarjetas postales? ¿y una colección de estampillas? (¿Sí? ¿De qué países?) ¿Tenías una colección de tarjetas postales o de estampillas cuando eras niño(a)? ¿Mandas tarjetas postales cuando viajas? ¿A quién(es) se las mandas?

2. ¿Qué lees más frecuentemente: periódicos o revistas? ¿Qué periódicos lees? ¿Qué revistas te gusta leer? A veces, ¿lees periódicos o revistas en otra lengua? (¿Sí? ¿En qué lengua? ¿De qué países son?)

12-7 Situaciones. En un grupo de dos o tres personas, traten de resolver las siguientes situaciones.

- **A:** Usted irá de viaje a Medellín, Colombia, porque quiere investigar el negocio del café. Por eso tiene que ir al banco para hacer varias actividades como abrir una cuenta corriente, depositar varios cheques, comprar cheques de viajero, preguntar el tipo de cambio, etcétera.
  B: Usted es el (la) cajero(a) del banco y quiere ayudar a este(a) cliente.

- Usted y su compañero(a) de cuarto necesitan hacer un presupuesto y decidir quién escribirá los cheques personales para pagar las cuentas. Discutan y decidan.

- **A:** Usted está de viaje por Barranquilla y Cartagena, Colombia y quiere mandarles algunas tarjetas postales a sus amigos en Canadá. También quiere comprar algunas revistas y periódicos para leer las noticias locales. Va a un kiosco o a una librería para comprar las tarjetas postales y ahora necesita comprar unas estampillas o sellos.
  B: Usted es el (la) dependiente del kiosco o de la librería y debe ayudar a este(a) cliente(a) y venderle las estampillas o explicarle dónde está la oficina de correos.

GRAMÁTICA esencial

Present Subjunctive Following Other Verbs of Volition

In this section, you will learn to express wishes, preferences, advice, suggestions, and recommendations.

In **Lección 11**, you learned how to use the verb **querer** to express wants and intentions. Spanish speakers also use other verbs of volition (*verbos de voluntad*) to persuade people to do things.

aconsejar	*to advise*
desear	*to desire, to wish*
insistir (en)	*to insist (on)*
pedir (e → i)	*to request*
permitir	*to permit*
preferir (e → ie)	*to prefer*
prohibir	*to forbid*
recomendar (e → ie)	*to recommend*
rogar (o → ue)	*to beg, to implore*
sugerir (e → ie)	*to suggest*

—Papá, ¿qué recomiendas que **hagamos** para exportar café?
*Dad, what do you recommend that we **do** to export coffee?*

—Sugiero que **ahorren** dinero y que lo **inviertan** en la exportación.
*I suggest that you **save** money and **invest** it in the export business.*

How to use verbs of volition

1. Use these verbs exactly as you did with the verb **querer.**

No change of subject	Change of subject
Gloria desea **aprender** inglés.	Gloria desea que <u>yo</u> **aprenda** inglés.
*Gloria wishes **to learn** English.*	*Gloria wants me to learn English.* (Literally, *Gloria wishes that **I learn** English.*)

2. An indirect object pronoun (**me, te, le, nos, os, les**) often precedes verbs of volition in the independent clause. In this case, it is not necessary to include a subject pronoun before the subjunctive verb form in the dependent clause; the indirect object pronoun indicates the subject of the dependent clause.

—¿**Te permiten** tus padres que **vayas** de compras? (**te → [tú] vayas**)
—Sí, pero **me prohiben** que **gaste** mucho dinero. (**me → [yo] gaste**)

¡Practiquemos!

CD3 - 39

12-8 Preferencias. Hace una semana que Francisco regresó a Monterrey de Vancouver. Ahora Marina está sugiriéndole a Francisco algunos cambios que él debe hacer en su vida para no pensar demasiado en Sara. ¿Qué le dice Marina a su hermano Francisco?

MODELO: *Pasas* (Pasar) mucho tiempo trabajando. Deseo que *descanses* (descansar) un poco más.

1. Creo que _____ (salir) de casa muy poco. Deseo que _____ más frecuentemente.

2. Parece que _____ (comer) mucha comida frita. Tu novia Sara sugiere que _____ menos comida frita.

3. Muchas veces _____ (almorzar) en restaurantes de comida rápida y barata. Insisto en que _____ en otros restaurantes que tengan comida más saludable.

4. En el cine _____ (ver) películas en inglés. Recomiendo que _____ películas en inglés en la tele también para practicar la lengua.

5. La verdad es que _____ (conocer) pocos restaurantes buenos. Papá te aconseja que _____ más restaurantes elegantes.

6. Tú sabes que _____ (hacer) muy poco ejercicio aquí en Monterrey por tus estudios y tu trabajo. Te sugiero que _____ más ejercicio y que _____ (jugar) al fútbol con tus amigos.

12-9 **¿Y usted?** Primero, complete las siguientes oraciones. Luego, dígale a otro(a) estudiante lo que quieren las siguientes personas que Ud. haga y por qué.

MODELO: Mis padres (no) quieren que...
Mis padres quieren que ahorre más dinero porque voy a necesitarlo para mis estudios.
o *Mis padres no quieren que yo vuelva a casa muy tarde porque tengo clases por la mañana.*

1. Muchas veces mis (padres / niños) me ruegan que...
2. Mi (papá / mamá) siempre me prohíbe que...
3. A veces mi (hermano[a] / esposo[a]) me pide que...
4. Frecuentemente mi mejor amigo(a) desea que...
5. También mis otros amigos quieren que...
6. _____ recomienda(n) que...

12-10 **¡Qué suerte!** Imagínese que usted y un(a) compañero(a) de clase van a visitar Colombia. Hablen juntos sobre sus planes para esta visita.

1. Decidan ustedes...
   a. qué ciudad quieren visitar.
   b. cuándo desean salir.
   c. cuántos dólares van a llevar.
   d. qué ropa quieren llevar.
   e. dónde van a dormir y comer.
   f. qué quieren hacer en ese país.

2. Hablen ustedes sobre qué recomiendan sus familiares o amigos que...
   a. vean en ese país.
   b. hagan juntos(as) allí.
   c. coman en los restaurantes.
   d. compren en las tiendas.

12-11 **Planes antes del viaje.** Usted y su amigo(a) necesitan ir al banco y pagar sus cuentas antes de viajar a Colombia. ¿Qué le aconseja/sugiere/desea/recomienda usted a su amigo(a)? ¿Qué le aconseja/sugiere/desea/recomienda su amigo(a) a Ud.?

MODELOS: ir al banco
Te recomiendo que vayas al banco.

escribir cheques personales para pagar tus cuentas antes del viaje
Te sugiero que escribas tus cheques personales para pagar tus cuentas antes del viaje.

1. comprar cheques de viajero
2. depositar dinero en la cuenta corriente
3. preguntar el tipo de cambio del peso colombiano
4. sacar dinero de tu cuenta de ahorros para el viaje
5. hacer un presupuesto de los gastos de viaje
6. cambiar algunos dólares por pesos colombianos

Datos curiosos sobre Colombia

- Colombia es el segundo productor del café que se consume en todo el mundo.

- Del suelo colombiano se extrae el 95% de las esmeraldas que se distribuyen a nivel mundial.

- Tiene una cultura diversa en la que se reflejan orígenes indígenas, españoles y africanos.

- El parque arqueológico de San Agustín en el departamento de Huila fue declarado Patrimonio de la Humanidad en 1995 por la UNESCO.

Monumentos indígenas en San Agustín

- Una de sus ciudades más antiguas, Cartagena, fue declarada Patrimonio de la Humanidad en 1984; muchos de sus edificios datan de los siglos XVI y XVII.

- Es el mayor exportador de carbón (*coal*) en el mundo.

- En Sudamérica es el tercer mercado de exportación más grande para Canadá, después de Chile y Brasil.

- Tiene la elevación costera más alta del mundo por encima de los cinco mil metros de altura.

- En el departamento de Cundinamarca se encuentra la iglesia "Catedral de Sal de Zipaquirá" con 8.500 metros cuadrados.

- Colombia ha cambiado su nombre varias veces; se ha llamado Virreynato de la Nueva Granada, Gran Colombia, República de Nueva Granada, Confederación Granadina, Estados Unidos de Nueva Granada y Estados Unidos de Colombia.

La Catedral de Sal de Zipaquirá

GRAMÁTICA esencial
Present Subjunctive Following Verbs of Emotion and Impersonal Expressions

In this section, you will learn to express your feelings, attitudes, and opinions. In the previous section, you learned how to use the present subjunctive to express wishes, intentions, preferences, advice, suggestions, and recommendations. Spanish speakers also use the present subjunctive to express their emotions and opinions.

How to use the present subjunctive

1. The list below contains verbs of emotion for expressing feelings and impersonal expressions for expressing opinions.

Verbs of emotion	Impersonal expressions
alegrarse (de) *to be glad (about)*	**es bueno/malo** *it's good/bad*
esperar *to hope*	**es importante** *it's important*
gustar *to be pleasing*	**es (im)posible** *it's (im)possible*
molestar *to bother*	**es (una) lástima** *it's too bad*
preocuparse (de) *to worry (about)*	**es lógico** *it's logical*
quejarse (de) *to complain (about)*	**es mejor** *it's better*
sentir (e → ie) *to be sorry*	**es ridículo** *it's ridiculous*

2. Remember that the present subjunctive is used when the subject of the dependent clause is *different* from the subject of the independent clause. When there is *no change of subject,* the verb in the dependent clause must be in its infinitive form.

No change of subject	Change of subject
Gloria espera **aprender** inglés.	Enrique espera que ella lo **aprenda.**
*Gloria hopes **to learn** English.*	*Enrique hopes that she **learns** it.*
Es bueno **aprender** inglés.	Es bueno que Gloria **aprenda** inglés.
*It's good **to learn** English.*	*It's good that Gloria **is learning** English.*

3. You have learned that one way to express your needs and desires is to use verbs like **querer, desear,** and **esperar.** Another way to express those feelings is to use the expression **ojalá (que)** with the present subjunctive. This expression has several English equivalents, including *Let's hope that, I hope that,* and *If only.* **Ojalá (que)** is *always* followed by the subjunctive, whether or not there is a change of subject in the dependent clause. The word **que** is often used after **ojalá** in writing but it is usually omitted in conversation.

ojalá (que) + subjunctive
Ojalá lo **pases** bien en Bogotá.   ***I hope** you **have** a good time in Bogotá.*
Ojalá haga buen tiempo allí.   ***Let's hope** the weather **is** good there.*
Ojalá que recibas estas postales.   ***I hope** you **will receive** these postcards.*

¡Practiquemos!

12-13 **En Bogotá.** ¿Qué esperan Enrique y Gloria de sus vacaciones en Bogotá? Complete las oraciones con la forma correcta del verbo usando el presente del subjuntivo.

MODELO: Es importante que Gloria y Enrique ___*vayan*___ (ir) al banco antes del viaje.

1. Es bueno que Enrique _____ (tomar) un descanso de su trabajo.
2. Es posible que Gloria _____ (visitar) a sus tíos en el barrio viejo de La Candelaria.
3. Es lógico que ellos _____ (salir) a bailar cumbia colombiana.
4. Es mejor que Enrique _____ (sacar) suficiente dinero de la cuenta corriente para este viaje.
5. Es una lástima que el hermano de Gloria, José, no _____ (estar) en Bogotá por esos días.
6. Es ridículo que ellos _____ (pagar) un cuarto de hotel cuando se pueden quedar con su familia.
7. Es importante que Gloria _____ (hacer) un presupuesto del viaje y no _____ (gastar) más del presupuesto.
8. Es imposible que ellos no lo _____ (pasar) bien en una ciudad tan divertida como Bogotá.

12-14 **Enrique y Gloria.** Enrique está hablando con Gloria en la casa de sus padres en Bogotá. Complete su conversación con las formas correctas entre paréntesis.

ENRIQUE: Pareces estar muy contenta hoy, Gloria.

GLORIA: Sí, Enrique, porque me gusta (hablar / hable) con mi familia y especialmente con mi hermano, Raúl. Y me alegro que él (comprender / comprenda) lo que queremos hacer con la exportación del café. Quiero (invitarlo / lo invite) a nuestra casa en Medellín. ¿Está bien?

ENRIQUE: Claro, espero que (invitarlo / lo invites) pronto. Es bueno que nosotros (hablar / hablemos) con él para saber más sobre el mercado de exportación.

GLORIA: Pues, es importante (tener / tenga) información correcta, ¿no te parece, Enrique?

ENRIQUE: Claro que sí, Gloria.

12-15 Dos amigas. Complete las siguientes oraciones para conocer un poco a Gloria y a su amiga Elisa.

MODELO: A Gloria y a Elisa les gusta ir de compras. Es lógico que ellas...
(ir a los centros comerciales / gastar un poco de dinero).
Es lógico que ellas vayan a los centros comerciales.
Es lógico que ellas gasten un poco de dinero.

1. Las dos muchachas son muy simpáticas. Es lógico que ellas... (conocer a mucha gente / hacer amigos fácilmente / recibir invitaciones a muchas cenas / estar contentas).
2. Para Gloria es difícil ahorrar dinero. Es una lástima que ella... (no poder ahorrar dinero / no abrir una cuenta de ahorros / ganar poco en su trabajo / gastar el dinero rápidamente).
3. Elisa ayuda a la gente anciana de su comunidad. Es bueno que ella... (ser tan generosa con su tiempo / pensar en otras personas / pasar tiempo hablando con los ancianos / a veces llevarles comida).

12-16 Un debate. Escriba sus reacciones y opiniones con respecto a **tres** de los siguientes temas. Luego, forme un grupo con otros(as) dos o tres estudiantes y hablen de sus opiniones sobre estos temas.

MODELO: la influencia económica de Canadá, de Europa y del Japón en el mundo
—*Sí, es bueno que Canadá ayude a los países pobres.*
—*Es importante que Canadá ayude a muchos países pobres para mejorar su economía y la de otros países también.*

1. Opiniones positivas

   Es bueno (que)...   Es mejor (que)...   No es malo (que)...
   Es importante (que)... Es normal (que)...   Es interesante (que)...

2. Opiniones negativas

   Es malo (que)...   Es ridículo (que)...
   Es terrible (que)...   Es (una) lástima (que)...

1. la interdependencia económica entre los países
2. las condiciones económicas en Europa del Este
3. la influencia económica de NAFTA en nuestra sociedad
4. el aumento numérico de la población pobre en el mundo
5. La influencia de los "cascos azules" canadienses en mantener la paz en el mundo.
6. el efecto económico de la tecnología médica en la sociedad

12-17 ¡Ojalá! Usando la expresión **ojalá**, escriba diez deseos que a Ud. le gustaría realizar dentro de tres años.

MODELO: *Ojalá que yo encuentre trabajo.*
Ojalá que yo pueda vivir en Ontario.

■ RETO CULTURAL

Ud. irá a Colombia a visitar varias haciendas de café ya que quiere invertir dinero en el negocio de la exportación de este producto a Canadá. Ud. se quedará en Colombia seis meses para investigar el mercado, así que tendrá que ir al Banco del Café Colombiano para abrir una cuenta corriente, para que en el banco le den una chequera personal, una tarjeta de crédito, un número personal para la tarjeta del cajero automático, etcétera.

Ahora Ud. está en el banco y le hace las siguientes preguntas al (a la) cajero(a), que es su compañero(a) de clase:

- ¿Qué tipo de cuentas puedo abrir en el banco?
- ¿Puedo tener una tarjeta de crédito y un número personal para el cajero automático?

El (La) cajero(a) le dice que tiene que esperar quince minutos pues la persona que lo (la) puede ayudar está tomándose un cafecito o un tinto. Ud. le pregunta al (a la) cajero(a):

- ¿Qué es un cafecito? ¿Qué es un tinto?
- ¿Por qué toma un descanso a las cuatro de la tarde?

¡Practiquemos más!

 For additional practice on the material covered in this chapter, go to **Lección 12** of the *Intercambios* Workbook/Laboratory Manual.

 For additional grammar, vocabulary, and conversation practice, go to **Lección 12** of the *Flex-Files*.

 Atajo Writing Assistant Software for Spanish can be used to complete the writing activities in your *Workbook/Laboratory Manual*.

 Intercambios Video: Activities to accompany the *Intercambios* Video can be found in the *Flex-Files*.

 Visit *Intercambios* on the World Wide Web at **http://www.intercambios.nelson.com**.

ASÍ SE DICE

▓ Sustantivos

el ambiente *atmosphere*
la estampilla / el sello *stamp*
la oficina de correos *post office*
el periódico *newspaper*
la revista *magazine*
la tarjeta postal *postcard*

▓ Vocabulario bancario

¿A cómo está el cambio? *What's the exchange rate?*
el cajero automático *ATM*
a crédito *on credit*
al contado *in cash*
la chequera *cheque book*
los cheques de viajero *traveller's cheques*
la cuenta corriente *chequing account*
la cuenta de ahorros *savings account*
el dinero *money*
en efectivo *in cash*
el gasto *expense*
el ingreso *earning*
el presupuesto *budget*
el sueldo *salary*
la tarjeta de crédito *credit card*

▓ Verbos

ahorrar *to save*
aumentar *to increase*
cambiar *to exchange*
cobrar *to cash*
depositar *to deposit*
ganar dinero *to earn money*
invertir (e ➞ ie) *to invest*
pedir prestado *to borrow*
prestar *to lend*
sacar dinero *to withdraw*

▓ Verbos

aconsejar *to advise*
alegrarse (de) *to be glad (about)*
compartir *to share*
convencer *to convince*
desear *to desire, to wish*
esperar *to hope*
gustar *to be pleasing*
insistir (en) *to insist (on)*
molestar *to bother*
pedir (e ➞ i) *to request*
permitir *to permit*
preferir (e ➞ ie) *to prefer*
preocuparse (de)/(por) *to worry (about)*
prohibir *to forbid*

quejarse (de) *to complain (about)*
recomendar (e ➞ ie) *to recommend*
rogar (o ➞ ue) *to beg, to implore*
sentir (e ➞ ie) *to be sorry*
sugerir (e ➞ ie) *to suggest*

▓ Expresiones impersonales

es bueno/malo *it's good/bad*
es importante *it's important*
es (im)posible *it's (im)possible*
es (una) lástima *it's too bad*
es lógico *it's logical*
es mejor *it's better*
es ridículo *it's ridiculous*

▓ Expresiones

¡Con mucho gusto! *It's a pleasure!*
cuanto antes mejor *the sooner the better*
ojalá (que) + *subjunctive* *let's hope (that)*
salirse de la rutina *to change your daily routine*
vamos a ver *let's see*

PERSPECTIVAS

CD3 - 41, 42  **IMÁGENES** Colombia y Canadá

Antes de leer: **Converse con sus compañeros.**

1. ¿Qué sabe usted de Colombia y de los colombianos? ¿Tiene amigos o compañeros de clase colombianos?

2. ¿Conoce usted a algún (alguna) cantante o escritor(a) colombiano(a)? ¿Cómo se llama?

3. ¿Dónde cree usted que vive la mayoría de colombianos en Canadá?

4. ¿Cree usted que las relaciones políticas y económicas entre Canadá y Colombia son buenas?

La siguiente lectura informa sobre la presencia colombiana en Canadá y también ofrece información sobre la relación entre nuestro país y Colombia.

Bogotá

De acuerdo a estadísticas oficiales hay cerca de 16.000 colombianos en Canadá. Toronto, Vancouver, Montreal, Calgary y más recientemente London, Ontario, son las ciudades de mayor concentración de colombianos. Canadienses de origen latinoamericano, ahora se refieren a la ciudad de London como "Londombia", porque el número de colombianos que ha llegado después de 1997 se ha multiplicado y sigue creciendo cada día más.

Los colombianos llegaron a Canadá por diversas razones: algunos para obtener una mejor educación y otros para conseguir oportunidades de mejores empleos. Sin embargo muchos tuvieron que dejar a sus familiares y estilos de vida debido a la inestabilidad política y a la ola de violencia que ha azotado a la nación en los últimos años. La mayoría de los inmigrantes colombianos son profesionales y tienen asociaciones que los representan en varias provincias de Canadá.

Las comunidades de colombianos que se encuentran en los diferentes puntos de Canadá mantienen viva su cultura y están apegadas (*attached*) a sus raíces a través de

Fiesta del Sol, London, Ontario

los medios de comunicación, restaurantes donde pueden disfrutar de los platillos típicos regionales, discotecas, mercados y tiendas. Hoy en día, ver a los familiares que se quedaron en Colombia ya no es tan difícil para el colombiano-canadiense, ya que Air Canada ha formalizado un servicio directo de Toronto a Bogotá tres veces por semana.

Las relaciones entre Canadá y Colombia son bastante buenas a nivel económico. Actualmente hay inversionistas de todas partes del Canadá en áreas de minería, agricultura, fabricación de calzado, petróleo, energía, tecnología, etcétera. En el año 2003 el comercio entre los dos países fue de $677,5 millones.

Instituciones educativas o petroleras en Canadá tienen acuerdos con instituciones colombianas, como por ejemplo las universidades de Calgary y Alberta o el Instituto Petrolero Canadiense de Alberta, para entrenar a ejecutivos en el manejo de compañías colombianas.

Exportaciones de Alberta a Colombia en el ano 2003

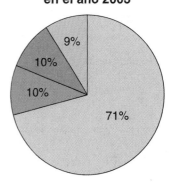

□ Trigo y otros granos
□ Maquinarias y repuestos
□ Gases
□ Otros

¡A leer!

Actividad

Lea el siguiente artículo sobre el Parque Nacional del Café en Montenegro, Colombia y subraye las ideas principales para entender la idea general del artículo.

Lea nuevamente el artículo y haga un círculo alrededor de las palabras e ideas claves para entender el artículo.

Parque Nacional del Café

EL FRONDOSO VERDE DE LA REGIÓN HECHO TURISMO
PARQUE NACIONAL DEL CAFÉ

Está situado en el municipio de Montenegro, creado para hacer un homenaje (*homage*) a quienes han representado la calidad humana de los colombianos y el potencial agrícola del cultivo del café.

En este parque podrá conocer los mitos y leyendas de los colonizadores, un sendero ecológico, el museo del café, el cual contiene muestras de las diferentes variedades de café existentes en el mundo, diferentes actividades que proporcionan diversión como el teleférico (*cable car*), recorrido en el tren del café, la montaña rusa (*roller coaster*), los carros chocones (*bumper cars*), el lago de las fábulas, el gran prix, la montaña rusa de agua, además de admirar el paisaje con el que la naturaleza honra la región.

No debe dejar de disfrutar la variada muestra de comida colombiana que tenemos, incluso para los paladares más exquisitos, además de poder probar diferentes preparaciones de nuestro producto, EL CAFÉ. Otros Atractivos: servicio de helicóptero, karts, paseos a caballo.

Actividades

A. Haga un resumen del artículo. Conteste las siguientes preguntas que lo/la ayudarán a escribir un buen resumen.
1. Escriba un nuevo título para este artículo.
2. ¿Dónde está este lugar?
3. ¿Para qué sirve este lugar?
4. ¿Qué se puede ver y hacer en este lugar?
5. ¿Cuál es el tema principal del artículo?
6. ¿Cómo se puede resolver el problema en el artículo, si hay algún problema?

B. Ahora use las respuestas de la **Actividad A** y escriba un resumen del artículo.

C. Edite su resumen, revisando lo siguiente:
1. Contenido *(content)*
   ¿Es interesante el título?
   ¿Es la información interesante y relevante?
   ¿Es la información importante?
2. Organización
   ¿Está la idea principal en el resumen?
   ¿Son todas las oraciones sobre un tema?
   ¿Existe un orden lógico en la secuencia de las oraciones?
3. Estilo
   ¿Puede conectar oraciones con **y (e)**, **pero**, o **porque**?
   ¿Puede comenzar alguna oración con **después** o **luego**?
   ¿Puede añadir *(to add)* **también** a alguna oración?

D. Cambie su resumen con el de un(a) compañero(a) de clase para revisar los errores. Luego, entréguele el resumen a su profesor(a) para que lo revise.

¡A escribir!

Writing a Summary

A good summary presents a narrative's central theme, problem, or conflict, and the events that led to its resolution. Here is a list of important aspects to include in a summary:

▶ An interesting title

▶ Where and when the action takes place

▶ The main characters (if any)

▶ The problem or conflict

▶ The solution to the problem or conflict

PASO 5

¡Buen viaje!

Los cubanos son de orígenes muy diversos. Muchos cubanos son de descendencia africana. También hay cubanos de herencia española, canaria (de las Islas Canarias), indígena, china y judía. La mayoría de los cubanos proviene de una mezcla de etnias diferentes.

Bandera de Cuba

España tiene varias regiones y cada una de ellas tiene su propia comida y a veces hasta su propia lengua. Por ejemplo, en el País Vasco se habla euskera, en Cataluña se habla catalán, en Galicia se habla gallego, en Valencia se habla valenciano, en Castilla y León se habla español o castellano, al igual que en las otras regiones como Andalucía, Extremadura, Navarra y Asturias.

Bandera española

Las playas de Cuba

Las calles de La Habana

Baile Folklórico de Galicia

En el primer diálogo, Pierre Lemieux y sus padres hablan de reservar habitaciones de hotel en España. Ellos van a pasar sus vacaciones en Madrid y en Santiago de Compostela. Más adelante, viajamos a Cuba, donde Sara Chang trabaja en un proyecto de desarrollo. Francisco visita a Sara en La Habana. Cuando Francisco se enferma, ellos tienen que ir a una clínica. Al final, regresamos a Canadá donde los estudiantes se reúnen en un congreso estudiantil en la Universidad Dalhousie en Halifax. Lisa, Sara y Pierre hablan de sus planes para el futuro.

LECCIÓN 13
¡Te esperamos en Galicia!

Pierre Lemieux planeaba° irse a España para sus vacaciones, junto con sus padres. Ellos querían pasar unos días en Madrid [1] en julio y luego viajar en tren [2] a Galicia para estar en las fiestas de Santiago de Compostela.[3]

PIERRE:	Cuando viajo solo me quedo° en albergues juveniles° o en pensiones baratas°. Pero sé que cuando viaje con ustedes, tendré que quedarme en un hotel.
SEÑORA LEMIEUX:	Es verdad. Sin embargo, no necesito tanto lujo como mi hermano en Chile. Con tal de que sea un hotel decente y limpio, sin demasiado ruido° o ajetreo°, estoy contenta.
SEÑOR LEMIEUX:	Aunque un hotel no cueste mucho dinero, puede ser un lugar agradable para quedarse. Aquí en Quebec hay muchos hoteles buenos y baratos.... Pierre, dame los folletos°, por favor. *(Leyendo los folletos):* Este Hostal Azul se ve muy bien y sólo cobran más o menos sesenta y cinco dólares canadienses por noche.
PIERRE:	¿Es el precio de una habitación sencilla con baño?
SEÑOR LEMIEUX:	Sí. En caso de que nos quedemos tu mamá y yo, nosotros tendremos que pagar más o menos setenta y tres dólares por una habitación doble con baño privado°. Será menos de ciento cuarenta dólares por noche para nosotros tres. El hotel está en pleno centro° de Madrid, cerca de la Estación de Atocha.
SEÑORA LEMIEUX:	No me parece mal. Pero si el hotel está en el centro, ¿no crees que haya° mucho ruido?
SEÑOR LEMIEUX:	Dudo que sea un problema muy grave. Pero llevaremos los folletos de los otros hoteles con nosotros para que podamos mudarnos de hotel.
SEÑORA LEMIEUX:	Entonces, ¿quieres hacer la reservación por fax?
SEÑOR LEMIEUX:	Creo que podemos hacerla en la red. Y cuando tengamos la confirmación de nuestro hotel en Madrid, buscaremos un hotel en Santiago de Compostela.
PIERRE:	¡Cómo tengo ganas de conocer España! Tendré que contarles todas mis impresiones a Marina, a Sara y a Lisa, tan pronto como encontremos un café internet en Madrid.

planeaba... *he was planning*
me quedo... *I stay*
albergues juveniles... *youth hostels*
barato(a)... *cheap*
ruido... *noise*
ajetreo... *bustle, coming and going*
folletos... *brochures*
una habitación doble con baño privado... *a double room with a bathroom*
en pleno centro... *right downtown*
¿no crees que haya?... *don't you think there might be? (subj.)*

Hostal Azul

Exterior: Hostal Azul está situado en la Gran Vía 11. La Gran Vía no está en la zona de más ruido y ajetreo.

Recepción: En este hostal el gerente les va a contestar todas sus preguntas. Y los va a ayudar en todo lo posible.

Habitación:
• Habitación sencilla con baño 40 Euros ($65)
• Habitación doble con baño 45 Euros ($73)
• Habitación sencilla sin baño 20 Euros ($32)
• Habitación doble sin baño 24 Euros ($40)

Bar/Comedor: ¿Qué le gustaría beber? Estamos a su servicio todo el día.

Baño: Baño con o sin ducha.

SEÑORA LEMIEUX: Estoy segura de que vas a escribirles también al tío Pablo y a la tía Laura en Chile. Es importante que mantengas contacto con tus parientes en Hispanoamérica.

PIERRE: Claro que sí.

Notas de texto

Catedral de Santiago de Compostela

1. Madrid is the capital of Spain and has a population of 4 million. It has a remarkable collection of museums (**El Prado, el Casón del Buen Retiro, el Museo Thyssen-Bornemiza,** and **el Museo de la Estructura Abstracta),** beautiful parks and gardens, and an exciting nightlife. Madrid is multifaceted: There is a commercial, financial, and industrial Madrid, a colourful picturesque Madrid with its **Rastro** (a sort of flea market), a bullfighting and flamenco Madrid with dancers, singers, and guitarists, and a Madrid of antique dealers and artists.

2. The RENFE **(Red Nacional de Ferrocarriles Españoles)** is Spain's train system, which was created in 1941 and has 4,570 passengers taking trains daily. The trains run 24 hours a day, 365 days a year. They are punctual 98% of the time. The RENFE Company has contracts in more than twenty countries. For example, two Talgo trains connect Canada with the United States in the international Vancouver-Seattle line. A passenger can take the train from Madrid to Cordoba and Sevilla (in the southern part of Spain) and arrive in two or two and a half hours. These are called the AVE (**alta velocidad** = *high speed*) trains.

3. Santiago de Compostela is the capital of Galicia. It has approximately 89,000 inhabitants and lies 632 kilometres from Madrid. It is the final destination of a pilgrimage called **Camino de Santiago** *(Saint James Way)*. Nowadays, thousands of people walk this 783-kilometre route to arrive at the cathedral where the Apostle Saint James is buried. The celebrations for Saint James take place on July 25. One of the most famous universities in Europe, the **Universidad de Santiago de Compostela** is located in this city. The region is well known for its cuisine, especially for its seafood.

■ Conexión cultural

España ha tenido interés en Canadá desde hace más de 400 años. Esto se demuestra por los nombres en español de algunos lugares como Alberni, Laredo Strait, Carmelo Strait, Mazarredo Sound, Mount Bodega, Texada, Valdes Islands, Narvaez Bay y otros.

■ Conexión cultural

¿Sabías que la Isla de Vancouver antes se llamaba "Quadra and Vancouver Island"? Se llamaba así en honor al explorador español Capitán Juan Bodega y Quadra y a su amistad con el Capitán George Vancouver. La presencia española también se puede verificar en Terranova por los nombres de algunos de sus lugares en el idoma vasco.

13-1 ¿Comprendió usted? Converse con un(a) compañero(a) de clase.

1. ¿Dónde quieren los Lemieux pasar los primeros días de sus vacaciones?
2. ¿Qué van a hacer en Galicia?
3. ¿Cuáles son las características que a la Señora Lemieux le gustan en un hotel?
4. ¿Cuántas habitaciones van a reservar los Lemieux?
5. ¿A quiénes va a contarles Pierre sus impresiones?
6. ¿A qué lugares va usted "de marcha" los fines de semana? Explique con quién va, a qué hora va y qué hace en ese lugar.
7. ¿Le gustaría viajar en tren? ¿Adónde?

CULTURA

■ Dónde alojarse en España

En España todos los hoteles están divididos en diferentes categorías, según sus cualidades e instalaciones *(facilities)*. Un hotel (H) puede tener entre una y cinco estrellas *(stars)*; un hotel de cinco estrellas representa lo mejor y lo más caro. Un hostal (Hs) tiene las mismas instalaciones que un hotel, pero normalmente ocupa sólo una parte de un edificio y tiene un ascensor común. Un hostal residencia (HsR) ofrece habitaciones pero no tiene servicio de comedor. Una pensión (P) tiene menos de doce habitaciones y el (la) dueño(a) tiene el derecho *(right)* de cobrar por tres comidas diarias. Una fonda (F) ofrece las instalaciones más económicas.

En España hay una serie de hoteles muy interesantes que se llaman paradores. Estos paradores se pueden encontrar en lugares naturalmente hermosos o pueden ser edificios históricos *(historic buildings)* como castillos *(castles)*, monasterios, conventos y palacios que tienen vistas magníficas. Los paradores siempre ofrecen la comida típica de la región donde están situados. Los paradores también pueden tener entre dos y cinco estrellas. También hay albergues *(inns)* pequeños pero cómodos, que son principalmente para los viajeros que viajan en auto por España.

Para los viajeros que tienen poco dinero, hay más de cuarenta albergues juveniles *(youth hostels)*. Durante los meses de verano es posible alquilar una habitación económica en las residencias de muchas universidades, que se llaman colegios mayores. Para alojarse allí, hay que tener una tarjeta de estudiante internacional.

El medio más barato de alojarse en España es acampar. Hay más de quinientos campamentos en el país. Por supuesto, hay que traer todo el equipo necesario para acampar, pero es posible comprar comida en esos lugares.

 Preguntas. Converse con un(a) compañero(a) de clase.

1. ¿Dónde preferiría alojarse si fuera a España algún día? Hable sobre sus preferencias y razones.

fonda	pensión	hostal residencia
hostal	albergue	hotel de (#) estrellas
parador	campamento	albergue juvenil

2. ¿Qué diferencias y similitudes hay entre los hoteles y hostales de España y de Canadá?

VOCABULARIO esencial

In this section, you will learn to express your accommodation needs in a Spanish-speaking country or community.

Cómo comunicarse en un hotel

En la recepción

PIERRE:	Buenas noches. Soy Pierre Lemieux. Tengo una reservación.
RECEPCIONISTA:	Sí, tengo su reserva aquí, señor. ¿Prefiere Ud. una habitación con una cama doble *(double bed)* o dos camas sencillas *(single beds)*?
PIERRE:	Una cama doble, por favor. Y que el cuarto tenga un baño privado *(private bathroom)* con ducha. También quiero un cuarto que no dé a la calle *(street)* porque hay un poco de ruido aquí por el tráfico... y que tenga aire acondicionado *(air conditioning)*.
RECEPCIONISTA:	Sí, señor. Todas las habitaciones tienen aire acondicionado. Son muy cómodas.
PIERRE:	¿Hay un ascensor *(elevator)*?
RECEPCIONISTA:	Sí, cómo no *(of course)*, señor. Aquí a la izquierda *(left)*. Y a la salida del hotel, a la derecha *(right)*, hay un bar-restaurante. Ésta es la llave *(key)* de su habitación, número 234.
PIERRE:	Muchas gracias.
RECEPCIONISTA:	De nada, señor.

Direcciones a la derecha *to the right,* a la izquierda *to the left,* la avenida *avenue,* la calle *street,* cruzar (cruce) *to cross,* derecho *straight*

En la habitación

la puerta
el cuadro
la lámpara
el servicio de comida
el fax
el radio
el escritorio
el televisor
el sillón
la cama
la silla
la llave
el teléfono
la máquina contestadora
la mesa
las maletas
el despertador

En el cuarto de baño

la toalla
el espejo
el jabón
el papel higiénico
el lavabo
el inodoro

¡Practiquemos!

13-2 Asociaciones. Lea cada descripción y luego indique su definición.

el lavabo	la llave	el escritorio	el ruido
el jabón	la toalla	la habitación	la lámpara
el sillón	la recepción	el aire acondicionado	el espejo

1. Uno se sienta aquí para leer.
2. Se usa para lavarse las manos.
3. Es otra palabra para **cuarto**.
4. En este lugar uno se registra.
5. Se usa para secarse bien.
6. El tráfico causa este problema.

7. Se pone esto cuando hace calor.
8. Aquí se escriben tarjetas postales.
9. Se usa para abrir una puerta.
10. Se necesita para leer de noche.
11. En esto uno se lava las manos.
12. Se usa para mirarse a sí mismo(a).

13-3 Parador Hostal de los Reyes Católicos, Santiago de Compostela.
Lea el siguiente folleto. Luego, converse con un(a) compañero(a) de clase.

Hospital Real, Albergue de Peregrinos (Pilgrims' Refuge) de finales del siglo XV

Este parador está situado en la Plaza do Obradoiro, en Santiago de Compostela. En el siglo XV fue posada *(inn)* para los peregrinos que venían a visitar la tumba *(tomb)* del Apóstol Santiago. Hoy, los peregrinos pueden comer gratuitamente *(for free)* aquí cuando viajan por el Camino de Santiago. En España, este parador está considerado como el albergue más antiguo *(the oldest)* de la región.

PARADOR HOSTAL DE LOS "REYES CATÓLICOS"
Santiago de Compostela
G.L. A CORUÑA
PZA. DO OBRADOIRO, 1 - 15705 S. DE COMPOSTELA • TEL. (981) 58 22 00 - FAX (981) 56 30 94

ACTIVIDADES Hípica • Parapente • Rafting • Vela ligera • Canoa • Kayak • Golf • Pesca fluvial • Tenis • Natación • Turismo oéreo.

EXCURSIONES • SANTIAGO DE COMPOSTELA. Catedral, Plaza do Obradoiro. • A CORUÑA (62 km). Rías Altas y Rías Baixas. • VIGO (100 km). • BAIONA (110 km). • FINISTERRE Y. COSTA DE LA MUERTE (110 km)

12 HABITACIONES INDIVIDUALES
104 HABITACIONES DOBLES
14 HABITACIONES DOBLES
6 HABITACIONES CON SALÓN
BAR
RESTAURANTE

TELEVISIÓN
ASCENSOR
TELÉFONO EN HABITACIÓN
AIRE ACONDICIONADO
AIRE ACONDICIONADO EN SALONES
TARJETAS DE CRÉDITO

CAMBIO DE MONEDA
10 KM. DEL CAMPO DE GOLF
15 KM. DISTANCIA DEL AEROPUERTO
3 KM. DISTANCIA DE LA ESTACIÓN DE LA RENFE
CAJA FUERTE
FACILIDADES PARA MINUSVÁLIDOS

1. ¿Dónde está el Hotel Parador de los Reyes Católicos?
2. ¿Qué servicios o facilidades le ofrece el hotel parador al público?
3. ¿Cuáles de estas facilidades son las más importantes para ustedes?
4. ¿Les gustaría visitar este lugar? ¿Por qué sí o no?

13-4 Un viaje interesante. En uno o dos párrafos, describa un viaje interesante que Ud. hizo. En su descripción, mencione...

1. cuándo hizo usted el viaje.
2. quiénes fueron con usted.
3. adónde fue usted.
4. el hotel donde se quedó y cómo era.
5. qué hicieron en ese lugar.
6. a quién conocieron allí.
7. cuándo volvieron del viaje.
8. una descripción de la habitación.

Cómo quejarse de la habitación

PIERRE: Señor, el cuarto 234 no está arreglado *(is not made up)* y está muy sucio *(dirty)*. Y no hay toallas, ni jabón, ni papel higiénico *(toilet paper)*.

RECEPCIONISTA: Ay, perdón. Olvidé *(I forgot)* que estamos renovando la habitación 234. Aquí está la llave de la 345. La habitación está arreglada, limpia *(clean)* y bien equipada *(equipped)* con radio y televisor. Lo siento mucho.

¡Practiquemos!

 13-5 ¡Qué horror! Descríbale a su compañero(a) de cuarto lo horrible que estaba su cuarto del hotel la última vez que viajó a...

MODELO: *La última vez que viajé, el cuarto del hotel era un horror. El aire acondicionado no funcionaba, el televisor tampoco, no había jabón en el cuarto de baño...*

13-6 Situaciones. En un grupo de tres o cuatro personas, traten de resolver las siguientes situaciones.

▪ Después de entrar a su habitación de un hotel de Sevilla, España, ustedes se duchan, miran las noticias en la tele y luego se acuestan. A las tres de la mañana un ruido tremendo los (las) despierta: dos personas en otra habitación comienzan a tener una fuerte discusión y ustedes ya no pueden dormir. ¿Qué hacen? ¿Con quién van a hablar?

▪ Ustedes están en Madrid en el Hostal Azul pero cuando llegan a su habitación, ésta está sucia, desarreglada, no hay jabón ni papel higiénico en el cuarto de baño y la habitación da a la calle y hay mucho ruido. Cuando van a la recepción, el (la) recepcionista les dice que no los puede cambiar porque no hay más habitaciones. ¿Qué hacen ustedes? ¿A qué acuerdo llegan con el (la) recepcionista?

▪ Ustedes están pagando la cuenta del hotel antes de salir para el aeropuerto. El (La) recepcionista les da la cuenta de la habitación, la cual indica que ustedes hicieron dos llamadas telefónicas de larga distancia. Pero ustedes no hicieron ninguna llamada. ¿Cómo solucionan el problema de las llamadas por teléfono?

▪ Usted llegó a Santiago de Compostela y el restaurante del hotel está cerrado hasta las ocho y media de la noche. Usted le pide al conserje que le dé una dirección de un restaurante cerca del hotel. Su compañero(a) le dará las direcciones: siga derecho dos calles y luego cruce a la derecha, etcétera.

CULTURA

■ Consejos de hotel

Cuando el (la) viajero(a) se registra en un hotel en España, deja su pasaporte con el (la) recepcionista, quien lo registra con la policía local. Se hace esto para proteger *(to protect)*, tanto al viajero como al hotel. El pasaporte se lo devuelven al (a la) viajero(a) dentro de unas horas o el próximo día. En Latinoamérica, el (la) viajero(a) no deja su pasaporte en la recepción, pero tiene que escribir el número del pasaporte en el formulario *(form)* de registro.

> **"**A quien cuida la peseta nunca le falta un duro**"**.—*Anónimo*

GRAMÁTICA esencial

Present Subjunctive Following Verbs and Expressions of Uncertainty

In this section, you will learn to express confidence and certainty as well as doubt and uncertainty.

Spanish speakers use the subjunctive mood to express doubt, uncertainty, disbelief, unreality, nonexistence, and indefiniteness.

How to use the present subjunctive

1. Spanish speakers use the following verbs and expressions to communicate uncertainty.

dudar	*to doubt*	**no creer**	*to disbelieve*
es dudoso	*it's doubtful*	**no estar seguro(a)**	*to be unsure*

Notice how the present *subjunctive* is used in the following sentences to express *doubt and uncertainty*.

Es dudoso que **tengas** dinero.   ***It's doubtful*** *that you* ***have*** *money.*
No creo que **ganes** mucho dinero.   ***I don't believe*** *you* ***earn*** *a lot of money.*

No estoy seguro (de) que **puedas** viajar.   ***I'm not sure*** *you* ***can*** *travel.*

But notice how the present *indicative* is used in the following sentences to express *confidence and certainty*.

No dudo que **vas** a Europa.   ***I don't doubt*** *you're going to Europe.*

Creo que **ganas** mucho.   ***I believe*** *you* ***earn*** *a lot.*
Estoy segura (de) que **puedes** viajar.   ***I'm sure*** *you* ***can*** *travel.*

2. When **creer** is used in questions or in negative sentences and there is doubt on the part of the speaker, the subjunctive is used.

> **¿Crees** que ellos **vayan** a España?   *Do you believe that they **will go** to Spain?*

3. Spanish speakers use the *subjunctive* after **que** when they are not sure that the people, places, things, or conditions that they are describing exist, or when they do not believe that they exist at all.

> Quiero alquilar una casa de verano que **esté** cerca del mar. Prefiero una casa bonita que **tenga** dos dormitorios y que **sea** económica.
>
> *I want to rent a summer house that **is** near the sea. I prefer a pretty house that **has** two bedrooms and that **is** inexpensive.*

In the previous example, the speaker describes an idealized summerhouse to rent. The house must have certain qualifications: It must be near the sea, have two bedrooms, and be inexpensive. So far, however, the person has not found such a summerhouse, nor is the person sure to find one. Because of the person's doubt and uncertainty about this situation, the person uses the subjunctive after **que**.

On the other hand, Spanish speakers use the *indicative* after **que** to refer to people and things they are certain about or believe to be true.

> Conozco a un amigo que va a un hotel pequeño que **está** a varios kilómetros al norte de Santiago. Sé que sus tarifas **son** bajas y creo que **sirven** una comida excelente en su restaurante.
>
> *I know a friend who is going to a small hotel that **is** a few kilometres north of Santiago. I know that its rates **are** low and I think that they **serve** excellent food in their restaurant.*

Now the speaker tells us about a specific hotel this person is familiar with. The person also knows its name, location, and rates and believes they serve excellent food. Because the speaker knows these facts, the speaker uses the indicative after **que**.

¡Practiquemos!

13-7 En la universidad. ¿Qué creen las siguientes personas de la universidad? Complete los espacios en blanco con la forma apropiada de los verbos en el presente del subjuntivo si hay duda, pero en el presente del indicativo si no hay duda. CD4 - 6

MODELO: El profesor Smith duda que los estudiantes ___*lleguen*___ (llegar) temprano a clase.

1. Glenn y yo dudamos que el profesor Aquino _____ (dar) un examen de historia fácil.
2. Tú no estás segura de que el horario del semestre que viene _____ (ser) mejor que el de este semestre.
3. Yo no dudo que Juan _____ (trabajar) mucho en la clase de cálculo.

4. La profesora Fernández no está segura que los estudiantes _____ (estudiar) mucho durante el descanso de la primavera.
5. Es dudoso que los profesores _____ (querer) enseñar a las siete de la mañana.
6. Betty cree que la clase del profesor Vega _____ (ser) muy interesante.
7. No estamos seguros que _____ (poder) ir a la conferencia esta noche.
8. El profesor Bermúdez está seguro que los profesores _____ (asistir) a la reunión esta tarde.

13-8 En Madrid. Con un(a) compañero(a) de clase, complete la siguiente conversación y las preguntas sobre Madrid entre Pierre (P) y el recepcionista (R) del hostal.

MODELO: P: creo / llover más tarde
R: es dudoso / llover hoy porque...
P: *Creo que lloverá más tarde.*
R: *Es dudoso que llueva hoy porque está despejado.*

hoy es domingo	es el fin de semana
está despejado	no es peligroso
es una ciudad muy interesante	yo ya miré bien el mapa

1. P: dudo / ésta / ser la ruta al museo
   R: no dudo / ser la ruta correcta porque...
2. P: no estoy seguro / (yo) poder caminar por aquí
   R: no hay duda / (usted) poder caminar por aquí porque...
3. P: ¿cree (usted) / los almacenes / estar abiertos?
   R: no, estoy seguro / estar cerrados porque...
4. P: ¿cree (usted) / estar abierto el Museo del Prado?
   R: estoy seguro / estar abierto porque...

13-9 En un hostal en Madrid. Pierre le hizo varias preguntas al recepcionista del Hostal Azul cuando llegó a Madrid. ¿Qué le dijo al recepcionista?

MODELO: quiero un cuarto / tener una cama doble
Quiero un cuarto que tenga una cama doble.

Antes de ver la habitación

1. ¿es posible darme un cuarto / no dar a la calle?
2. ¿no tiene usted otros cuartos / costar un poco menos?
3. ¿puede usted darme un cuarto / estar en el primer piso?
4. ¿es posible darme un cuarto / tener vista a la plaza?
5. ¿hay alguien / poder ayudarme con mi maleta?

Después de ver la habitación

6. deseo un cuarto / no ser tan pequeño
7. prefiero un cuarto / tener un baño privado
8. busco un empleado / poder darme más toallas

13-10 **Planes para viajar.** Converse con un(a) compañero(a) de clase sobre sus sueños o aspiraciones.

MODELO: *Algún día quiero visitar un lugar que esté cerca del mar.*

1. Algún día quiero visitar un lugar que...
2. Creo que... , pero no estoy seguro(a) que...
3. En ese lugar hay... Por eso, no dudo que...
4. Estoy seguro(a) que mis... , pero no creo que...

 13-11 **¿Qué cree Ud.?** Escoja **uno** de los siguientes posibles temas. Luego, con un(a) compañero(a) de clase, escriban una lista de cinco ideas que ustedes creen posibles y otra lista de cinco ideas que ustedes no creen posibles o dudan.

Temas posibles

1. La familia: la influencia de los padres, las obligaciones de los niños, la importancia de los abuelos...
2. La educación: los colegios, las universidades, los profesores, los administradores, los cursos, los exámenes, las vacaciones...
3. La buena salud: la dieta, el ejercicio, las comidas buenas y malas...
4. La vida social: los pasatiempos, los cines, las relaciones personales, el matrimonio, el divorcio...
5. La sociedad: la libertad, la política, la religión, las drogas, la violencia, los líderes...

CULTURA

 CD4 - 8, 9

■ Cómo viajar en España

En avión. Es muy caro viajar en avión de una ciudad española a otra. Sin embargo *(However)*, a veces hay descuentos para estudiantes y otras tarifas especiales en los vuelos *(flights)* de noche.

En tren. La mayoría de los españoles viaja de una ciudad a otra en tren y usa el sistema de la RENFE. Éste es un excelente sistema de ferrocarriles. Casi todos los trenes tienen secciones de primera y de segunda clase *(first and second class)* y la mayoría de los trenes nocturnos tiene coche-camas para dormir.

En autobús. El excelente sistema de autobuses de España sirve a los pueblos pequeños que no tienen servicio de tren y a los otros pueblos y ciudades del país. La mayoría de los autobuses son cómodos, son más económicos que los trenes y pueden llevarlo a uno a su destino más rápidamente que un tren, especialmente si las distancias son cortas *(short)*. Si uno quiere viajar por las rutas principales de los autobuses, es recomendable hacer reserva. Algunos autobuses son modernos con aire acondicionado, películas en video y servicio de bebidas. Otros autobuses son más viejos y paran *(stop)* frecuentemente a lo largo de su ruta para que los pasajeros puedan subir o bajar.

En auto. Viajar en auto es la manera más conveniente y cómoda para visitar los lugares remotos de España. Aunque las carreteras *(highways)* de España son relativamente buenas, muchos españoles no viajan largas distancias en auto porque la gasolina es muy cara. Sin embargo, muchos turistas extranjeros

(continued)

prefieren viajar por España en auto, a pesar del *(in spite of the)* alto costo de la gasolina porque esto les permite visitar muchos lugares interesantes.

Preguntas. Converse con un(a) compañero(a) de clase.

1. ¿Cómo es el transporte público en tu país?

2. ¿Con qué frecuencia viajas en transporte público? Explica.

3. ¿Cuáles son algunas ventajas y desventajas del transporte público?

4. ¿Viajas con frecuencia por tren? ¿Adónde viajas?

5. ¿Cómo te gustaría viajar por España, en tren, autobús o auto?

 13-12 ¡Por amor al arte! Lea el siguiente artículo y conteste las preguntas correspondientes con un(a) compañero(a) de clase.

Por amor al arte

Bajo el nombre de "Gallaecia fulget"[1] (Galicia brilla) se ha inaugurado una exposición en Santiago de Compostela, que mostrará, hasta septiembre de este año, una recopilación[2] de los últimos siglos[3] de la historia universitaria de la capital del apóstol, paralela al transcurrir de la historia local. En el colegio Santiago Alfeo, la iglesia de la Universidad, en el monasterio de San Martiño Pinario, en la casa de Troya y en la de Conga están expuestos documentos, pinturas, libros e incluso "chuletas"[4] famosas. La entrada es gratuita.[5] ***Infórmate en:*** Universidad de Santiago de Compostela. Tel. (981) 56 31 00, ext. 1099. Propuesta: Unijoven (en agencias de viaje) ofrece un viaje de una semana a Galícia desde 500 Euros.

1. ¿Dónde está situada la ciudad de Santiago de Compostela?

2. ¿De qué es la exposición que se presenta en el colegio Santiago Alfeo, en la iglesia de la Universidad, en el monasterio de San Martiño Pinario, etcétera?

3. ¿Cuánto cuesta la entrada a la exposición?

4. ¿Dónde puede informarse sobre la exposición?

5. ¿Qué piensas tú de las chuletas *(study guides)*? ¿Cuándo las usas tú?

[1]Gallaecia... *Galicia glows (In Galicia, people speak Galician in addition to Spanish. During the thirteenth century, poets used Galician as much as Spanish. Nowadays in Spain, there are four official languages: Spanish [Castillian], Galician, Catalan, and Basque.)*
[2]recopilación... *summary*
[3]siglos... *centuries*
[4]chuletas... *study guides*
[5]grátuita... *free*

GRAMÁTICA esencial

Present Subjunctive in Purpose and Time Clauses

In this section, you will learn to express different kinds of cause-and-effect relationships.

A conjunction is a word that links together words or groups of words, such as an independent clause and a dependent clause. The following are conjunctions of purpose and time with explanations and examples of how to use them.

Conjunctions of purpose

1. *Always* use the *subjunctive* after these five conjunctions of purpose:

para que   *so (that)*   **en caso (de) que**   *in case (of)*
con tal (de) que   *provided (that)*   **sin que**   *without*
a menos que   *unless*

Independent clause	Conjunction	Dependent clause
Voy a Europa	con tal (de) que	vayas conmigo.

*I'll go to Europe provided that you **go** with me.*

2. When expressing an idea with the conjunction **aunque** *(although, even if)*, use the indicative to state certainty, and use the subjunctive to imply uncertainty.

- **Certainty (indicative)**

   Aunque el viaje **es** en julio, no puedo ir.   ***Although** the trip **is** in July, I can't go.*

- **Uncertainty (subjunctive)**

   Aunque el viaje **sea** en julio, no puedo ir.   ***Even if** the trip **is** in July, I can't go.*

Conjunctions of time

1. The following conjunctions of time may be followed by a verb in either the indicative or the subjunctive. When referring to habitual or completed actions in the past, use the indicative in the dependent clause. When an action has not yet taken place, or is pending, use the subjunctive in the dependent clause.

después (de) que   *after*   **cuando**   *when*
tan pronto como   *as soon as*   **hasta que**   *until*

- **Habitual action (indicative)**

   Pierre siempre saca fotos **cuando viaja** al extranjero.   *Pierre always takes pictures **when** he **travels** abroad.*

- **Completed action (indicative)**

   Sara sacó fotos **cuando viajó** a Panamá.   *Sara took pictures **when** she **travelled** to Panama.*

- **Pending action (subjunctive)**

   Pierre va a sacar fotos **cuando viaje** a Galicia.   *Pierre is going to take pictures **when** he **travels** to Galicia.*

2. After the conjunction **antes (de) que** *(before)*, always use the subjunctive in the dependent clause when you have a change of subject, whether the action is habitual, completed, or pending.

El señor Lemieux va a sacar fotos
de Madrid **antes de que llueva**.

Mr. Lemieux is going to take pictures
*of Madrid **before it rains**.*

When there is no change of subject in a sentence and the word "que" is missing, use an *infinitive* after the prepositions **antes de** *(before)* and **después de** *(after)*.

Pierre va a sacar fotos de Madrid
antes de viajar a Galicia.

Pierre is going to take pictures of
*Madrid **before travelling** to Galicia.*

¡Practiquemos!

13-13 Salida de Madrid. Pierre va a viajar en tren de Madrid a Galicia. Complete la siguiente descripción, usando los verbos correctos entre paréntesis para saber lo que le pasa a Pierre.

Cuando Pierre (vuelve / vuelva) a su hotel esta noche, él (va / vaya) a acostarse temprano porque mañana (sale / salga) en tren para Galicia. Pierre (piensa / piense) llamar por teléfono a sus padres en Madrid para que (saben / sepan) que él (está / esté) bien.

Pierre (cree / crea) que él (puede / pueda) llegar a Santiago de Compostela en un día con tal de que el tren (sale / salga) a tiempo. Tan pronto como (llega / llegue) a la estación, él (va / vaya) a llamar a un taxi por teléfono para que lo (recoger / recoja) en la estación del tren.

13-14 Planes para el día. Pierre e Isabel, una amiga española, están planeando lo que van a hacer hoy. Complete su conversación, usando las siguientes conjunciones y preposiciones.

aunque	en caso de que	cuando	a menos que
antes de	con tal de que	para que	tan pronto como
después de			

ISABEL: ¿Cuándo quieres ir al Museo del Prado?

PIERRE: _____ tú quieras, Isabel. Creo que debemos visitar el museo _____ sea posible porque me voy a Santiago de Compostela en dos días.

ISABEL: Bueno, entonces iremos hoy por la mañana. Y _____ visitar el museo, podemos almorzar, _____ prefieras hacer otra cosa.

PIERRE: Sí, quiero ir al museo ahora _____ veamos los cuadros de los famosos artistas españoles. Luego, podemos ir a un restaurante _____ sea económico.

ISABEL: Pues, vamos al Restaurante del Vino aquí cerca. Oye, ¿debes cambiar dinero _____ llegar al museo?

PIERRE: Sí, de acuerdo. Debo cambiar algo. _____ no hace mucho frío hoy, voy a ponerme una chaqueta.

ISABEL: ¡Buena idea! _____ haga frío más tarde, no vas a estar incómodo.

PIERRE: ¡Pura vida! ¡Vamos ya!

13-15 Consejos para Pierre. Antes de su viaje a Chile, Pierre recibió consejos de sus amigos y de su familia. ¿Qué le dijeron a Pierre?

MODELO: Pierre, llama por teléfono a Montreal tan pronto como ___*llegues*___ (llegar) a Santiago.

1. Tan pronto como _____ (tener) fotos listas, mándalas por correo.
2. Invita a tus tíos a comer en un restaurante con tal de que tú y tu primo _____ (tener) dinero para pagar.
3. Cuando _____ (viajar) por tren, ten cuidado con tus maletas.
4. No salgas a caminar hasta muy tarde a menos que _____ (salir) con el primo.
5. Habla frecuentemente con tus tíos para que ellos _____ (saber) cómo estás.
6. En caso de que (tú) _____ (tener) algún problema serio, llámanos.
7. Llama a Francisco y a Marina en Monterrey después de que tú _____ (volver) de Chile.

13-16 Preparaciones. Imagínese que usted y un(a) compañero(a) de clase están pensando hacer un viaje a España. Hable con él (ella), completando las siguientes oraciones.

MODELO: Podemos cambiar dinero cuando...
Podemos cambiar dinero cuando lleguemos al aeropuerto de Barajas de Madrid.

1. Espero que tengan nuestra reserva cuando...
2. Debemos conseguir un mapa de España para que...
3. Podemos visitar el Museo del Prado antes de...
4. Vamos a probar la comida española tan pronto como...
5. Alquilamos una bicicleta cuando...
6. Quiero comprar una camiseta de España después de que...
7. Voy a comprar algunas tarjetas postales cuando...

13-17 Entrevista. Hágale preguntas a un(a) compañero(a) de clase.

1. ¿Cuándo piensas visitar Europa? ¿Qué países europeos te gustaría conocer? Cuéntame más de tus planes.
2. ¿Qué puedes hacer en caso de que no tengas suficiente dinero para ese viaje?
3. ¿Qué te gustaría hacer tan pronto como llegues a Europa?
4. ¿Qué preparaciones vas a hacer para que todo salga bien en el viaje?

NEL

Lección 13   **trescientos quince**   **315**

13-18 **¡Qué viaje!** Imagínese que usted y un(a) amigo(a) van a hacer un viaje que cuesta 2.000 dólares. Escriba un párrafo sobre sus planes.

MODELO: *Me gustaría visitar el Parador de Carmona de Sevilla porque me gusta mucho la cultura árabe al sur de España. Antes de salir para España, tenemos que comprar cheques de viajeros y tan pronto como lleguemos a Madrid podemos cambiar los cheques en una casa de cambio...*

Describe...

1. adónde les gustaría ir y por qué.
2. cuándo será el viaje.
3. las cosas que necesitan hacer antes de salir de casa / antes de que yo salga de casa.
4. las actividades que van a hacer tan pronto como lleguen a España.
5. lo que harán en caso de que haga mal tiempo.
6. lo que harán después de regresar del viaje / después de que tú regreses del viaje.

■ RETO CULTURAL

Usted llegó a Madrid y ahora está en el Hotel Margarita y se está registrando. Usted le hace las siguientes preguntas al (a la) recepcionista:

* ¿Qué identificación necesito para poderme registrar en el hotel? ¿Por qué?
* Voy a viajar por toda España. ¿Qué clase de hoteles puedo encontrar en el camino?
* ¿Qué medios de trasporte puedo usar para llegar a las diferentes ciudades?

¡Practiquemos más!

 For additional practice on the material covered in this chapter, go to **Lección 13** of the *Intercambios* *Workbook/Laboratory Manual*.

 For additional grammar, vocabulary, and conversation practice, go to **Lección 13** of the *Flex-Files*.

 Atajo *Writing Assistant Software for Spanish* can be used to complete the writing activities in your *Workbook/Laboratory Manual*.

 Intercambios *Video:* Activities to accompany the *Intercambios* *Video* can be found in the *Flex-Files*.

 Visit *Intercambios* on the World Wide Web at **http://www.intercambios.nelson.com**.

ASÍ SE DICE

Sustantivos
el albergue juvenil   *youth hostel*
el ajetreo   *bustle, comings and goings*
la calle   *street*
el ruido   *noise*
el viaje   *trip*

En la recepción del hotel
el ascensor   *elevator*
la recepción   *front desk*
el (la) recepcionista   *receptionist*

En la habitación
el aire acondicionado   *air conditioning*
la cama   *bed*
el cuadro   *painting*
el escritorio   *desk*
el fax   *fax machine*
la habitación doble   *room with double bed*
la habitación sencilla   *room with single bed*
la lámpara   *lamp*
la llave   *key*
las maletas   *suitcases*
la máquina contestadora   *answering machine*
la mesa   *table*
la puerta   *door*
el radio   *radio*
el reloj   *clock*
el servicio de comida   *room service*
la silla   *chair*
el sillón   *easy chair*
el teléfono   *telephone*
el televisor   *television set*

En el cuarto de baño
la ducha   *shower*
el espejo   *mirror*
el inodoro   *toilet*
el jabón   *soap*
el lavabo   *sink*
el papel higiénico   *toilet paper*
la toalla   *towel*

Adjetivos
arreglado(a)   *made up (e.g., a hotel room)*
cómodo(a)   *comfortable*
doble   *double*
económico(a)   *inexpensive*
limpio(a)   *clean*
organizado(a)   *organized*
privado(a)   *private*
seguro(a)   *certain, sure*
sencillo(a)   *single*
sucio(a)   *dirty*

Verbos
alquilar   *to rent*
olvidar   *to forget*
quejarse (de)   *to complain (about)*
registrarse   *to register (at the hotel)*
viajar   *to travel*

Preposiciones
antes de + *infinitive*   *before*
después de + *infinitive*   *after*

Expresiones de duda
dudar   *to doubt*
es dudoso   *it's doubtful*
no creer   *to not believe*
no estar seguro(a)   *to be unsure*

Conjunciones
a menos que   *unless*
antes (de) que   *before*
aunque   *although, even though*
con tal (de) que   *provided (that)*
cuando   *when*
después (de) que   *after*
en caso (de) que   *in case (of)*
para que   *so (that)*
sin que   *without*
tan pronto como   *as soon as*

Direcciones
a la derecha   *to the right*
a la izquierda   *to the left*
la avenida   *avenue*
la calle   *street*
cruzar (cruce)   *to go across*
derecho   *straight*

Expresiones
dar a la calle   *to face the street*
estar a su servicio   *to be at your service*
hacer la reservación   *to make the reservation*
ir de marcha   *to party, to go out*
Lo siento (mucho).   *I'm (very) sorry.*
Me parece estupendo.   *It seems wonderful to me.*
tener vista a la plaza / al mar   *to have a view of the main square / the ocean*
todo lo posible   *all that is possible*

LECCIÓN 14
¡Lo siento, pero no me siento bien!

✖ ENFOQUE ✖

■ METAS COMUNICATIVAS

Usted podrá hablar de asuntos relacionados con la salud y describir incidentes y experiencias del pasado

■ IDIOMA

Comunicarse con personal médico
Dar consejos sobre el cuidado de la salud
Describir deseos y emociones en el pasado
Exponer dudas en el tiempo pasado
Describir experiencias de la niñez
Especular sobre acciones futuras

■ VOCABULARIO ESENCIAL

Problemas médicos comunes
El cuerpo humano

■ GRAMÁTICA ESENCIAL

Imperfecto del subjuntivo
Condicional
Participio Pasado

■ CULTURA

Consejos médicos para los viajeros
Medicina en Cuba

■ RETO CULTURAL

¿A dónde va normalmente la gente de España y Latinoamérica para consultas cuando están enfermos con una gripe, un dolor de estómago o un dolor de cabeza? ¿Van a la farmacia o van al médico?

¿Qué tipo de medicinas puede comprar una persona en España y Latinoamérica?

EN CONTEXTO 🎧 CD4 - 10, 11

Sara vino a Cuba para trabajar en un proyecto de desarrollo en el campo. Cuando se terminó su trabajo, ella se reunió con Francisco en La Habana. Ellos anduvieron por El Vedado, un barrio de hermosas casas renovadas y de una arquitectura impresionante.

FRANCISCO:	¡Qué alegría estar contigo de nuevo, Sara! Dudaba que tuviéramos otra oportunidad de estar juntos...
SARA:	Sería mejor que no pensaras así, Francisco. Ten paciencia, cariño.
FRANCISCO:	Me gustaría más que pudiéramos° vivir en la misma ciudad... o por lo menos en el mismo país...
SARA:	Tengo que terminar la carrera universitaria. Mis padres insistieron en que no me fuera más a México hasta que tuviera mi título°.
FRANCISCO:	Entiendo por qué piensan así. Ellos no tuvieron las mismas oportunidades que tú tienes. Pero...
SARA:	Aprovechemos nuestros días juntos... La comida suele ser sabrosa. ¿Quisieras almorzar° en un paladar? [1]
FRANCISCO:	¡Sí, me encantaría!

Sara y Francisco encontraron un paladar en una casa vieja y comieron una comida caribeña de ajiaco°. Salieron del restaurante y Francisco empezó a caminar muy despacio.

SARA:	¿Qué pasa, Francisco? Deberíamos caminar más rápido para llegar a tiempo al bus que hace el trayecto a la playa de Varadero. [2]
FRANCISCO:	No me siento bien°. No estoy acostumbrado a la comida caribeña. Es comida hecha con especias picantes°. Tengo náuseas.
SARA:	Entonces, te aconsejo que descanses. Podríamos regresar al hotel. ¿Te sentirías mejor si pudieras acostarte?
FRANCISCO:	Quizás... ¡Ay, Sara, discúlpame! Lo siento, pero no me siento bien. Me parece poco probable que vayamos a Varadero hoy.
SARA:	No es culpa tuya. Vamos a la clínica internacional.

Ellos tomaron un taxi a la clínica internacional de La Habana. Había mucha gente y tuvieron que esperar su turno. Por fin, pudieron ver a la doctora Méndez.

DRA. MÉNDEZ:	¿Qué le pasa, señor?
FRANCISCO:	Me duele el estómago° desde hace dos horas. También me duele la cabeza. *(La doctora lo examina.)*
DRA. MÉNDEZ:	Probablemente, usted comió algo malo. Lo que tiene es una infección en el estómago.
FRANCISCO:	¿Qué me aconseja hacer, doctora?
DRA. MÉNDEZ:	Le daré una receta° para unos antibióticos. Tome los antibióticos dos veces al día por diez días seguidos.
FRANCISCO:	Muchas gracias, doctora. Ay, Sara. ¡Éstas no son las vacaciones soñadas° que quería que tuviéramos!
SARA:	No importa, Francisco. Pasaremos otras vacaciones juntos en el futuro.

Me gustaría más que pudiéramos... *I would like it better if we could*
título... *university degree*
¿Quisieras almorzar?... *Would you like to have lunch?*
ajiaco... *potato and chile stew*
No me siento bien... *I don't feel well*
Es comida hecha con especias picantes... *It's food made with hot spices*
Me duele el estómago... *My stomach hurts*
una receta... *a prescription*
las vacaciones soñadas... *the vacations we dreamed of*

Notas de texto

1. Cuba tiene una economía socialista, en que la mayoría de la economía le pertenece *(belongs to)* al Estado. Sin embargo, los cubanos tienen el derecho de establecer restaurantes privados con tal de que no tengan más de 12 asientos. Estos pequeños restaurantes privados se llaman «paladares».

2. Varadero, con más de 20 kilómetros de arena *(sand)* blanca, es la playa más famosa de Cuba. Más de 400.000 canadienses viajan a Cuba cada año. Algunos canadienses hacen viajes de negocios o van a Cuba para aprender español, pero la mayoría va de vacaciones a Varadero o a otras playas cubanas.

Playa de Varadero

■ Conexión cultural

¿Sabías que Cuba tiene una de las escuelas de cine más importantes de Latinoamérica? Películas de ese país son siempre representadas en los festivales de cine latinoamericano que se celebran en Canadá cada año, especialmente en las ciudades de Toronto y Montreal.

14-1 ¿Comprendió usted?

A. Indique quién diría *(would say)* las siguientes oraciones: Sara, Francisco o la médica.

1. ¡Lo siento, pero no me siento bien!
2. Vamos a visitar Varadero.
3. Sugiero que descanses un rato, cariño.
4. Me duelen el estómago y la espalda.
5. Vamos a la clínica internacional.
6. Pase al consultorio.
7. Usted comió algo que estaba malo.
8. Debe tomar antibióticos por diez días.
9. ¿Qué debo hacer?
10. Volvamos al hotel.

B. Converse con un(a) compañero(a) de clase.

1. ¿Cuándo van ustedes a ver al doctor?
2. ¿Qué hacen cuando solamente tienen un resfriado *(cold)* o la gripe *(flu)?*
3. Cuando se sienten muy mal, ¿van a trabajar? ¿Van a la universidad? ¿Qué hacen?
4. ¿Le piden consejos a su farmacéutico(a)?

VOCABULARIO esencial

In this section, you will learn words and phrases for describing health-related matters.

Cómo hablar de la salud

En la clínica

dolor de estómago...
stomachache
me duele la garganta...
my throat hurts
Me enfermé... *I got sick*
boca... *mouth*
Saque la lengua... *Stick
out your tongue*
grave... *serious*
pastillas... *pills*

Los problemas médicos

MÉDICO(A): ¿Qué tiene usted?
PACIENTE: Tengo...

gripe	*the flu*	**dolor de oídos**	*an earache*
tos	*a cough*	**dolor de muelas**	*a toothache*
fiebre	*a fever*	**dolor de garganta**	*a sore throat*
catarro/resfriado	*a cold*	**dolor de espalda**	*a backache*
náusea	*nausea*	**dolor de estómago**	*a stomachache*
estrés / tensión nerviosa	*stress*	**insomnio**	*insomnia*
dolor de cabeza	*a headache*	**una receta médica**	*a medical prescription*

El cuerpo humano

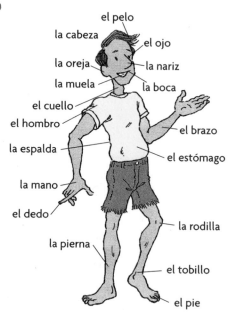

el pelo
la cabeza
el ojo
la oreja
la nariz
la muela
la boca
el cuello
el hombro
el brazo
la espalda
el estómago
la mano
el dedo
la rodilla
la pierna
el tobillo
el pie

- In Spanish, use only a definite article (**el**, **la**, **los**, **las**), not a possessive adjective, when referring to a part of the body: **Me duele *la* cabeza** = *My head hurts;* **A ella le duelen *los* oídos** = *Her ears hurt;* **Nos duele mucho *el* estómago** = *Our stomachs hurt a lot.*
- **Doler** *(to hurt):* This verb is used in the third person singular or plural. It requires an indirect object pronoun (**me duele, te duele, le duele, nos duele, les duele**). The singular form is used with a singular noun (**me duel<u>e</u> <u>la</u> cabeza**); the plural form is used with a plural noun (**me duel<u>en</u> <u>las</u> rodillas**). This verb works like **gustar**: singular form (**me gusta la clase**), plural form (**me gustan los estudiantes**).

> "**Ojos que no ven, corazón *(heart)* que no siente**".—*Anónimo*

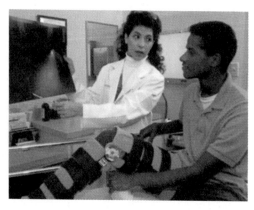

Esta médica le está explicando a su paciente lo que se ve en los rayos X de su pierna.

¡Practiquemos!

14-2 ¿Qué se debe hacer? Lea cada problema médico. Luego decida lo que se debe hacer.

MODELO: *Una persona que tiene fiebre debe descansar un poco.*

Una persona que tiene...　　　**debe...**

1. dolor de muelas　　　　　ir a un hospital
2. tensión nerviosa　　　　　dormir la siesta
3. catarro y tos　　　　　　　descansar un poco
4. dolor de estómago　　　　tomar Pepto Bismol
5. insomnio constante　　　　tomar antibióticos
6. diarrea　　　　　　　　　　ir a una clínica dental
7. un problema médico grave　hablar con un(a) médico(a)
8. fiebre y dolor de cabeza　　tomar una o dos aspirinas

14-3 El cuerpo humano. Hable con un(a) compañero(a) de clase sobre dónde se ponen los siguientes accesorios de vestir.

1. _____ el sombrero　　　　　**a.** el dedo
2. _____ la bufanda　　　　　**b.** las manos
3. _____ los calcetines　　　　**c.** las orejas
4. _____ la mochila　　　　　**d.** la cabeza
5. _____ los anteojos de sol　　**e.** el cuello
6. _____ los aretes　　　　　　**f.** la espalda
7. _____ los guantes　　　　　**g.** los pies
8. _____ el anillo　　　　　　**h.** los ojos

14-4 De viaje. Usted y su amigo(a) están de viaje. Son las dos de la mañana y su amigo(a) se siente mal. Usted tiene que actuar como el (la) médico(a). ¿Qué debe hacer su amigo(a) si tiene los siguientes síntomas?

1. Su amigo(a) tiene dolor de muelas.
   a. tomar una pastilla de Tylenol
   b. comer algo
   c. tomar refresco

2. Su amigo tiene fiebre y tos.
   a. descansar
   b. salir a pasear
   c. tomar dos aspirinas

3. Su amigo(a) tiene dolor de espalda.
   a. hacer mucho ejercicio
   b. nadar
   c. descansar y tomar un relajante muscular *(muscle relaxant)*

4. Su amigo(a) tiene insomnio.
   a. salir a bailar
   b. leer un buen libro
   c. tomar té de manzanilla *(chamomile)*

14-5 Natación contra el lumbago. Lea el siguiente artículo sobre la natación y después, comente las preguntas con dos o tres compañeros(as) de clase.

Natación contra el lumbago

La natación,[1] uno de los deportes más completos que existe, también la deben practicar quienes padecen una patología[2] tan frecuente como es la lumbalgia, conocida popularmente como lumbago. Se calcula que el 80% de la población la sufre en algún momento de su vida y lo más peligroso es que se haga crónica, cosa que ocurre en el 10% de los casos.

Naturalmente, durante el episodio de dolor[3] no es aconsejable practicar ningún deporte. En los periodos[4] de mejoría resulta muy beneficiosa la natación.

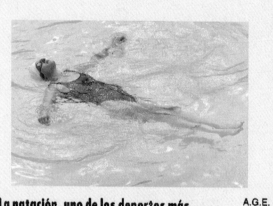

La natación, uno de los deportes más completos, es ideal para evitar el lumbago.   A.G.E.

A cámara lenta[5]

Mientras se nada se ejercita la parte afectada en condiciones muy especiales, ya que el nadador[6] se desliza[7] por la superficie del agua sin que ninguna de sus articulaciones sufra impactos bruscos.[8] Es como hacer ejercicio a cámara lenta. Conviene que dediques como mínimo media hora al día a la natación para evitar esta dolencia.[9]

[1] natación *swimming* [2] patología *pathology (the conditions of a particular disease)* [3] dolor *pain, ache* [4] mejoría *improvement in health* [5] A cámara lenta *In slow motion* [6] nadador *swimmer* [7] se desliza *slides, glides* [8] bruscos *rude, rough* [9] dolencia *disease, ache*

1. ¿Quién debe practicar natación?
2. ¿Qué porcentaje de la población sufre de dolores de espalda o lumbago?
3. ¿Por qué es bueno nadar?
4. ¿Cuánto tiempo se debe nadar al día?
5. ¿Creen ustedes que la natación es uno de los mejores deportes que hay?
6. ¿Qué deporte practican ustedes? ¿Les gusta nadar? ¿Cuándo y dónde nadan?

14-6 Situaciones. En grupos de tres o cuatro personas, traten de resolver las siguientes situaciones.

- Nancy tiene mucha tensión en su vida. Está muy ocupada con su trabajo como directora de una compañía de publicidad. Toma entre siete y diez tazas de café al día y duerme solamente cinco horas todas las noches. ¿Qué piensan ustedes que debe hacer Nancy?

- Gustavo come cuatro veces al día. Desayuna huevos, pan tostado con mantequilla, leche y jugo; almuerza sopa, bistec con papas fritas, ensalada, queso y fruta, dos refrescos; merienda un sándwich, vaso de leche, galletas; cena carne, arroz, ensalada, café con leche, pastel. Gustavo es soltero, vive solo, está gordo, hace poco ejercicio y tiene un estrés horrible en su vida. ¿Qué creen ustedes que Gustavo debe hacer?

- Steve es médico y tiene una operación muy importante mañana, pero ahora tiene fiebre, tos y dolor de garganta. ¿Qué debe hacer para mejorarse? ¿Debe ir él a trabajar mañana?

CULTURA

 CD4 - 17, 18

■ La medicina en Cuba

En el campo de la medicina, Cuba es de una trascendencia indiscutible. El país cuenta con un sistema sofisticado de atención a la salud que es considerado único en Latinoamérica. Todos los servicios médicos son gratuitos para todos los cubanos. Hoy en día miles de médicos cubanos se encuentran esparcidos por toda Latinoamérica ayudando a gente de escasos recursos en las zonas más remotas de los países.

Cuba tiene la tasa de mortalidad infantil más baja de Latinoamérica. Esto se debe a que gran parte de los ingresos estatales están designados para la salud y la investigación de enfermedades que podrían afectar a la población.

En Cuba se encuentra una de las escuelas más prestigiosas e importantes del mundo: la Escuela Latinoamericana de Medicina. El gobierno cubano ofrece becas para estudiantes latinoamericanos de bajos recursos que desean estudiar medicina en la isla. Un número creciente de médicos latinoamericanos ha hecho sus estudios en Cuba porque a pesar de ser un país en desarrollo, está más avanzado que otros en asuntos de medicina. Por ejemplo, en Cuba se produce crema cicatrizante muy eficaz contra las quemaduras, la vacuna contra la hepatitis B y otras que son únicas en el mundo. También se elaboran medicamentos contra las bajas en el sistema inmunológico, la hipertensión, el colesterol y algunas formas de cáncer. Cuba tiene equipos de investigación que están entre los más avanzados en la búsqueda de una vacuna contra el SIDA *(AIDS)*.

Preguntas. Converse con un(a) compañero(a) de clase.

1. ¿Cómo se compara el sistema médico cubano al canadiense?
2. ¿Por qué es Cuba un país donde la tasa de mortalidad infantil es más baja que en otros países hispanoamericanos?
3. ¿Cómo colabora Cuba con otros países en el campo de la medicina?
4. ¿Qué tipos de productos médicos se elaboran en Cuba?
5. ¿Por qué muchos jóvenes latinoamericanos desean estudiar medicina en Cuba? ¿Cómo lo logran?

GRAMÁTICA esencial

Past (Imperfect) Subjunctive

In this section, you will learn to express past actions, conditions, and situations. Spanish speakers use the past subjunctive to express wishes, emotions, opinions, uncertainty, and indefiniteness about the past, just as they use the present subjunctive for the present or future.

How to form the past subjunctive

For *all* Spanish verbs, drop the **-ron** ending from the **ustedes** form of the preterite tense, and then add these personal endings: **-ra**, **-ras**, **-ra**, **´-ramos**, **-rais**, **-ran**. The **nosotros(as)** form always has an accent mark.

	hablar	venir	irse
ustedes...	hablaron	vinieron	se fueron
	hablara	viniera	me fuera
	hablaras	vinieras	te fueras
	hablara	viniera	se fuera
	habláramos	viniéramos	nos fuéramos
	hablarais	vinierais	os fuerais
	hablaran	vinieran	se fueran

How to use the past (imperfect) subjunctive

In previous lessons, you learned various ways to use the present subjunctive. Spanish speakers use the past subjunctive in the same ways to describe *past* actions, conditions, and events. For example:

1. To express wants, intentions, preferences, advice, suggestions, and recommendations in the past

   Sara **quería** que Francisco **fuera** a la clínica. Allí la médica le **sugirió** que **descansara**.

   *Sara **wanted** Francisco **to go** to the clinic. There the doctor **suggested** that he **rest**.*

2. To express happiness, hope, likes, complaints, worries, regret, and other emotions

   Sara **se alegró** de que Francisco no **estuviera** gravemente enfermo.

   *Sara **was glad** that Francisco **was** not seriously ill.*

3. To express opinions and attitudes

   Era bueno que ellos **fueran** a la clínica inmediatamente.

   *It **was** good that they **went** to the clinic immediately.*

4. To express uncertainty and indefiniteness

Francisco **dudó** que él **pudiera** visitar Varadero.

Francisco **doubted** that he **could** visit Varadero.

Él **decidió** salir cuando **se sintiera** mejor.

He **decided** to go out when he **felt** better.

5. With the verbs **querer**, **deber**, and **poder**, to soften requests, make polite suggestions, and persuade gently

—¿**Quisieran** ustedes acompañarnos?

Would you **like** to accompany us?

—Gracias, pero **debiéramos** volver.

Thanks, but we **should** go back.

—Quizás **pudiéramos** ir otra noche.

Maybe we **could** go another night.

¡Practiquemos!

14-7 ¿Qué te pasó Francisco... ? Marina llamó a Francisco desde Monterrey y él le contó lo que le pasó ese día en la clínica. Indique las formas correctas de los verbos.

Cuando Sara y yo (salimos / saliéramos) del restaurante, yo me (sentí / sintiera) muy mal. Por eso Sara me (llevó / llevara) a una clínica cerca del hotel. Sara quería que la doctora me (vio / viera) inmediatamente. La doctora me dijo que (descansé / descansara) y que (tomé / tomara) unos antibióticos porque yo tenía una infección en el estómago. Nosotros (regresamos / regresáramos) al hotel y Sara me sugirió que me (acosté / acostara) un rato en mi cuarto para descansar del dolor de espalda. Lo (hice / hiciera), y ahora me siento mejor, pero no pudimos viajar a Varadero.

14-8 Entre amigos. Mientras Sara y Francisco visitaban La Habana, hablaban sobre sus deseos y preferencias. ¿Qué dijeron?

MODELO: Francisco deseaba que Marina...
encontrar un trabajo en México
Francisco deseaba que Marina encontrara un trabajo en México.

1. Sara deseaba que su amiga Lisa...
   a. hacer más ejercicio
   b. no trabajar tanto
   c. hablar con ella por teléfono
   d. dormir la siesta por la tarde

2. Francisco quería que su hermana Marina...
   a. visitarlo en La Habana
   b. practicar inglés
   c. divertirse mucho con su familia
   d. no preocuparse tanto por él

3. Sara esperaba que su novio Francisco...
   a. visitarla en Vancouver
   b. escribirle correos electrónicos frecuentemente
   c. viajar por todo Canadá
   d. aprender mucho sobre ingeniería

14-9 Su niñez. Hágale las siguientes preguntas a un(a) compañero(a) de clase para saber un poco sobre su niñez.

1. **La escuela:** ¿Qué te prohibían tus profesores en la escuela primaria? ¿Y en la secundaria? ¿Qué preferías hacer? ¿Qué era importante que hicieras cuando volvías a casa después de clase?

2. **Los pasatiempos:** ¿Qué deportes practicabas cuando eras niño(a)? ¿Qué deportes te prohibían tus padres que practicaras? ¿Por qué? ¿En qué pasatiempos sugerían tus padres que participaras? ¿Por qué?

3. **La salud:** ¿Cómo era tu salud de niño(a)? ¿Qué querían tus padres que hicieras para no enfermarte? ¿Qué te sugería tu médico(a) que hicieras cuando tenías un resfriado? ¿Qué te recomendaba tu dentista que hicieras todos los días? ¿Lo hacías o no? ¿Por qué?

4. **Las vacaciones:** ¿Qué lugares visitabas de vacaciones cuando eras niño(a)? ¿Qué lugares querías visitar pero nunca los visitaste? ¿Deseabas viajar a lugares que no conocías?

CULTURA

■ Consejos médicos para viajeros

Es bien conocido el miedo de los viajeros de contraer la enfermedad, llamada "el turista" (la diarrea). Este problema médico resulta porque los visitantes no han desarrollado *(have developed)* suficientemente bien las inmunidades necesarias para prevenir la enfermedad cuando viajan al extranjero. Tal vez a usted le sorprenda saber que a veces los turistas hispanos se enferman mientras se acostumbran a la comida y al agua de Canadá, los Estados Unidos y otros países. Tome precauciones; por ejemplo, beber agua mineral en botella, hervir *(to boil)* el agua del grifo *(tap, faucet)*, pelar *(to peel)* o cocinar *(to cook)* las verduras y las frutas frescas y mantener las manos limpias. Todas estas precauciones contribuyen a un viaje saludable en el extranjero.

¿Comprendió usted? Haga una asociación entre cada dibujo y su frase.

a.  b.  c.  d.

1. hervir el agua del grifo _____
2. pelar las frutas frescas _____
3. mantener las manos limpias _____
4. beber agua mineral en botella _____

GRAMÁTICA esencial

The Conditional

In this section, you will learn to express conditional actions, states of being, and events.

In English, we express hypothetical ideas using the word *would* with a verb (e.g., *I would travel if I had the money*). Spanish speakers also express these ideas by using the conditional, which you have already used in the expression **me gustaría** (e.g., **Me gustaría viajar a Monterrey** [*I would like to travel to Monterrey*]).

How to form the conditional

1. Add these personal endings to the infinitive of most verbs: **ía**, **ías**, **ía**, **íamos**, **íais**, **ían**.

viajar	volver	vivir	irse
viajaría	volvería	viviría	me iría
viajarías	volverías	vivirías	te irías
viajaría	volvería	viviría	se iría
viajaríamos	volveríamos	viviríamos	nos iríamos
viajaríais	volveríais	viviríais	os iríais
viajarían	volverían	vivirían	se irían

—¿**Viajarías** a Monterrey conmigo?   ***Would** you **travel** to Monterrey with me?*

—Sí. ¡**Me gustaría** salir hoy!   *Yes. I **would like** to leave today!*

2. Add the conditional endings to the irregular stems of these verbs:

Verb	Stem	Ending	Conditional
decir	dir-		
hacer	har-	-ía	haría
poder	podr-	-ías	podrías
saber	sabr-	-ía	sabría
salir	saldr-	+ -íamos =	saldríamos
tener	tendr-	-íais	tendríais
poner	pondr-	-ían	podrían
venir	vendr-		
querer	querr-		

Note: The conditional of **hay** is **habría** (*there would be*).

¿Dijiste que **habría** una clínica cerca de aquí?   *Did you say **there would be** a clinic close to here?*

How to use the conditional

1. Spanish speakers use the conditional to express what would happen given a particular situation or set of circumstances.

—¿Qué **harías** con 1.000 dólares?   *What **would** you **do** with 1,000 dollars?*
—Yo **viajaría** a Latinoamérica.   *I **would travel** to Latin America.*

¡CUIDADO! When *would* means *used to* in English, Spanish speakers use the imperfect tense, not the conditional.

Cuando era niña, mi familia y yo   *When I was a girl, my family and I*
   hacíamos un viaje todos los años.   ***would (used to) take** a trip every year.*

2. Spanish speakers use the conditional with the past subjunctive to express hypothetical or contrary-to-fact statements about what would happen in a particular circumstance or under certain conditions.

Si **tuviéramos** el dinero, **iríamos** a   *If we **had** the money, we **would go** to*
   México.   *Mexico.*

In the example above, the *if* clause **(Si tuviéramos el dinero)** states a hypothesis, and the conditional clause **(iríamos a México)** states the probable result if that hypothesis were true. Also, the *if* clause can be presented after the conditional clause but the tense of the verbs will be the same: **Iríamos a México** (conditional clause) **si tuviéramos dinero** (*if* clause).

3. Spanish speakers use the conditional with the past subjunctive to express conjecture or a probability of something occurring in the past.

—¿Quién **se sentiría** mal anoche?   *I **wonder** who **felt** sick last night.*
—Lisa **se sentiría** mal porque   *I **suppose** Lisa **felt** sick because I*
   escuché a Sara ayudándola.   *heard Sara helping her.*

¡Practiquemos!

14-10 ¡Ojalá que no! ¿Qué harían las siguientes personas si Lisa estuviera gravemente enferma?

MODELO: quedarse siempre con su amiga en el hospital
    Sara se quedaría siempre con su amiga en el hospital.

	llamar por teléfono a la mamá de Lisa
Lisa	hacerle muchos exámenes a Lisa
Sara	preocuparse mucho por su amiga
La médica	ponerse nerviosa con la situación
	no poder viajar a Toronto
	mandarle un correo electrónico a Marina

14-11 ¿Qué haría Sara si Lisa estuviera enferma? Complete las siguientes oraciones, usando los verbos indicados en la lista.

hacer   viajar   traer   ver   llevar   visitar

LISA: ¿Qué _____ tú si yo estuviera muy enferma ahora?
SARA: Primero, te _____ a una clínica. Después, te _____ el médico y luego yo te _____ a casa para descansar.
LISA: ¿Y qué pasaría con nuestro viaje a Toronto?
SARA: _____ a Toronto después de que tú estuvieras bien. Y luego, _____ a Monterrey para visitar a Francisco y a su familia.

14-12 ¿Qué haría usted? Dígale a un(a) compañero(a) de clase lo que usted haría en las siguientes situaciones.

MODELO: *Si me doliera el estómago, descansaría un poco.*

1. Si me doliera el estómago...
   a. ir a un hospital
   b. quedarme en casa
   c. descansar un poco
   d. tomar Alka-Seltzer

2. Si yo tomara demasiado sol...
   a. no saber qué hacer
   b. aplicarme una loción
   c. no hacer nada en absoluto
   d. hablar con un(a) médico(a)

3. Si yo tuviera catarro...
   a. tomar un antibiótico
   b. comer un poco de sopa
   c. acostarme en el sofá
   d. beber jugo de naranja

4. Si me sintiera mal en clase...
   a. ir rápidamente al baño
   b. volver a casa a descansar
   c. decírselo a mi profesor(a)
   d. acostarme inmediatamente

14-13 ¿Qué pasaría? Primero, lea la pregunta y la respuesta del anuncio. Luego, hágale a otro(a) estudiante las siguientes preguntas especulativas y discuta sus respuestas con él (ella).

¿Qué pasaría si no existiera la Cruz Roja?
¿Qué harías tú si pudieras trabajar con la Cruz Roja?
¿Qué trabajo podrías hacer tú en esta organización?

¿Qué pasaría si la Cruz Roja no existiera?

No habría ayuda en caso de accidentes de tránsito, caseros, aéreos, en búsqueda de personas, en terremotos e inundaciones, a refugiados, enfermos y heridos ni a usted cuando la necesita.

"Téngalo siempre presente y ayude a la Cruz Roja"

BENEMÉRITA CRUZ ROJA COSTARRICENSE

14-14 ¿Qué le pasaría a Francisco anoche? Los amigos y la familia de Francisco quieren saber lo que le pasó a Francisco ayer. Dígale a otro(a) compañero(a) lo que probablemente le pasó a Francisco.

MODELO: Francisco / comer mucho en un restaurante anoche
          Francisco comería mucho en un restaurante anoche.

1. Francisco / llegar cansado del viaje en avión
2. Francisco / beber mucho en el restaurante
3. Francisco / tener mucho estrés y por eso dolerle la espalda
4. Francisco / dormir poco anoche
5. Francisco / tener náuseas por el cambio de la comida, del agua y por el cansancio

14-15 ¡Bienvenidos a Cuba! Imagínese que usted va a hacer un viaje a Cuba. Escriba dos párrafos para describir las actividades que usted haría antes del viaje y durante el viaje. Las preguntas pueden ayudarlo(la) a pensar un poco.

Párrafo 1: Las preparaciones

- ¿Con quién iría usted a Cuba?
- ¿Cuánto dinero llevaría usted?
- ¿Qué ropa le gustaría llevar?
- ¿Preferiría llevar una cámara digital o una cámara de video?
- ¿Qué cosas pondría en su mochila o en su maleta?
- ¿Qué cosas compraría antes de hacer el viaje?
- ¿Qué otras preparaciones haría usted antes de salir?

Párrafo 2: La salida y la llegada

- ¿En qué mes saldría usted?
- ¿Cómo llegaría usted a Cuba?
- ¿Dónde dormiría cuando estuviera allí?
- ¿Qué haría usted primero en Cuba?
- ¿Dónde y qué comería en su viaje? ¿Y qué bebería?
- ¿Qué países y ciudades visitaría usted?

GRAMÁTICA esencial

The Past Participle

In this section, you will learn how to form the past participles of verbs, including the irregular forms.

- Every verb has a past participle. The past participle is different from the past tense. For example, the English verb *to break* has the past tense form *broke* and the past participle *broken*. The past participle of a verb is used to form compound verb tenses (*John has broken the chair*) and is sometimes used as an adjective (*The chair has a broken leg*). In Spanish *to break* is the verb **romper**, the preterite is **rompí, rompiste, rompió, rompimos, rompisteis, rompieron**, and the past participle, which is irregular, is **roto**.

- To form the past participles of Spanish regular verbs, take the stem of the verb and add the following endings: **-ado** for **-ar** verbs; e.g. **hablado** (*spoken*), and **-ido** for **-er** and **-ir** verbs; e.g. **comido** (*eaten*) and **vivido** (*lived*).

- The following verbs are irregular and should be memorized separately:

abrir: **abierto**	morir: **muerto**
decir: **dicho**	poner: **puesto**
escribir: **escrito**	romper: **roto**
hacer: **hecho**	ver: **visto**
volver: **vuelto**	cubrir: **cubierto**
devolver: **devuelto**	descubrir: **descubierto**

- When an **-er** or **-ir** verb ends in a strong vowel in the infinitive form, the past participle takes an accent on the **i**.

  caer: **caído**   oír: **oído**
  creer: **creído**   traer: **traído**
  leer: **leído**

- The past participle of **ir** is **ido**.

- In **Lección 1** you learned that adjectives must agree in number and gender with the nouns they modify. This is also true of past participles when they are used as adjectives, usually after the verb **estar**.

  –La puerta está **abierta**.   –*The door is **open**.*
  –Los tres ratones están **muertos**.   –*The three mice are **dead**.*
  –El informe está **escrito** en español. –*The report is **written** in Spanish.*

- The past participle may be used as an adjective without the verb **estar**.

  –Los años **vividos** en México fueron   –*The years **lived** in Mexico were*
    los mejores de su vida.   *the best ones of his/her life.*
  –El lenguaje **hablado** de los puertorri- –*The spoken language of Puerto*
    queños puede ser de entendimiento   *Ricans can be difficult for a*
    difícil para un extranjero.   *foreigner to understand.*

¡Practiquemos!

14-16 Los verbos Dé la forma del participio pasado de los verbos siguientes.

1. salir	6. beber	11. cerrar
2. venir	7. ir	12. ver
3. tener	8. caer	13. querer
4. poner	9. escribir	14. saber
5. examinar	10. buscar	15. hacer

14-17 Cosas vistas Complete las frases con el participio pasado.

1. Los muchachos _____ (**examinar**) por la médica estaban en buena salud.
2. Sara comenzó su carta con las palabras, "_____ (**querer**) Lisa..."
3. Pierre tuvo un accidente cuando jugaba al fútbol. Tiene el dedo _____ (**romper**).
4. Las niñas están_____ (**dormir**).
5. En la casa del tío Pablo y de la tía Laura, la puerta está _____ (**cerrar**), pero las ventanas están _____ (**abrir**).
6. El trabajo _____ (**hacer**) en La Habana Vieja ayuda a conservar su ambiente colonial.
7. La carta _____ (**escribir**) por Pierre en Chile llegó el lunes a la casa de sus padres.
8. En La Habana Sara y Francisco encontraron un restaurante precioso en una casa _____ (**renovar**) en el barrio El Vedado.

9. El libro _____ (**leer**) por Pierre está _____ (**escribir**) en francés, pero la revista _____ (**comprar**) por Lisa está en inglés.

10. Sara y Francisco estaban _____ (**sentar**) en la playa en Varadero cuando vieron pasar a un vendedor de helados.

■ RETO CULTURAL

Usted y su amigo hicieron un viaje a Santiago de Cuba durante la semana de lectura. Usted no les hizo caso (*did not pay attention*) a los consejos médicos para viajeros como el de tomar agua mineral en botella. Tampoco se lavó las manos antes de almorzar. Después de un rato le duele el estómago y tiene náuseas. Pero no hay problema, en Cuba la medicina está muy avanzada y usted sabe que no se va a morir a causa de esto. Pero necesitan comprar una medicina. ¿A dónde van? ¿A quién le piden ayuda?

Ahora están en la farmacia y otro(a) compañero(a) de clase es el (la) farmacéutico(a)...

• Tienen que explicarle al (a la) farmacéutico(a) cómo se siente usted.
• Pregúntele qué puede tomar para el dolor de estómago.
• Pídale una receta médica.
• Averigüe (*find out*) si es necesario ir a un hospital y si lo atenderán aunque sea extranjero.
• Pídale una receta médica/medicina con/sin autorización de un(a) médico(a).

¡Practiquemos más!

 For additional practice on the material covered in this chapter, go to **Lección 14** of the *Intercambios* Workbook/Laboratory Manual.

 For additional grammar, vocabulary, and conversation practice, go to **Lección 14** of the *Flex-Files*.

 Atajo Writing Assistant Software for Spanish can be used to complete the writing activities in your *Workbook/Laboratory Manual*.

 Intercambios Video: Activities to accompany the *Intercambios* Video can be found in the *Flex-Files*.

 Visit *Intercambios* on the World Wide Web at **http://www.intercambios.nelson.com**.

ASÍ SE DICE

Sustantivos

el ajiaco   *potato and chili stew*
la clínica   *clinic*
la medicina   *medicine*
el (la) médico(a)   *doctor*
el (la) paciente   *patient*
el rato   *a while*
la receta médica   *medical prescription*
la salud   *health*
el título   *university degree*

El cuerpo humano

el brazo   *arm*
el cuello   *neck*
el dedo   *finger*
la espalda   *back*
el estómago   *stomach*
el hombro   *shoulder*
la mano   *hand*
el pie   *foot*
la pierna   *leg*
la rodilla   *knee*
el tobillo   *ankle*

La cabeza

la boca   *mouth*
el diente   *tooth*
la muela   *molar*

la nariz   *nose*
el oído   *(inner) ear*
el ojo   *eye*
la oreja   *(outer) ear*
el pelo / el cabello   *hair*

Los problemas médicos

el catarro / el resfriado   *cold*
la diarrea   *diarrhea*
el dolor de cabeza   *headache*
el dolor de espalda   *backache*
el dolor de estómago   *stomachache*
el dolor de garganta   *sore throat*
el dolor de muelas   *toothache*
el dolor de oídos   *earache*
el estrés / la tensión nerviosa   *stress*
la fiebre   *fever*
la gripe   *flu*
el insomnio   *insomnia*
la náusea   *nausea*
la tensión arterial   *blood pressure*
la tos   *cough*

Adjetivos

grave   *serious*
sano(a)   *healthy*

Verbos

doler (o → ue)   *to hurt*
enfermarse   *to get sick*
examinar   *to examine*
sentirse (e → ie)   *to feel*

Adverbios

desde   *from*
hasta   *to*
lejos   *far*

Expresiones

comida hecha con especias picantes   *food made with hot spices*
¿Cómo se siente?   *How do you feel?*
¡Disculpa!   *I am sorry!*
Me duele...   *I have a ...ache.*
¿Qué tiene usted?   *What's the problem?*
tener náuseas   *to feel nauseated*

LECCIÓN 15
¿Qué podríamos hacer nosotros por nuestro medio ambiente?

✖ ENFOQUE ✖

■ METAS COMUNICATIVAS

Usted podrá hablar sobre algunas preocupaciones ambientales y otros problemas que afectan el mundo.

■ IDIOMA

Expresar opiniones
Hablar de posibles soluciones
Expresar preocupaciones ambientales
Describir desenlaces posibles
Dar consejos ecológicos
Hacer recomendaciones

■ VOCABULARIO ESENCIAL

Problemas ambientales
Soluciones a problemas ambientales
Otras preocupaciones globales

■ GRAMÁTICA ESENCIAL

Cláusulas que empiezan con *Si*
Resumen de los usos del infinitivo y subjuntivo
Presente Perfecto
Pasado Perfecto (Pluscuamperfecto)

■ CULTURA

Educación sin fronteras
Contaminación de ruidos

■ RETO CULTURAL

¿Cómo podemos mejorar el ambiente en nuestras propias casas, escuelas o comunidades?

El año siguiente, tuvo lugar un congreso estudiantil de asuntos hispanoamericanos° en la Universidad Dalhousie en Halifax. Asistieron° Sara, Lisa y Pierre. Allá se hablaron los tres por primera vez en muchos meses.

PIERRE:	*(Abrazando a Sara y a Lisa):* ¡Quiubo! ¡Mucho gusto! ¿Cómo les va?
LISA:	¡Muy bien! ¿Has visitado España, no? ¿Cómo te fue°?
PIERRE:	Óptimo°. ¿Y ustedes? ¿Qué quieren hacer después de terminar la carrera?
LISA:	Si tuviera un empleo, iría a trabajar a Argentina para alguna empresa o algún banco canadiense. He visto varios países y quiero conocer más. Si no encuentro otra manera de regresar a Hispanoamérica, trabajaré con los niños para una organización no gubernamental (ONG). ¿Y tú?
PIERRE:	Si pudiera, me iría a trabajar a Chile. Pero dudo que sea posible. Voy a buscar un empleo en Montreal como traductor. Cuando tenga suficiente dinero en ahorros°, me iré otra vez a Chile.
SARA:	Yo también creo que voy a trabajar para una ONG. Hace un año nunca había estado en Hispanoamérica. No había estudiado en México, ni había viajado por Centroamérica.
LISA:	¡No habías conocido a Francisco! *(Se sonríe.)*
SARA:	Me preocupo mucho° que haya tanta degradación del medio ambiente°: la deforestación, la extinción de los animales, la contaminación del agua... Si no existieran esos problemas, serían menos graves otros problemas, como la pobreza, la desnutrición° y la delincuencia°. Si puedo ayudar para proteger el medio ambiente, estaré contenta.
PIERRE:	¿Ya has encontrado empleo?
SARA:	Sí, he tenido mucha suerte. Me van a mandar a Honduras. Si no tuviera cinco cursos el semestre que viene, saldría hoy mismo.
LISA:	¿Saldrás para Honduras en cuanto termines tus exámenes en abril? ¡Tienes razón que tienes mucha suerte!
SARA:	Lo sé. Y creo que, en camino a° Honduras, voy a parar en Monterrey para visitar a Francisco.
LISA:	Ah... ¡Qué chévere!

Glossary (right margin):

asuntos hispanoamericanos... *Spanish American affairs*
Asistieron... *They attended*
¿Cómo te fue?... *How did it go?*
Óptimo... *Great*
ahorros... *savings*
Me preocupo mucho... *I'm very worried*
el medio ambiente... *the environment*
la desnutrición... *malnourishment*
la delincuencia... *crime/delinquency*
en camino a... *on the way to*

■ Conexión cultural

¿Sabías que el "Centre for Research on Latin America and the Caribbean" fue fundado en 1978 en la Universidad York de Toronto? La mayoría de las universidades y colegios canadienses ofrecen cursos de español, cultura y traducción; además, son varias las instituciones que ofrecen programas posgraduados en este idioma.

15-1 ¿Comprendió usted?

A. Indique si las siguientes oraciones son ciertas o falsas. Si una oración es falsa, diga por qué.

1. Sara, Lisa y Pierre vinieron a la Universidad Dalhousie para trabajar.
2. Pierre piensa ser traductor.
3. En camino a su trabajo en Honduras, Sara va a parar en Cuba.

B. Converse con un(a) compañero(a) de clase.

1. ¿En qué tipo de organización les gustaría trabajar: en una organización para la educación, para la salud, para cuidar la naturaleza, etcétera?

VOCABULARIO esencial

In this section, you will learn words and phrases for discussing some global environmental issues and other serious problems affecting the planet.

Algunos problemas del medio ambiente

los deshechos tóxicos

la contaminación del aire

los recursos naturales renovables

el calentamiento del planeta

el agotamiento de la capa de ozono

la lluvia ácida

la extinción de los animales

los recursos naturales no renovables

la deforestación

la escasez de recursos naturales

la contaminación del agua

Algunas soluciones para el medio ambiente

usar la energía solar

usar productos biodegradables

plantar árboles

reciclar los recursos

educar al público

proteger a los animales

multar las fábricas

conservar electricidad

¡Practiquemos!

15-2 Los problemas más graves. Indique los problemas más graves del mundo, en su opinión: 1 = el más grave, 2 = menos grave, etcétera. Luego hable de sus opiniones con dos o tres estudiantes.

_____ la lluvia ácida

_____ el agotamiento del ozono

_____ la extinción de animales y plantas

_____ la contaminación del agua

_____ el calentamiento del planeta

_____ la escasez de recursos naturales

15-3 Problemas y soluciones. Lea cada problema ambiental de la columna de la izquierda. Luego indique la mejor solución posible, en la columna de la derecha, para resolverlo.

MODELO: La extinción de los animales   _El cuido y protección de los animales._

Problema	Solución
Los desechos tóxicos	
La deforestación	
La extinción de animales	
La contaminación del aire	
La contaminación del agua	

15-4 Conversación sobre la conservación. Hágale preguntas a un(a) compañero(a) de clase.

1. ¿Te preocupas poco o mucho por los problemas del medio ambiente? ¿Qué problemas te molestan más y por qué?
2. ¿Quiénes son algunas personas que protegen la naturaleza? ¿Las conoces personalmente? ¿Qué hicieron esas personas para conservar nuestro medio ambiente?
3. ¿Qué responsabilidades tenemos tú y yo de reciclar los recursos naturales?

15-5 ¿Qué puedo hacer yo? ¿Qué hace usted personalmente para proteger el medio ambiente? ¿Qué más puede usted hacer para protegerlo? Conteste estas dos preguntas en un párrafo, usando las soluciones en esta sección tanto como sus soluciones personales.

MODELO: *Yo hago mucho para proteger el medio ambiente. Camino a clase, uso muy poco el aire acondicionado en el verano, ando en bicicleta y soy voluntario para la World Wildlife Conservatory, que protege a los animales. En el futuro voy a manejar menos mi auto y usar más productos biodegradables. También voy a educar a mis niños a conservar el medio ambiente.*

Otros problemas mundiales

el analfabetismo	*illiteracy*
la delincuencia	*delinquency*
la desnutrición	*malnutrition*
las drogas ilegales	*illegal drugs*
las enfermedades graves	*serious illnesses*
la guerra	*war*
el hambre	*hunger*
la mortalidad infantil	*infant mortality*
la pobreza	*poverty*
el prejuicio	*prejudice*
la sobrepoblación	*overpopulation*
el terrorismo	*terrorism*

Según la organización FAO (Organización de las Naciones Unidas para la Agricultura y la Alimentación) 200 millones de niños sufren de **desnutrición** crónica en los países en desarrollo. En estos países, una de cada cinco personas no tiene la comida necesaria para vivir. **La mortalidad infantil** debido **al hambre** y la **pobreza** es mayor en los países en desarrollo que en los países desarrollados.

¡Practiquemos!

15-6 Asociaciones. Indique asociaciones entre los siguientes problemas, según el tipo de problema o según la causa y el efecto del problema. No hay respuestas correctas; su opinión es más importante. Prepárese para defender sus opiniones.

1. _____ el hambre
2. _____ el analfabetismo
3. _____ el terrorismo
4. _____ las drogas ilegales
5. _____ la mortalidad infantil

a. la delincuencia
b. la pobreza
c. el prejuicio
d. la falta de educación
e. la desnutrición

15-7 Las mejores soluciones. Indique las mejores soluciones para resolver los siguientes problemas. Los tres puntos (...) indican otra posibilidad.

1. Para prevenir el prejuicio, es necesario...
   a. conversar y discutir el problema.
   b. educar al público.
   c. estudiar las consecuencias de los prejuicios.
   d. ...

2. Para reducir la pobreza, se debe...
   a. crear más trabajos.
   b. educar a la gente pobre.
   c. dar dinero a las organizaciones que ayudan a esta gente.
   d. ...

3. Para eliminar la guerra, tenemos que...

   a. estudiar otras culturas y otros idiomas.

   b. reducir el número de armas.

   c. consultar a las Naciones Unidas.

   d. ...

4. Para controlar la población, debemos...

   a. tener más guerras civiles.

   b. educar a la gente.

   c. tener un niño por cada familia.

   d. ...

15-8 Educación sin fronteras. Lea el artículo y hable sobre sus ideas con un(a) compañero(a) de clase.

QUIÉNES SON

EDUCACIÓN SIN FRONTERAS[1]

Enseñanza[2] para todos

Preparar maestros, alfabetizar[3] adultos, construir escuelas, bibliotecas, centros de educación especial... Estas son algunas de las acciones que realiza Educación sin Fronteras (ESF) en países cuyas tasas de alfabetización[4] son muy bajas -se calcula que hay aproximadamente 100 millones de niños entre 6 y 11 años sin escolarizar-[5]. Las causas de ello hay que buscarlas en que la educación es un bien que está mal repartido y los niños son una mano de obra barata[6] y por tanto, si van a la escuela, no trabajan.

Proyectos a largo plazo

Todos los proyectos de ESF son proyectos a largo plazo -entre dos y tres años- que han sido propuestos por la gente del país al que van destinados y responden a sus necesidades reales. En la actualidad ESF tiene en marcha varios proyectos en América Latina y África, algunos de ellos en colaboración con otras ONG's, como el que empezará este año en Guinea con Médicos sin Fronteras. Te explicamos en qué consisten varios de ellos:

● **Granja-Escuela para niños y jóvenes de la calle en Goma (Zaire)**

Pretende[7] disminuir la marginación y la delincuencia juvenil en las calles de Goma con la creación de una

Centro de capacitación preescolar en Medellín (Colombia).

granja-escuela. Allí los menores desarrollan actividades culturales y educativas a la vez que reciben formación sobre el cultivo de productos tradicionales y la correcta crianza de animales.

● **Creación de infraestructuras para el desarrollo de las mujeres de República Dominicana**

Mediante la construcción de locales comunitarios, se está dotando[9] a las organizaciones de mujeres con infraestructuras que les permiten recibir una educación de la que hasta ahora carecían.

● **Ampliación de un centro para niños incapacitados[10] en Ecuador.**

El proyecto espera dar respuesta a los graves problemas del sector más desfavorecido de los niños ecuatorianos, los "lo-

La mejor manera de salir de la pobreza y la marginación es la educación. Así lo entendieron un grupo de profesionales que fundaron en 1988 esta Organización no Gubernamental (ONG)[8] y que pretende que la falta de recursos en educación no obstaculice el desarrollo de los países del Tercer Mundo.

Se calcula que en el mundo hay unos 100 millones de niños sin escolarizar

quitos", pequeños que viven muchas veces en condiciones infrahumanas. Se están creando aulas especiales, talleres ocupacionales y programas de integración educativa.

Tú puedes colaborar

Para llevar a cabo los proyectos, Educación sin Fronteras cuenta con la colaboración desinteresada de muchos profesionales de la educación, pero necesita la ayuda de todos para poder financiarlos. Una buena manera de colaborar con ellos es adquirir sus camisetas -1.500 ptas. más gastos de envío-. Se pueden solicitar en la sede central de ESF.

Educación sin Fronteras Tel. (93) 412 72 17

[1]Educación... *Learning without borders* [2]enseñanza... *teaching* [3]alfabetizar... *to teach reading and writing* [4]tasas... *literacy rates* [5]sin... *without schooling* [6]mano... *cheap labour force* [7]pretende... *endeavours to* [8]ONG... *Nongovernmental organization* [9]se... *is giving* [10]incapacitados... *disabled*

1. ¿Cuál es el objetivo principal de esta organización, Educación sin fronteras?
2. ¿Dónde tiene proyectos esta organización?
3. Describa los proyectos en República Dominicana y en Ecuador.
4. ¿Cómo pueden ustedes colaborar?
5. ¿Les gustaría trabajar en una organización como ésta?

GRAMÁTICA esencial

If Clauses

You have seen the conditional used with the past subjunctive to speculate about what would happen under certain conditions (e.g., **Si tuviéramos el dinero, iríamos a México**). Now you will learn how to form and use these speculative statements that are often called *if* clauses.

How to form and use *if* clauses

1. To imply that a situation is factual or is likely to occur, use **si** (if) with an indicative verb form in both the *if* (dependent) clause and the conclusion (independent clause).

   Factual situation:

   Si **seguimos** usando los recursos naturales no renovables sin control, **continuaremos** contaminando el aire.

   *If we **continue** to use nonrenewable natural resources without control, we **will continue** polluting the air.*

   Likely to occur:

   —Si **conservamos** los recursos, **vamos a tener** suficientes recursos para el futuro.
   —Creo que tienes razón.

   *If we **conserve** the natural resources, we **are going to have** enough resources for the future.*
   I think you're right.

2. To imply that a situation is contrary to fact or is unlikely to occur, use **si** (*if*) with a past subjunctive verb in the *if* clause and a conditional verb in the conclusion.

   Contrary to fact:

   —Si **usáramos** más la energía solar, **ahorraríamos** dinero, ¿verdad?
   —¡Sí, claro que sí!

   *If we **used** more solar energy, we **would save** money, wouldn't we?*
   Yes, of course!

   Unlikely to occur:

   —Si **fueras** el Primer Ministro, ¿**podrías** eliminar la delincuencia?
   —Creo que sería imposible.

   *If you **were** the Prime Minister, **would** you **be able** to eliminate delinquency?*

   I think it would be impossible.

Como si... (As if . . .)

After **como si** the past subjunctive is always used, whether the verb in the main clause is in the present or in the past.

Sara **habla** de la contaminación **como si fuera** una experta.	Sara **talks** about pollution **as if** she **were** an expert.
Lisa **hablaba** de la educación **como si fuera** una maestra.	Lisa **talked** about education **as if** she **were** a teacher.

¡Practiquemos!

15-9 ¡Ojalá! Complete las siguientes oraciones con verbos apropiados de la lista. CD4 - 24

dar	reciclar	haber	tener	multar	usar	plantar

MODELO: Si en la escuela _tuviéramos_ más recipientes para reciclar, los estudiantes estarían más conscientes de hacerlo.

1. Si la gente _____ el papel, no destruiríamos tantos árboles.
2. No nos preocuparíamos tanto por la guerra si _____ más comprensión entre las personas.
3. Si nosotros _____ más árboles, habría más oxígeno en el aire.
4. Si los gobiernos les _____ más trabajos a los pobres, no habría tanta gente con hambre.
5. Si nadie _____ drogas ilegales, tendríamos menos delincuencia.
6. Habría más aire limpio si el gobierno _____ las fábricas que contaminan el aire.

15-10 Si viajara a Galicia... ¿A usted le gustaría viajar a Galicia algún día? Haga oraciones completas para expresar sus ideas como en el ejemplo.

MODELO: si viajar / Galicia, (ir) con _____
         Si viajara a Galicia, iría con mi amigo Santiago Enrique.

1. si viajar / Galicia, _____ (ir) con _____
2. si tener / dinero, _____ (alojarme) en _____
3. si viajar / Santiago de Compostela, _____ (querer) ver _____
4. si llevar / cámara, _____ (sacar) fotos de _____
5. si querer cambiar / dinero, lo _____ (cambiar) en _____
6. si conocer / una persona simpática, la _____ (invitar) a _____
7. si enfermarme un poco durante / viaje, _____ (ir) a _____
8. si visitar / la antigua Universidad de Santiago / _____ (ir) a _____

15-11 Entrevista. Hágale preguntas a un(a) compañero(a) de clase.

1. Si fueras millonario(a), ¿qué harías para proteger el medio ambiente? ¿Adónde viajarías para ayudar a la gente pobre? ¿Con quién hablarías? ¿Qué les dirías a esas personas?
2. Si pudieras hacer solamente una cosa para tener paz en el mundo, ¿qué harías? Si pudieras trabajar con cualquier persona para ayudarlo(la), ¿con quién trabajarías? ¿Cómo comenzarían ustedes?

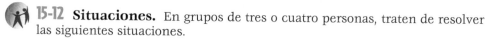 **15-12 Situaciones.** En grupos de tres o cuatro personas, traten de resolver las siguientes situaciones.

■ En la ciudad de Bogotá hay muchos delincuentes con armas. No hay suficientes policías para proteger a los ciudadanos porque no hay suficiente dinero para emplearlos. Cada día muchas personas son víctimas de un incidente violento en esa ciudad. Los residentes allí tienen mucho miedo.
  1. Si yo fuera el (la) jefe(a) de policía en Bogotá _____.
  2. Si yo fuera un(a) residente de esa ciudad, creo que _____.

■ En el Brasil la deforestación del Amazonas es un problema enorme. Todos los días la gente destruye más de 50.000 hectáreas de árboles, además de animales y plantas medicinales.
  1. Si yo fuera el (la) presidente(a) del Brasil, _____.
  2. Si yo fuera brasileño(a), creo que _____.

■ En los países en desarrollo hay un alto índice de analfabetismo.
  1. Si yo fuera el (la) ministro(a) de Educación de México, _____.
  2. Si yo trabajara en educación en México, _____.

"Cuando hablamos de la conservación del medio ambiente, esto está relacionado a muchas otras cosas. Por último, la decisión tiene que venir del corazón humano; por eso, creo que el punto clave es tener un sentido genuino de responsabilidad universal". —*El Dalai Lama*

15-13 Filosofía de viajar. Complete por escrito las siguientes oraciones.

MODELOS: *Si hago un viaje de dos semanas, llevaré dos maletas.*
Si hiciera un viaje de dos semanas a Europa, yo llevaría una mochila, 500 dólares en cheques de viajero y...

  1. Si hago un viaje de dos semanas, (yo)...
  2. Si necesito más dinero en mi viaje, (yo)...
  3. Si tengo tiempo en mi viaje, (yo)...
  4. Si olvido algo importante en mi hotel, (yo)...
  5. Si tengo más de 50 dólares después de mi viaje, (yo)...
  6. Si hiciera un viaje por dos semanas a Europa, (yo)...
  7. Si necesitara más dinero en ese viaje, creo que (yo)...
  8. Si conociera a gente interesante en el viaje, (yo)...
  9. Si olvidara algo importante en mi hotel allí, (yo)...
  10. Si tuviera más de 50 dólares después de mi viaje, me gustaría...

El ruido también contamina

POR UN MUNDO MEJOR

El ruido[1] también contamina

Con la llegada del buen tiempo empezamos a abrir ventanas por las que no sólo entra el sol o el aire fresco: toda una amplia gama de ruidos se colará[2] también en nuestros hogares.[3]

Estamos tan inmersos en una cultura del ruido que no nos damos cuenta de hasta qué punto sometemos a nuestros oídos a unos niveles de sonido que van perjudicándolos[4] poco a poco. Cuando el daño[5] ya es irreversible, la mayoría de la gente ha alcanzado cierta edad y atribuyen su pérdida[6] de audición[7] a los años, lo cual no siempre es cierto.

OTRAS CONSECUENCIAS
El vivir en un ambiente con mucho ruido es la causa directa de trastornos como el estrés y la irritabilidad, causantes a su vez de hipertensión arterial, úlceras gástricas e incluso dolores de cabeza o alteraciones del sueño.[8]

SINFONÍA DE RUIDOS
En muchas calles de nuestras ciudades, el nivel de ruido supera los 85 decibelios,[9] sobrepasando con creces los 65 considerados como el máximo aceptable. La bocina[10] de un automóvil puede alcanzar los 120 db, la música a todo volumen en bares también pueden sobrepasar los 100 db.

REDUCE EL RUIDO
● **Utiliza lo menos posible el coche por ciudad** y cuando lo hagas reduce la velocidad,[11] así también reducirás el ruido.
● **En verano, si ves la televisión con las ventanas abiertas, cuidado con el volumen.** Tus vecinos no tienen porqué oír tus programas.

● **Cuanto menos tiempo y con menor volumen se utilicen los walkman mejor.** Durante los desplazamientos son la mejor manera de oír música sin molestar a nadie, pero en casa sustitúyelos por aparatos que no concentren tanto las ondas sonoras.
● **Antes de comprar un coche comprueba su nivel de ruido,** tanto desde el interior como desde el exterior. Haz lo mismo con todos los electrodomésticos.

El exceso de ruido puede llegar a causar sordera.

TRRRRRR... Ninoninoni Bruumm... Mec! Mec!! Mec!!!

Preguntas. Converse con dos o tres compañeros(as) de clase.

1. ¿Qué sucede durante la primavera y el verano cuando abrimos las ventanas?
2. ¿Qué consecuencias hay cuando vivimos en un ambiente de mucho ruido?
3. ¿Cómo se puede reducir el ruido y su contaminación de acuerdo al artículo?
4. ¿Tienes tú otras ideas para reducir el ruido? ¿Cuáles son?

---

[1]ruido... *noise* [2]se colará... *will get inside* [3]hogares... *homes* [4]van... *are gradually damaging them*
[5]daño... *damage* [6]pérdida... *loss* [7]audición... *hearing* [8]alteraciones... *sleeplessness* [9]decibelios... *decibels*
[10]bocina... *horn* [11]velocidad... *speed*

GRAMÁTICA esencial

Uses of Infinitives and Subjunctive Forms (Summary)

In this section, you will review and practise some language functions you have already learned to express in this book.

The following explanations and examples summarize how Spanish speakers use infinitives and the subjunctive to express wants, preferences, intentions, advice, suggestions, and opinions.

Use an infinitive . . .	Use a subjunctive verb form . . .
1. after verbs of volition when there is only one subject in a sentence. **Sara** quiere **conservar** la energía. *Sara wants **to conserve** energy.*	1. after verbs of volition when there is a change of subject in a sentence. **Sara** quiere que **nosotros** la **conservemos**. *Sara wants **us to conserve** it.*
2. after verbs of emotion when there is only one subject in a sentence. **Pierre** se alegra de **reciclar** los recursos. *Pierre is happy **to recycle** resources.*	2. after verbs of emotion when there is a change of subject in a sentence. **Pierre** espera que **usted recicle** más. *Pierre hopes that **you recycle** more.*
3. after impersonal expressions when there is no personal subject in a sentence. **Es bueno conservar** la energía. *It's good **to conserve** energy.*	3. after impersonal expressions when there is a personal subject in a sentence. **Es bueno** que **usted la conserve**. *It's good that **you conserve** it.*

Uses of the Indicative and Subjunctive Moods (Summary)

The following explanations and examples summarize how Spanish speakers use the indicative to describe factual information as well as habitual and completed actions and the subjunctive to express doubt and indefiniteness.

Use an indicative verb form . . .	Use a subjunctive verb form . . .
1. to refer to habitual actions and completed actions. Llevo mi mochila cuando **viajo** al extranjero. *I take my backpack when I **travel** abroad.* **Llevé** mi mochila cuando **viajé** a Europa. *I **took** my backpack when I **travelled** to Europe.*	1. to refer to a future action dependent on another action. Voy a llevar mi mochila cuando **viaje** a Galicia. *I am going to take my backpack when I **travel** to Galicia.*
2. to refer to a specific person, place, or thing. Tengo una mochila que **es** vieja. *I have a backpack that **is** old.*	2. to refer to an unknown or non-existent person, place, or thing. Quiero comprar una que **sea** nueva. *I want to buy one that **is** new.*

3. to express certainty.

Estoy seguro que **puedo** ir.
I am sure that I can go.

4. in an if clause to imply that a situation is factual or is likely to occur.

Si **usamos** energía solar, **ahorramos** dinero.
*If we **use** solar energy, we **save** money.*

Si **usamos** la energía solar, **vamos a ahorrar** dinero.
*If we **use** solar energy, we **are going to save** money.*

3. to express uncertainty.

No estoy seguro que **pueda** ir.
I am not sure that I can go.

4. in an if clause to imply that a situation is contrary to fact or will not likely occur.

Si **usáramos** la energía solar, **ahorraríamos** dinero, ¿verdad?
*If we **used** solar energy, we **would save** money, right?*

Si **usáramos** la energía solar, ¿**conservaríamos** los recursos *no renovables*?
*If we **used** solar energy, **would** we **conserve** nonrenewable resources?*

¡Practiquemos!

CD4 - 25

15-14 Debate sobre la pobreza. Complete la siguiente conversación, indicando las formas correctas de los verbos entre paréntesis.

SARA: Es una lástima que (hay / haya) tanta pobreza en el mundo. Si los gobiernos (toman / tomaran) medidas más fuertes para eliminarla, (hay / habría) más prosperidad.

LISA: Sí, pero creo que no (debemos / debamos) esperar hasta que los gobiernos (hacen / hagan) más para resolver ese problema. Sugiero que el público (sabe / sepa) más sobre la pobreza y los trabajos que hay que darles a las personas que lo necesitan.

SARA: Claro. Si no (educamos / educáramos) al público, la pobreza (va / vaya) a continuar. Necesitamos un programa que (está / esté) bien organizado. Espero que los gobiernos de todos los países (ayudan / ayuden) a las personas más necesitadas y que les (enseñan / enseñen) a trabajar en algo necesario.

LISA: Nunca vamos a (eliminar / elimina / elimine) la pobreza. Pero es bueno (hablar / habla / hable) sobre este tema, aunque estoy segura de que la pobreza siempre (va / vaya) a estar con nosotros.

> "La mejor política es la honradez". —*Simón Bolívar*

15-15 Un(a) experto(a) en ecología de Latinoamérica. Converse con otros(as) dos estudiantes. Imagínense que ustedes van a hablar con un(a) experto(a) en ecología (un[a] compañero[a]) que va a visitar su clase mañana. Escriba algunas preguntas sobre los siguientes temas:

- la epidemia del cólera en Sudamérica
- la sobrepoblación en México
- la destrucción de la selva amazónica en Brasil y Venezuela
- un programa para plantar árboles en Costa Rica
- la pobreza, el hambre y la desnutrición en Chiapas, México
- la contaminación en la ciudad de Santiago de Chile

Preguntas:	**Respuestas:**
¿Sabe usted si... ?	Les aconsejo que...
Si yo... , ¿podría... ?	Es importante que...
¿Podría usted decirnos... ?	Creo que... No creo que...
¿Por qué hay... ?	Si ustedes...
¿Qué va a pasar si... ?	Recomiendo que...
Creo que... ¿Qué le parece a usted?	Primero, ustedes necesitan...

GRAMÁTICA esencial

The present perfect (*El presente perfecto*)

- The present perfect tense is formed by conjugating the auxiliary verb **haber** in the present indicative and adding the past participle of the main verb. In English the equivalent of this tense is *have + past participle*, e.g., *I have eaten.*

Present tense of haber	+	Past participle
Yo he		
Tú has		
Él ha		
Ella ha		
Usted ha		hablado
Nosotros hemos	+	comido
Vosotros habéis		vivido
Ustedes han		
Ellos han		
Ellas han		

- Notice that the past participle is exactly the same for all the subjects when used as a compound tense as in the chart above. In the present perfect, the past participle does **not** change to reflect number or gender.

Él **ha hablado**. Ella **ha hablado**.   –He **has spoken**. She **has spoken**.
Ellos **han trabajado** hoy.   –They **have worked** today.

- In Spanish it is not possible to separate the auxiliary verb from the past participle. The form of **haber** and the participle must always go together.

Ellos nunca **han estado** en   They **have** never **been** to Havana.
   La Habana.
Mi madre siempre me **ha dado**   My mother **has** always **given** me
   dinero.   money.

- When reflexives and object pronouns are used in a sentence with compound tenses, they must appear immediately before the auxiliary verb.

Me han dado el libro.   –They have given me the book.
Nos hemos acostado temprano.   –We have gone to bed early.

- The present perfect is used in the following situations.

–For very recent actions.

Sara ha llegado ahora mismo.   –Sara has just arrived.

–For past actions that took place in a time-period that has not ended.

Pierre ha comido tres tamales   –Pierre has eaten three tamales this
   esta semana.   week.
Los muchachos no han estudiado   –The boys haven't studied today.
   hoy.
Nunca he estado en Paraguay.   –I have never been in Paraguay.

(Here the implied time-period is the speaker's entire life. In theory, he or she still has the opportunity to visit Paraguay.)

¡Practiquemos!

15-16 Descríbale a un(a) compañero(a) de clase ocho cosas que usted y gente que usted conoce han hecho para contribuir a mejorar el medio ambiente.

MODELO: Yo he plantado árboles todos los veranos.
          I have planted trees every summer.

15-17 Complete las siguientes oraciones con el presente perfecto de los verbos de la lista. ¡Atención con los verbos irregulares!

estar	vivir	anunciar	contaminar
conocer	aumentar	multar	poner

1. El gobierno _____ las fábricas porque
_____ el agua de los ríos y
_____ en peligro la vida de la gente y de los
animales que siempre _____ cerca de ahí.

2. Yo _____ en las playas de Varadero pero jamás _____ la ciudad de La Habana.

3. La policía _____ que el número de delincuentes en la ciudad _____ bastante y que es necesario que el público tenga mucho cuidado.

15-18 Indique lo que las siguientes personas han hecho o no han hecho.

1. Javier / no sacar la basura
2. Roxana y Zulma / no ir nunca a Madrid
3. Dwayne y Jaime / no conocerse todavía
4. Alex y sus primos / ver la nueva película
5. Nosotras / devolver los libros a la biblioteca
6. Ella / romperse el brazo
7. Ustedes / no traer el cuadro para la oficina
8. Alberto y Carolina / siempre educar al público sobre los efectos de la deforestación
9. Vosotros / usar productos biodegradables
10. Tú / proteger a los animales

GRAMÁTICA esencial

The past perfect (pluperfect) *(El pluscuamperfecto)*

- The past perfect, or pluperfect, is constructed by using the imperfect tense of the auxiliary verb **haber** plus the past participle of any verb.

Imperfect tense of haber	+	Past participle
Yo había		
Tú habías		
Él había		
Ella había		
Usted había		estudiado
Nosotros habíamos	+	aprendido
Vosotros habíais		decidido
Ustedes habían		
Ellos habían		
Ellas habían		

- The English equivalent to this tense is *had + past participle*; e.g. *You had spoken*. The past perfect expresses an action that had already taken place before another action in the past.

Cuando mi abuela llegó, yo ya **había limpiado** la casa.
When my grandmother arrived, I had already cleaned the house.

Ellos **habían estudiado** mucho para el examen.
They had studied a lot for the exam.

¡Practiquemos!

15-19 Use su imaginación para describir lo que el gobierno canadiense anterior ya había hecho o no había hecho para ayudar a evitar algunos de los siguientes problemas mundiales.

1. el analfabetismo
2. el terrorismo
3. la guerra
4. el hambre
5. la mortalidad infantil
6. el prejuicio
7. la pobreza
8. las drogas ilegales
9. la contaminación del aire
10. el agotamiento de la capa de ozono

15-20 Complete las siguientes oraciones lógicamente, usando el pasado perfecto (pluscuamperfecto).

1. Cuando llegué a esta universidad, yo...
2. Mi profesor(a) ya...
3. Nuestros compañeros de clase no...
4. Los turistas todavía no...
5. La lluvia ácida...

15-21 Complete las siguientes oraciones con el pasado perfecto (pluscuamperfecto) de los verbos en paréntesis.

1. Cuando ellos devolvieron el libro, la multa ya _____ (subir) a $50.
2. Mis padres ya _____ (reciclar) las botellas cuando tú los viste.
3. Los desechos tóxicos ya _____ (contaminar) el agua de los ríos cuando el gobierno empezó a actuar.
4. Nosotros nunca _____ (creer) en supersticiones.
5. El agente de viaje _____ (decirme) que un viaje a La Habana no costaría mucho dinero.

6. Jaime _____ (visitar) Toronto antes de salir para Montreal.

7. Celso es brasileño pero _____ (aprender) español en la escuela.

8. Elsa y Edgardo jamás _____ (volver) a Terranova ni a las otras islas del Canadá.

9. Enrique y sus amigos siempre _____ (estar) en comunicación.

10. Vosotras ya _____ (escribir) las cartas de protesta en contra de la guerra.

■ RETO CULTURAL

Usted y su amigo(a) piensan que en su universidad no hay suficientes botes de basura *(garbage cans)* para reciclar papel, botellas y latas *(cans)*. Ustedes pertenecen a un grupo a favor de cuidar el medio ambiente.

- ¿Qué harían ustedes para comenzar a tratar *(to deal with)* el problema?
- ¿Con quién hablarían primero?
- ¿A quién le pedirían ayuda?
- ¿Cómo conseguirían tener más botes de basura para reciclar papel, botellas y latas para la universidad?

¡Practiquemos más!

 For additional practice on the material covered in this chapter, go to **Lección 15** of the *Intercambios* *Workbook/Laboratory Manual*.

 For additional on grammar, vocabulary, and conversation practice, go to **Lección 15** of the *Flex-Files*.

 Atajo *Writing Assistant Software for Spanish* can be used to complete the writing activities in your *Workbook/Laboratory Manual*.

 Intercambios *Video:* Activities to accompany the *Intercambios* Video can be found in the *Flex-Files*.

 Visit *Intercambios* on the World Wide Web at **http://www.intercambios.nelson.com**.

Sustantivos

los ahorros   *savings*
el árbol   *tree*
la energía solar   *solar energy*
la fábrica   *factory*
el gobierno   *government*
la multa   *fine*
el producto biodegradable
   biodegradable product
el público   *public*
el recurso   *resource*
la tecnología   *technology*

Problemas del medio ambiente

el agotamiento de la capa de ozono
   ozone-layer depletion
el calentamiento del planeta
   global warming
la contaminación del aire (agua)
   air (water) pollution
la deforestación   *deforestation*
los deshechos tóxicos   *toxic waste*
la escasez de recursos naturales
   shortage of natural resources
la extinción de animales   *species extinction*

la lluvia ácida   *acid rain*
los recursos naturales no renovables
   nonrenewable natural resources
los recursos naturales renovables
   renewable natural resources

Otros problemas mundiales

el analfabetismo   *illiteracy*
la delincuencia   *delinquency*
la desnutrición   *malnutrition*
las drogas ilegales   *illegal drugs*
las enfermedades graves   *serious illnesses*
la guerra   *war*
el hambre   *hunger*
la mortalidad infantil   *infant mortality*
la pobreza   *poverty*
el prejuicio   *prejudice*
la sobrepoblación   *overpopulation*
el terrorismo   *terrorism*

Adjetivos

ambiental   *environmental*
biodegradable   *biodegradable*
pobre   *poor*
responsable   *responsible*

Verbos

conservar   *to conserve*
controlar   *to control*
darse cuenta de   *to realize*
destruir   *to destroy*
educar   *to educate*
eliminar   *to eliminate*
multar (poner una multa)   *to fine*
plantar   *to plant*
prevenir (e → ie)   *to prevent*
proteger   *to protect*
reciclar   *to recycle*
reducir   *to reduce*
resolver (o → ue)   *to solve*
usar   *to use*

Expresiones

por cierto   *by the way*
Gracias por pensar en mí.   *Thanks for thinking of me.*
óptimo   *great*

PERSPECTIVAS

CD4 - 26, 27 **IMÁGENES** Algunos talentos hispano-canadienses

Antes de leer: Conteste estas preguntas.

1. ¿Sabe usted cuántos hispanos viven en Canadá?
2. ¿Sabe usted cuántos hispanos viven en su provincia o territorio?
3. ¿Conoce usted a algún hispano-canadiense famoso? ¿Cómo se llama?
4. ¿Conoce usted alguna empresa canadiense que tenga negocios con países latinoamericanos?

¡A leer!

Reading critically

One way to read critically is to distinguish factual information from an author's point of view and possible bias. The better you can separate fact from opinion, the better you will understand the writer's intentions.

Read the following statements and check whether they are facts or opinions. Then compare your decisions with those of a classmate.

▶ 1. Visiting Spain and meeting Spaniards is fun.

▶ 2. Most Canadians arrive in Spain by airplane.

▶ 3. Spain is a small country compared to Canada.

▶ 4. Madrid, Barcelona, and Santiago de Compostela are Spanish cities.

▶ 5. It's easy to see why so many tourists visit Spain.

▶ 6. Spain is the most fascinating country in the world.

Read the paragraphs on Hispanic-Canadian personalities and, as you read, decide whether each sentence is based mainly on factual information (F) or on personal opinion (O). Mark each accordingly (F or O) in the margin, then compare your decisions with those of a classmate.

1. **Pablo Rodríguez** viene de una familia que emigró a Canadá desde Argentina. Estudió negocios en la Universidad de Sherbrooke en Quebec. En las elecciones federales de 2004 Pablo Rodríguez fue eligido Diputado del Partido Liberal para el distrito electoral de Honoré-Mercier en el este de Montreal.

2. **Carmen Rodríguez** nació en Chile en 1948 y llegó a Canadá en 1973 como exiliada política después del golpe de estado contra el gobierno de Salvador Allende. Es escritora, traductora y editora. Sus obras han sido publicadas en revistas y antologías. Entre sus trabajos destacados cuentan *Guerra prolongada / Protracted War* (1992) y *De cuerpo entero / And a Body to Rememeber With* (1997). Actualmente Rodríguez vive en la ciudad de Vancouver.

3. **Alfonso Quijada Urías (Kijadurías)** es un poeta salvadoreño que lleva más de dos décadas viviendo en Vancouver, Canadá. Entre sus obras se destacan *Lujuria tropical, Las sagradas escrituras, Manuscrito de un poeta ciego, El otro infierno* y varios más.

4. **Alberto Manguel** nació en Buenos Aires, Argentina en 1948. Es un escritor y editor de mucha fama que ha publicado varios libros incluyendo *News from a Foreign Country Came* y *The History of Reading*. Ha vivido en Toronto y Calgary y ahora vive en Francia.

5. El científico **Adolfo J. de Bold** nació en Paraná, Argentina y emigró a Canadá en 1968. Hizo sus estudios en Bioquímica en la Universidad Queen's de Kingston, Ontario, donde trabajó como profesor de patología. Sus estudios y descubrimientos en el campo de fisiología cardíaca lo han hecho un investigador de alto prestigio a nivel mundial; fue nominado para recibir el Premio Nóbel.

6. Carlos A. Ventín es de origen argentino y es uno de los arquitectos más exitosos de Canadá. Ha ayudado a evitar la destrucción de más de 50 edificios del patrimonio nacional y ha estado a la cabeza de más de 150 proyectos de restauraciones históricas incluyendo el Edificio de la Legislatura de Ontario, Queen's Park y la antigua Alcaldía de Toronto.

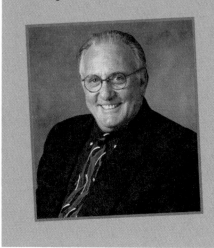

7. Marilú Mallet llegó a Canadá como refugiada política después del golpe de estado en Chile en 1973. Escribió un libro de cuentos, *Voyage to the Other Extreme*. Hoy en día es muy conocida como cineasta. Entre sus películas están: *La Cueca Sola*, *Unfinished Diary* y *Rue de la mémoire*.

Al lado de las Cataratas del Niágara se encuentra este monumento al poeta cubano José María Heredia (1803–1839) quien en 1824 escribiera una de sus obras más famosas, *Oda al Niágara*, mientras miraba las cataratas.

Actividades

A. Ecriba sobre uno de los siguientes temas.

- Un viaje ideal para los ecoturistas
- Un lugar perfecto para un viaje de novios *(honeymoon)*
- El mejor lugar para pasar las vacaciones
- Cómo viajar con niños y divertirse mucho
- La mejor estación para visitar *(lugar)*

B. Escriba una composición en la que Ud. exprese su opinión. Incluya hechos *(facts)* importantes y ejemplos para apoyar *(to support)* su opinión. Su composición tendrá cuatro párrafos, como lo muestra el siguiente modelo.

Un viaje ideal para los ecoturistas

I. Introducción (Exprese su punto de vista.)

Un viaje a las Islas Galápagos del Ecuador sería ideal para los ecoturistas.

II. Primera razón para apoyar su opinión y un ejemplo

Muchas personas que tienen interés en la ecología escribieron sobre sus experiencias en las Islas Galápagos. Por ejemplo, después de visitar esas islas, Charles Darwin escribió su libro Del origen de las especies *en 1835, en el que expuso su teoría de la evolución.*

III. Segunda razón para apoyar su opinión y un ejemplo

Hoy día las islas son un parque nacional del Ecuador para conservar los animales salvajes. Por ejemplo, hay iguanas que parecen ser dinosaurios en miniatura y una gran variedad de pájaros allí.

IV. Conclusión (Haga un resumen de su punto de vista o opinión.)

Cualquier ecoturista se divertiría mucho en las Islas Galápagos porque es un bonito lugar natural y la gente vive en armonía con los animales.

Creo que un viaje a las Islas Galápagos sería ideal para los ecoturistas. Las Galápagos están situadas en el Océano Pacífico aproximadamente a 995 kilómetros al oeste del Ecuador continental. En mi opinión, no hay otro lugar con un ambiente más natural en el mundo.

Una razón por la cual muchas personas visitan esas islas es por su interés en la ecología. Algunas personas famosas que viajaron allí escribieron sobre sus experiencias. Por ejemplo, después de visitar las Islas Galápagos, Charles Darwin escribió su libro Del origen de las especies *en 1835, en el que expuso su teoría de la evolución.*

Otra razón por la cual se debe viajar a las Islas Galápagos es para ver una gran variedad de animales. Hoy día las islas son un parque nacional del Ecuador para conservar los animales. Aunque ellos son salvajes, no tienen miedo de la gente. En las Islas Galápagos hay iguanas que parecen ser dinosaurios en miniatura y hay una gran variedad de pájaros.

En conclusión, pienso que cualquier ecoturista se divertiría mucho en las Islas Galápagos porque es un bonito lugar natural y la gente allí vive en armonía con los animales.

¡A escribir!

Writing Persuasively

To convince readers to accept their point of view, writers use the following words and phrases to connect ideas.

▶ **To express opinions**

creo que	I believe
pienso que	I think
en mi opinión	in my opinion

▶ **To show contrast**

pero	but
aunque	although
de otra forma	on the other hand

▶ **To support opinions**

primero	first
una razón	one reason
por ejemplo	for example

▶ **To summarize**

por eso	therefore
finalmente	finally
en conclusión	in conclusion

APÉNDICES

APÉNDICE A: El alfabeto español

The Spanish alphabet contains 28 letters. The *rr* represents a single sound and is considered a single letter. The letters *k* and *w* occur only in words of foreign origin.

Letter	Name	Examples: People and Places		
a	a	Alonso	María	Panamá
b	be	Roberto	Bárbara	Bolivia
c	ce	Carlos	Carmen	Cuba
d	de	Diego	Amanda	El Salvador
e	e	Enrique	Ángela	Ecuador
f	efe	Francisco	Alfreda	Francia
g	ge	Gilberto	Gabriela	Argentina
h	hache	Humberto	Hortensia	Honduras
i	i	Panchito	Alicia	Italia
j	jota	Alejandro	Juanita	Japón
k	ka	Kris	Kati	Kenya
l	ele	Luis	Claudia	Guatemala
m	eme	Mario	Marta	Colombia
n	ene	Nicolás	Anita	Santo Domingo
ñ	eñe	Ñato	Begoña	España
o	o	Pedro	Carlota	Puerto Rico
p	pe	Pepe	Pepita	Paraguay
q	cu	Joaquín	Raquel	Quito
r	ere	Fernando	Gloria	Nicaragua
rr	erre	Ramón	Rosa	Monterrey
s	ese	José	Susana	Costa Rica
t	te	Tomás	Catalina	Toledo
u	u	Lucho	Luisa	Uruguay
v	ve	Vicente	Victoria	Venezuela
w	doble ve, doble u	Walter	Wendi	Washington
x	equis	Xavier	Máxima	México
y	y griega	Rey	Yolanda	Guayana
z	zeta	Fernández	Zelda	Zaragoza

Spelling Hints

1. The letters *b* and *v* are pronounced exactly alike in Spanish. To distinguish one letter from the other in spelling, one says *b grande* (big b) for *b* and *v chica* (little v) for *v*. Also, some Spanish speakers say *b de burro* (*b* in *burro*, meaning **donkey**) and *v de vaca* (*v* in *vaca*, meaning **cow**).
2. When spelling a Spanish word containing an accent mark, one says the letter first, then the word *acento*. Example: Perú *Pe - e - ere - u, acento.*

APÉNDICE B: Los verbos regulares

Infinitive	Present Indicative	Imperfect	Preterite	Future	Conditional	Present Subjunctive	Past Subjunctive	Commands
hablar *to speak*	hablo hablas habla hablamos habláis hablan	hablaba hablabas hablaba hablábamos hablabais hablaban	hablé hablaste habló hablamos hablásteis hablaron	hablaré hablarás hablará hablaremos hablaréis hablarán	hablaría hablarías hablaría hablaríamos hablaríais hablarían	hable hables hable hablemos habléis hablen	hablara hablaras hablara habláramos hablarais hablaran	habla (no hables) hable hablad (no habléis) hablen
aprender *to learn*	aprendo aprendes aprende aprendemos aprendéis aprenden	aprendía aprendías aprendía aprendíamos aprendíais aprendían	aprendí aprendiste aprendió aprendimos aprendisteis aprendieron	aprenderé aprenderás aprenderá aprenderemos aprenderéis aprenderán	aprendería aprenderías aprendería aprenderíamos aprenderíais aprenderían	aprenda aprendas aprenda aprendamos aprendáis aprendan	aprendiera aprendieras aprendiera aprendiéramos aprendierais aprendieran	aprende (no aprendas) aprenda aprended (no aprendáis) aprendan
vivir *to live*	vivo vives vive vivimos vivís viven	vivía vivías vivía vivíamos vivíais vivían	viví viviste vivió vivimos vivisteis vivieron	viviré vivirás vivirá viviremos viviréis vivirán	viviría vivirías viviría viviríamos viviríais vivirían	viva vivas viva vivamos viváis vivan	viviera vivieras viviera viviéramos vivierais vivieran	vive (no vivas) viva vivid (no viváis) vivan

Compound tenses

Present progressive	estoy estás está estamos estáis están	hablando	aprendiendo	viviendo
Present perfect indicative	he has ha hemos habéis han	hablado	aprendido	vivido
Present perfect subjunctive	haya hayas haya hayamos hayáis hayan	hablado	aprendido	vivido
Past perfect indicative	había habías había habíamos habíais habían	hablado	aprendido	vivido

APÉNDICE C: Los verbos con cambios en la raíz

Infinitive / Present Participle / Past Participle	Present Indicative	Imperfect	Preterite	Future	Conditional	Present Subjunctive	Past Subjunctive	Commands
pensar	pienso	pensaba	pensé	pensaré	pensaría	piense	pensara	piensa (no pienses)
to think	piensas	pensabas	pensaste	pensarás	pensarías	pienses	pensaras	piense
e → ie	piensa	pensaba	pensó	pensará	pensaría	piense	pensara	pensad
pensando	pensamos	pensábamos	pensamos	pensaremos	pensaríamos	pensemos	pensáramos	(no penséis)
pensado	pensáis	pensabais	pensasteis	pensaréis	pensaríais	penséis	pensarais	piensen
	piensan	pensaban	pensaron	pensarán	pensarían	piensen	pensaran	
acostarse	me acuesto	me acostaba	me acosté	me acostaré	me acostaría	me acueste	me acostara	acuéstate (no te acuestes)
to go to bed	te acuestas	te acostabas	te acostaste	te acostarás	te acostarías	te acuestes	te acostaras	acuéstese
o → ue	se acuesta	se acostaba	se acostó	se acostará	se acostaría	se acueste	se acostara	acostaos (no os acostéis)
acostándose	nos acostamos	nos acostábamos	nos acostamos	nos acostaremos	nos acostaríamos	nos acostemos	nos acostáramos	acuéstense
acostado	os acostáis	os acostabais	os acostasteis	os acostaréis	os acostaríais	os acostéis	os acostarais	
	se acuestan	se acostaban	se acostaron	se acostarán	se acostarían	se acuesten	se acostaran	
sentir	siento	sentía	sentí	sentiré	sentiría	sienta	sintiera	siente (no sientas)
to be sorry	sientes	sentías	sentiste	sentirás	sentirías	sientas	sintieras	sienta
e → ie, i	siente	sentía	sintió	sentirá	sentiría	sienta	sintiera	sentaos (no sintáis)
sintiendo	sentimos	sentíamos	sentimos	sentiremos	sentiríamos	sintamos	sintiéramos	sientan
sentido	sentís	sentíais	sentisteis	sentiréis	sentiríais	sintáis	sintierais	
	sienten	sentían	sintieron	sentirán	sentirían	sientan	sintieran	
pedir	pido	pedía	pedí	pediré	pediría	pida	pidiera	pide (no pidas)
to ask for	pides	pedías	pediste	pedirás	pedirías	pidas	pidieras	pida
e → i, i	pide	pedía	pidió	pedirá	pediría	pida	pidiera	pedid
pidiendo	pedimos	pedíamos	pedimos	pediremos	pediríamos	pidamos	pidiéramos	(no pidáis)
pedido	pedís	pedíais	pedisteis	pediréis	pediríais	pidáis	pidierais	pidan
	piden	pedían	pidieron	pedirán	pedirían	pidan	pidieran	
dormir	duermo	dormía	dormí	dormiré	dormiría	duerma	durmiera	duerme (no duermas)
to sleep	duermes	dormías	dormiste	dormirás	dormirías	duermas	durmieras	duerma
o → ue, u	duerme	dormía	durmió	dormirá	dormiría	duerma	durmiera	dormid (no durmáis)
durmiendo	dormimos	dormíamos	dormimos	dormiremos	dormiríamos	durmamos	durmiéramos	duerman
dormido	dormís	dormíais	dormisteis	dormiréis	dormiríais	durmáis	durmierais	
	duermen	dormían	durmieron	dormirán	dormirían	duerman	durmieran	

APÉNDICE D: Los verbos con cambios de ortografía

Infinitive / Present Participle / Past Participle	Present Indicative	Imperfect	Preterite	Future	Conditional	Present Subjunctive	Past Subjunctive	Commands
comenzar (e → ie) *to begin* z → c before e comenzando comenzado	comienzo comienzas comienza comenzamos comenzáis comienzan	comenzaba comenzabas comenzaba comenzábamos comenzabais comenzaban	**comencé** comenzaste comenzó comenzamos comenzasteis comenzaron	comenzaré comenzarás comenzará comenzaremos comenzaréis comenzarán	comenzaría comenzarías comenzaría comenzaríamos comenzaríais comenzarían	**comience** **comiences** **comience** **comencemos** **comencéis** **comiencen**	comenzara comenzaras comenzara comenzáramos comenzarais comenzaran	comienza (**no comiences**) **comience** comenzad (**no comencéis**) **comiencen**
conocer *to know* c → zc before a, o conociendo conocido	**conozco** conoces conoce conocemos conocéis conocen	conocía conocías conocía conocíamos conocíais conocían	conocí conociste conoció conocimos conocisteis conocieron	conoceré conocerás conocerá conoceremos conoceréis conocerán	conocería conocerías conocería conoceríamos conoceríais conocerían	**conozca** **conozcas** **conozca** **conozcamos** **conozcáis** **conozcan**	conociera conocieras conociera conociéramos conocierais conocieran	conoce (**no conozcas**) **conozca** conoced (**no conozcáis**) **conozcan**
construir *to build* i → y; y inserted before a, e, o **construyendo** construido	**construyo** **construyes** **construye** construimos construís **construyen**	construía construías construía construíamos construíais construían	construí construiste **construyó** construimos construisteis **construyeron**	construiré construirás construirá construiremos construiréis construirán	construiría construirías construiría construiríamos construiríais construirían	**construya** **construyas** **construya** **construyamos** **construyáis** **construyan**	**construyera** **construyeras** **construyera** **construyéramos** **construyerais** **construyeran**	**construye** (**no construyas**) **construya** construid (**no construyáis**) **construyan**
leer *to read* i → y; stressed i → í **leyendo** leído	leo lees lee leemos leéis leen	leía leías leía leíamos leíais leían	leí leíste **leyó** leímos leísteis **leyeron**	leeré leerás leerá leeremos leeréis **leyeron**	leería leerías leería leeríamos leeríais leerían	lea leas lea leamos leáis lean	**leyera** **leyeras** **leyera** **leyéramos** **leyerais** **leyeran**	lee (no leas) lea leed (no leáis) lean

NEL

Infinitive / Present Participle / Past Participle	Present Indicative	Imperfect	Preterite	Future	Conditional	Present Subjunctive	Past Subjunctive	Commands
pagar *to pay*	pago	pagaba	**pagué**	pagaré	pagaría	**pague**	pagara	paga (**no pagues**)
g → gu before e	pagas	pagabas	pagaste	pagarás	pagarías	**pagues**	pagaras	**pague**
pagando	paga	pagaba	pagó	pagará	pagaría	**pague**	pagara	pagad (**no paguéis**)
pagado	pagamos	pagábamos	pagamos	pagaremos	pagaríamos	**paguemos**	pagáramos	**paguen**
	pagáis	pagabais	pagasteis	pagaréis	pagaríais	**paguéis**	pagarais	
	pagan	pagaban	pagaron	pagarán	pagarían	**paguen**	pagaran	
seguir (e → i, i) *to follow*	**sigo**	seguia	seguí	seguiré	seguiría	**siga**	siguiera	sigue (**no sigas**)
gu → g before a, o	**sigues**	seguias	seguiste	seguirás	seguirías	**sigas**	siguieras	**siga**
siguiendo	**sigue**	seguia	siguió	seguirá	seguiría	**siga**	siguiera	seguid (**no sigáis**)
seguido	seguimos	seguiamos	seguimos	seguiremos	seguiríamos	**sigamos**	siguiéramos	**sigan**
	seguis	seguiais	seguisteis	seguiréis	seguiríais	**sigáis**	siguierais	
	siguen	seguian	siguieron	seguirán	seguirían	**sigan**	siguieran	
tocar *to play, to touch*	toco	tocaba	**toqué**	tocaré	tocaría	**toque**	tocara	toca (**no toques**)
c → qu before e	tocas	tocabas	tocaste	tocarás	tocarías	**toques**	tocaras	**toque**
tocando	toca	tocaba	tocó	tocará	tocaría	**toque**	tocara	tocad (**no toquéis**)
tocado	tocamos	tocábamos	tocamos	tocaremos	tocaríamos	**toquemos**	tocáramos	**toquen**
toco	tocáis	tocabais	tocasteis	tocaréis	tocaríais	**toquéis**	tocarais	
	tocan	tocaban	tocaron	tocarán	tocarían	**toquen**	tocaran	

APÉNDICE E: Los verbos irregulares

Infinitive / Present Participle / Past Participle	Present Indicative	Imperfect	Preterite	Future	Conditional	Present Subjunctive	Past Subjunctive	Commands
andar to walk andando andado	ando andas anda andamos andáis andan	andaba andabas andaba andábamos andabais andaban	anduve anduviste anduvo anduvimos anduvisteis anduvieron	andaré andarás andará andaremos andaréis andarán	andaría andarías andaría andaríamos andaríais andarían	ande andes ande andemos andéis anden	anduviera anduvieras anduviera anduviéramos anduvierais anduvieran	anda (no andes) ande andad (no andéis) anden
*caer to fall cayendo caído	caigo caes cae caemos caéis caen	caía caías caía caíamos caíais caían	caí caíste cayó caímos caísteis cayeron	caeré caerás caerá caeremos caeréis caerán	caería caerías caería caeríamos caeríais caerían	caiga caigas caiga caigamos caigáis caigan	cayera cayeras cayera cayéramos cayerais cayeran	cae (no caigas) caiga caed (no caigáis) caigan
*dar to give dando dado	doy das da damos dais dan	daba dabas daba dábamos dabais daban	di diste dio dimos disteis dieron	daré darás dará daremos daréis darán	daría darías daría daríamos daríais darían	dé des dé demos deis den	diera dieras diera diéramos dierais dieran	da (no des) dé dad (no deis) den
*decir to say, tell diciendo dicho	digo dices dice decimos decís dicen	decía decías decía decíamos decíais decían	dije dijiste dijo dijimos dijisteis dijeron	diré dirás dirá diremos diréis dirán	diría dirías diría diríamos diríais dirían	diga digas diga digamos digáis digan	dijera dijeras dijera dijéramos dijerais dijeran	di (no digas) diga decid (no digáis) digan
*estar to be estando estado	estoy estás está estamos estáis están	estaba estabas estaba estábamos estabais estaban	estuve estuviste estuvo estuvimos estuvisteis estuvieron	estaré estarás estará estaremos estaréis estarán	estaría estarías estaría estaríamos estaríais estarían	esté estés esté estemos estéis estén	estuviera estuvieras estuviera estuviéramos estuvierais estuvieran	está (no estés) esté estad (no estéis) estén

Infinitive Present Participle Past Participle	Present Indicative	Imperfect	Preterite	Future	Conditional	Present Subjunctive	Past Subjunctive	Commands
haber *to have* habiendo habido	**he** **has** **ha [hay]** **hemos** **habéis** **han**	había habías había habíamos habíais habían	**hube** **hubiste** **hubo** **hubimos** **hubisteis** **hubieron**	**habré** **habrás** **habrá** **habremos** **habréis** **habrán**	**habría** **habrías** **habría** **habríamos** **habríais** **habrían**	**haya** **hayas** **haya** **hayamos** **hayáis** **hayan**	**hubiera** **hubieras** **hubiera** **hubiéramos** **hubierais** **hubieran**	
*hacer *to make, do* haciendo **hecho**	**hago** haces hace hacemos hacéis hacen	hacía hacías hacía hacíamos hacíais hacían	**hice** **hiciste** **hizo** **hicimos** **hicisteis** **hicieron**	**haré** **harás** **hará** **haremos** **haréis** **harán**	**haría** **harías** **haría** **haríamos** **haríais** **harían**	**haga** **hagas** **haga** **hagamos** **hagáis** **hagan**	**hiciera** **hicieras** **hiciera** **hiciéramos** **hiciérais** **hicieran**	**haz (no hagas)** **haga** haced (no hagáis) **hagan**
ir *to go* **yendo** ido	**voy** **vas** **va** **vamos** **vais** **van**	**iba** **ibas** **iba** **íbamos** **ibais** **iban**	**fui** **fuiste** **fue** **fuimos** **fuisteis** **fueron**	iré irás irá iremos iréis irán	iría irías iría iríamos iríais irían	**vaya** **vayas** **vaya** **vayamos** **vayáis** **vayan**	fuera fueras fuera fuéramos fuerais fueran	ve (no vayas) vaya id (no vayáis) vayan
*oír *to hear* **oyendo** **oído**	**oigo** **oyes** **oye** **oímos** **oías** **oyen**	oía oías oía oíamos oíais oían	**oí** **oíste** **oyó** **oímos** **oísteis** **oyeron**	oiré oirás oirá oiremos oiréis oirán	oiría oirías oiría oiríamos oiríais oirían	**oiga** **oigas** **oiga** **oigamos** **oigáis** **oigan**	oyera oyeras oyera oyéramos oyerais oyeran	oye (no oigas) oiga oíd (no oigáis) oigan

APÉNDICE E: Los verbos irregulares

(continued)

Infinitive / Present Participle / Past Participle	Present Indicative	Imperfect	Preterite	Future	Conditional	Present Subjunctive	Past Subjunctive	Commands
poder (o → ue) *can, to be able* **pudiendo** podido	**puedo** **puedes** **puede** podemos podéis **pueden**	podía podías podía podíamos podíais podían	**pude** **pudiste** **pudo** **pudimos** **pudisteis** **pudieron**	**podré** **podrás** **podrá** **podremos** **podréis** **podrán**	**podría** **podrías** **podría** **podríamos** **podríais** **podrían**	**pueda** **puedas** **pueda** podamos podáis **puedan**	**pudiera** **pudieras** **pudiera** **pudiéramos** **pudierais** **pudieran**	
*poner *to place, put* poniendo **puesto**	**pongo** pones pone ponemos ponéis ponen	ponía ponías ponía poníamos poníais ponían	**puse** **pusiste** **puso** **pusimos** **pusisteis** **pusieron**	**pondré** **pondrás** **pondrá** **pondremos** **pondréis** **pondrán**	**pondría** **pondrías** **pondría** **pondríamos** **pondríais** **pondrían**	**ponga** **pongas** **ponga** **pongamos** **pongáis** **pongan**	**pusiera** **pusieras** **pusiera** **pusiéramos** **pusierais** **pusieran**	**pon** (no **pongas**) **ponga** poned (no **pongáis**) **pongan**
querer (e → ie) *to want, wish* queriendo querido	**quiero** **quieres** **quiere** queremos queréis **quieren**	quería querías quería queríamos queríais querían	**quise** **quisiste** **quiso** **quisimos** **quisisteis** **quisieron**	**querré** **querrás** **querrá** **querremos** **querréis** **querrán**	**querría** **querrías** **querría** **querríamos** **querríais** **querrían**	**quiera** **quieras** **quiera** queramos queráis **quieran**	**quisiera** **quisieras** **quisiera** **quisiéramos** **quisierais** **quisieran**	**quiere** (no **quieras**) **quiera** quered (no **queráis**) **quieran**
reír *to laugh* **riendo** **reído**	**río** **ríes** **ríe** **reímos** reís **ríen**	reía reías reía reíamos reíais reían	reí **reíste** **rio** **reímos** **reísteis** **rieron**	reiré reirás reirá reiremos reiréis reirán	reiría reirías reiría reiríamos reiríais reirían	**ría** **rías** **ría** **riamos** **riáis** **rían**	**riera** **rieras** **riera** **riéramos** **rierais** **rieran**	**ríe** (no **rías**) **ría** reíd (no **riáis**) **rían**

APÉNDICE E: Los verbos irregulares

(continued)

Infinitive / Present Participle / Past Participle	Present Indicative	Imperfect	Preterite	Future	Conditional	Present Subjunctive	Past Subjunctive	Commands
*saber *to know* sabiendo sabido	**sé** sabes sabe sabemos sabéis saben	sabía sabías sabía sabíamos sabíais sabían	**supe** **supiste** **supo** **supimos** **supisteis** **supieron**	**sabré** **sabrás** **sabrá** **sabremos** **sabréis** **sabrán**	**sabría** **sabrías** **sabría** **sabríamos** **sabríais** **sabrían**	**sepa** **sepas** **sepa** **sepamos** **sepáis** **sepan**	**supiera** **supieras** **supiera** **supiéramos** **supierais** **supieran**	sabe (no **sepas**) **sepa** sabed (no **sepáis**) **sepan**
*salir *to go out* saliendo salido	**salgo** sales sale salimos salís salen	salía salías salía salíamos salíais salían	salí saliste salió salimos salisteis salieron	**saldré** **saldrás** **saldrá** **saldremos** **saldréis** **saldrán**	**saldría** **saldrías** **saldría** **saldríamos** **saldríais** **saldrían**	**salga** **salgas** **salga** **salgamos** **salgáis** **salgan**	saliera salieras saliera saliéramos salierais salieran	**sal** (no **salgas**) **salga** salid (no **salgáis**) **salgan**
ser *to be* siendo sido	**soy** **eres** **es** **somos** **sois** **son**	**era** **eras** **era** **éramos** **erais** **eran**	**fui** **fuiste** **fue** **fuimos** **fuisteis** **fueron**	seré serás será seremos seréis serán	sería serías sería seríamos seríais serían	**sea** **seas** **sea** **seamos** **seáis** **sean**	**fuera** **fueras** **fuera** **fuéramos** **fuerais** **fueran**	**sé** (no **seas**) **sea** **sed** (no **seáis**) **sean**
*tener *to have* teniendo tenido	**tengo** **tienes** **tiene** tenemos tenéis **tienen**	tenía tenías tenía teníamos teníais tenían	**tuve** **tuviste** **tuvo** **tuvimos** **tuvisteis** **tuvieron**	**tendré** **tendrás** **tendrá** **tendremos** **tendréis** **tendrán**	**tendría** **tendrías** **tendría** **tendríamos** **tendríais** **tendrían**	**tenga** **tengas** **tenga** **tengamos** **tengáis** **tengan**	**tuviera** **tuvieras** **tuviera** **tuviéramos** **tuvierais** **tuvieran**	**ten** (no **tengas**) **tenga** tened (no **tengáis**) **tengan**

APÉNDICE E: Los verbos irregulares

(continued)

Infinitive / Present Participle / Past Participle	Present Indicative	Imperfect	Preterite	Future	Conditional	Present Subjunctive	Past Subjunctive	Commands
traer *to bring* **trayendo** **traído**	**traigo** traes trae traemos traéis traen	traía traías traía traíamos traíais traían	**traje** **trajiste** **trajo** **trajimos** **trajisteis** **trajeron**	traeré traerás traerá traeremos traeréis traerán	traería traerías traería traeríamos traeríais traerían	**traiga** **traigas** **traiga** **traigamos** **traigáis** **traigan**	**trajera** **trajeras** **trajera** **trajéramos** **trajerais** **trajeran**	trae (no **traigas**) **traiga** traed (no **traigáis**) **traigan**
*venir *to come* **viniendo** venido	**vengo** **vienes** **viene** venimos venís **vienen**	venía venías venía veníamos veníais venían	**vine** **viniste** **vino** **vinimos** **vinisteis** **vinieron**	**vendré** **vendrás** **vendrá** **vendremos** **vendréis** **vendrán**	**vendría** **vendrías** **vendría** **vendríamos** **vendríais** **vendrían**	**venga** **vengas** **venga** **vengamos** **vengáis** **vengan**	**viniera** **vinieras** **viniera** **viniéramos** **vinierais** **vinieran**	**ven** (no **vengas**) **venga** venid (no **vengáis**) **vengan**
ver *to see* viendo **visto**	**veo** ves ve vemos veis ven	**veía** **veías** **veía** **veíamos** **veíais** **veían**	**vi** **viste** **vio** **vimos** **visteis** **vieron**	veré verás verá veremos veréis verán	vería verías vería veríamos veríais verían	**vea** **veas** **vea** **veamos** **veáis** **vean**	viera vieras viera viéramos vierais vieran	ve (no **veas**) **vea** ved (no **veáis**) **vean**

*Verbs with irregular *yo*-forms in the present indicative

GLOSARIO ESPAÑOL-INGLÉS

These glossaries include the words and expressions that are introduced as new vocabulary in the textbook except verb forms, proper nouns, identical cognates, regular superlatives and diminutives, and most adverbs ending in *-mente*. These vocabulary items are listed in order of the Spanish alphabet, and only meanings used in the textbook are provided. Verbs appear in the infinitive form. Stem changes are indicated in parentheses: e.g., *divertirse (e → ie, i)*. The number or letters following each vocabulary entry indicates the lesson in which the word or expression with that particular meaning first appears. The following abbreviations are used:

adj.	adjective	*f.*	feminine	*n.*	noun	*prep.*	preposition
adv.	adverb	LP	Lección preliminar	PER.	Perspectivas	*pron.*	pronoun
conj.	conjunction	*m.*	masculine	*pl.*	plural	*s.*	singular

A

a cámara lenta in slow motion 14

¿A cómo está el cambio? What's the exchange rate? 12

¿A cuánto está la temperatura? What's the temperature? 6

a la hora on time 3

a menos que *conj.* unless 13

a pesar de *conj.* despite 13

¿A qué hora? (At) What time? 3

a veces sometimes 4

abarrotes *m.* groceries 10

abogado(a) *m., f.* lawyer, attorney 5

abrigo *m.* overcoat 11

abril April 3

abrir *v.* to open LP

abuela *f.* grandmother 4

abuelo *m.* grandfather 4

aburrido *adj.* bored 5

acabar de + *infinitive* to have just (*done something*) 8

aceite *m.* oil 8

aceituna *f.* olive 10

aceptar *v.* to accept 3

acera *f.* sidewalk 6

acompañar *v.* to accompany, to go along 7

aconsejar *v.* to advise 12

acostarse (o → ue) *v.* to go to bed 6

activo *adj.* active 5

acuerdo *m.* agreement 3

adiós good-bye LP

adivinar *v.* to guess 4

¿Adónde? Where to? 3

adornar *v.* to adorn 10

afeitarse *v.* to shave 6

afuera *adv.* outside 4

agente de viajes *m., f.* travel agent 5

agosto August 3

agotamiento de la capa de ozono *m.* ozone depletion 15

agregarle *v.* to add 9

agronomía *f.* agriculture 2

agua *f.* water 8

ahora now 2

ahora mismo right now 14

ahorrar *v.* to save (*money, time*) 12

ahorros *m.* savings 15

aire acondicionado *m.* air conditioning 13

aire libre *m.* open air 10

ajetreo *m.* bustling about 13

ají *m.* chili pepper 10

ajiaco *m.* potato and chili stew 13

ajo *m.* garlic 10

al igual que similar to, as 7

al mes per month, monthly 6

albergue *m.* inn 13

albergue juvenil *m.* youth hostel 13

albergue de peregrinos *m.* pilgrims' refuge 13

álbum para fotos *m.* photo album 9

alegrarse (de) *v.* to be glad (about) 12

alegría *f.* happiness 9

alemán(a) German LP

alfabetizar *v.* to teach reading and writing 15

algo something, anything 8

algo para el hogar something for the home 9

alguien somebody, someone, anyone 9

algún any, some 4

alguno(s) some, any 9

allí there 4

almacén *m.* department store 9

almorzar (o → ue) *v.* to have (eat) lunch 5

almuerzo *m.* lunch 8

alojarse *v.* to lodge 10

alquilado *adj.* rented 6

alquilar *v.* to rent 13

alteraciones del sueño *f.* sleeplessness 15

alto *adj.* high 1

amable *adj.* nice 9

amarillo *adj.* yellow 2

ambiental *adj.* environmental 15

ambiente *m.* environment 12

amigo(a) *m., f.* friend 2

analfabetismo *m.* illiteracy 15

anaranjado *adj.* orange 2

anciano(s) *m., f.* elderly, the elderly 1

andar *v.* to walk 13

andar en bicicleta to go bicycling 7

anillo *m.* ring 9

anoche last night 5

anteojos de sol *m.* sunglasses 11

antes de (que) *conj.* before 13

antes de + *infinitive* *prep.* before 13

antipático *adj.* unpleasant 1

anuncio *m.* advertisement, announcement 10

apellido *m.* last name 4

aperitivos *m.* appetizers 8

apreciado *adj.* appreciated 7

aprender *v.* to learn 3

aquí here 2

árabe Arabic LP

árbol *m.* tree 15

archivado *adj.* filed 4

arepa *f.* bread made from white corn flour, water, and salt 9

aretes *m.* earrings 9

argentino(a) *m., f.* Argentine LP

armas nucleares *f.* nuclear arms 15

arquitectura *f.* architecture 2

arreglado *adj.* made up (*e.g., a hotel room*) 13

arroz *m.* rice 8

arroz con leche *m.* rice pudding 5

artesanías *f.* crafts 10

ascensor *m.* elevator 13

asistir a *v.* to attend 13

asunto *m.* affair 12

audición *f.* hearing 15

audífonos *m.* earphones 2

aumentar *v.* to raise 12

aumento *m.* raise 12

aunque *conj.* although, even if 13

avión *m.* airplane 13

avisar *v.* to inform 15

ayer yesterday 5

ayudar *v.* to help 4

azúcar *m.* sugar 8

azul *adj.* blue 2

B

bailar *v.* to dance 3

baile *m.* dance 2

bajo *adj.* low, short 1

banco *m.* bank

bañarse *v.* to take a bath 6

baño *m.* bathroom 6

barato *adj.* inexpensive 9

barba *f.* beard 6

barco *m.* ship 7

barrio *m.* neighbourhood 10

beber *v.* to drink 3

bebida *f.* drink 7

Belén Bethlehem 9

bellas artes *f.* fine arts 2

bellezas naturales *f.* natural beauties 7

biblioteca *f.* library 2

bicicleta *f.* bicycle 2

bien *adv.* well, fine, good, okay 1/3

Bien. Muchas gracias. Fine. Thank you very much. 1

bienvenido(a) welcome 1

biología *f.* biology 2

bistec *m.* steak 8

blanco *adj.* white 2

blusa *f.* blouse 11

boca *f.* mouth 14

bocina *f.* horn 15

boda *f.* wedding 9

boleto *m.* ticket 13

bolígrafo *m.* pen 1

boliviano(a) Bolivian LP

bolsa *f.* purse, stock market 11/12

bonito(a) *adj.* pretty, beautiful 1/5

botas *f.* boots 11

brazalete *m.* bracelet 9

brazo *m.* arm 14

brécol (bróculi) *m.* broccoli 10

brindar *v.* to toast 8

brindis *m.* toast 8

brusco *adj.* rude, rough 14

¡Buen provecho! Have a nice meal! 8

¡Buena onda! All right! 7

buenas noches good evening LP

buenas tardes good afternoon LP

bueno, mejor, el (la) / los (las) mejores good, better, the best 10

bueno good, well 1/3

buenos días good morning LP

bufanda *f.* scarf 11

buscar *v.* to look for 5

C

caballo *m.* horse 7

cabeza *f.* head 14

cada each, every 4

café *adj.* brown (*eyes*) 2

café *m.* coffee 2

caja *f.* cash register 10

calabaza *f.* type of small squash 10

calamar *m.* squid 8

calcetines *m.* socks 11

calculadora *f.* calculator 9

cálculo *m.* calculus 2

calentamiento del planeta *m.* global warming 15

calidad *f.* quality 10

caliente *adj.* hot 8

calle *f.* street 13

cama *f.* bed 13

cámara *f.* camera 7

cambiar *v.* to change, to switch 3/8

caminar *v.* to walk 2

camisa *f.* shirt 11

camiseta *f.* T-shirt 11

canadiense Canadian LP

cansado *adj.* tired 4

cantante *m., f.* singer 7

cantar *v.* to sing 7

cara *f.* face 6

cariñosamente *adv.* affectionately 7

carne *f.* meat 8

carnicería *f.* butcher shop 9

caro *adj.* expensive 9

carrera *f.* race, career 7

carretera *f.* highway 13

carta *f.* letter 3

cartera *f.* purse 11

casa *f.* house 2

casado (con) *adj.* married (to) 4

casarse (con) *v.* to marry, to get married (to) 4

casi almost 4

castaño *adj.* brown (*hair and eyes*) 2

castillo *m.* castle 13

catarro *m.* cold 14

catorce fourteen 2

cebolla *f.* onion 10

celebrar *v.* to celebrate 8

cena *f.* dinner, supper 3

cenar *v.* to have (eat) supper 6

centro *m.* centre 2

cepillarse los dientes *v.* to brush one's teeth 6

cerca de *adv.* near 4

cereza *f.* cherry 10

cero zero 2

cerrado closed, enclosed 8

cerrar (e → ie) *v.* to close 11

cerveza *f.* beer 3

chao bye LP

chaqueta *f.* jacket 11

cheque *m.* cheque 12

cheque de viajero *m.* traveller's cheque 12

chequera *f.* cheque book 12

chileno(a) *m., f.* Chilean LP

chino(a) Chinese LP

chocolate *m.* chocolate bar 7

ciencia *f.* science 2

ciencias políticas *f.* political science 2

científico(a) *m., f.* scientist 5

cierre *v.* close LP

cinco five 2

cincuenta fifty 2

cine *m.* movie theatre 3

cinta *f.* tape (recording) 7

cinturón *m.* belt 11

cita *f.* appointment 3

claro *adj.* light 2

¡Claro que sí! Of course! 3

clase *f.* class LP

clínica *f.* clinic 14

cobrar *v.* to cash (*a personal cheque*) 12

cocinar *v.* to cook 14

coliflor *f.* cauliflower 10

collar *m.* necklace 9

colombiano(a) *m., f.* Colombian LP

comentar *v.* to comment 10

comenzar (e → ie) *v.* to start, to begin 3

comer *v.* to eat 3

comerciante *m., f.* business person 5

comestibles *m.* groceries 10

comida *f.* food, meal, lunch 3/8

como like, as 2

¿Cómo? How? What? 1

¿Cómo está usted? How are you? (*formal*) LP

¿Cómo están las cosas? How are things going? 4

¿Cómo estás? How are you? (*informal*) 1

cómo hablar del pasado how to talk about the past 5

cómo no of course 13

¿Cómo se dice...? How do you say . . . ? LP

¿Cómo se llama usted? What's your name (*formal*)? 1

¿Cómo te llamas? What's your name? (*informal*) LP

cómodo *adj.* comfortable 11

compañero(a) de clase *m., f.* classmate 2

compañero(a) de cuarto roommate 2

compartir *v.* to share 12

comprar *v.* to buy 6

comprender *v.* to understand 3

compuesto *m.* compound 4

computación *f.* computer science 2

computadora *f.* computer 2

comunidad *f.* community 3

con with 1

¡Con mucho gusto! It's a pleasure! 12

¿Con quién? With whom? 3

con tal (de) que *conj.* provided (that) 13

concierto *m.* concert 7

conmigo with me 3

conocer *v.* to know, to meet 4

conseguir (e → i, i) *v.* to get, to obtain 13

conservar *v.* to conserve 15

considerar *v.* to consider 9

contabilidad *f.* accounting 1

contador(a) *m., f.* accountant 5

contaminación del aire (agua) *f.* air (water) pollution 15

contar (o → ue) *v.* to count, to tell 7

contento *adj.* happy 4

contigo with you 12

contra against 7

contribuir *v.* to contribute 4

controlar *v.* to control 15

convencer *v.* to convince 12

corbata *f.* necktie 11

coreano(a) *m., f.* Korean LP

correr *v.* to jog, to run 7

cortar *v.* to cut 10

corto *adj.* short 13

costar (o → ue) *v.* to cost 9

costarricense *n.* Costa Rican LP

costumbre *f.* custom, habit 4

crecimiento *m.* growth 12

creencia *f.* belief 9

creer *v.* to believe, to think 5

crema *f.* cream 8

crianza *f.* breeding 15

cuadro *m.* painting 13

¿Cuál es tu dirección? What is your address? 2

¿Cuál es tu número de teléfono? What is your telephone number? 2

cualquier *adj.* any 12

¿Cuándo? When? 3

cuanto antes mejor *conj.* the sooner the better 12

¿Cuánto cuesta(n)... ? How much is / are . . . ? 11

¿Cuántos? How many? 2

¿Cuántos años tienes? How old are you? 1

cuarenta forty 2

cuarto *m.* room (*Latin America*) 6

cuatro four 2

cubano(a) *m., f.* Cuban LP

cuello *m.* neck 14

cuenta *f.* bill 8

cuenta corriente *f.* chequing account 12

cuenta de ahorros *f.* savings account 12

cuidarse *v.* to take care 14

cultivos *m.* crops 4

cumpleaños *m.* birthday 6

cuñada *f.* sister-in-law 4

cuñado *m.* brother-in-law 4

curanto *(Chile) m.* food prepared in an underground oven 8

curso electivo *m.* elective 5

D

daño *m.* damage 15

dar *v.* to give 4

dar a la calle to face the street 13

darse cuenta de *v.* to realize 15

¿De dónde? From where? 1

¿De dónde eres? Where are you from? LP

¡De nada! You are welcome! 3

de película excellent, amazing 9

¿De qué? Of / About what? 3

deber *v.* ought (should) 1 (also obligation) 3

débil *adj.* weak 15

decibelio *m.* decibel 15

decidir *v.* to decide 5

decir (e → i) *v.* to say, to tell 5

dedo *m.* finger 14

deforestación *f.* deforestation 15

dejar *v.* leave 8

delgado *adj.* thin 1

delincuencia *f.* delinquency, crime 15

demasiado *adv.* too much 12

depende it depends 11

dependiente *m., f.* store clerk 4

deportista *m., f.* athlete 7

depositar *v.* to deposit (*money*) 12

derecha, a la to (on) the right 13

derecho *m.* law, right 2/13

desarrollado *adj.* developed 14

desarrollar *v.* to develop 12

desarrollo *m.* development 3

desayunar *v.* to have (eat) breakfast 6

desayuno *m.* breakfast 8

descansar *v.* to rest 2

descubrir *v.* to discover 9

desde *prep.* from (*a place*) 14

desde entonces *adv.* since then 11

¿Desea algo más? Anything else? 10

desear *v.* to desire, wish 12

desechos tóxicos *m.* toxic waste 15

desnutrición *f.* malnutrition 15

despertador *m.* alarm clock 13

despertarse (e → ie) *v.* to wake up 6

después *adv.* afterward 4

después (de) que *conj.* after 13

después de + *infinitive* *prep.* after (*doing something*) 13

destrucción *f.* destruction 15

destruir *v.* to destroy 15

deuda *f.* debt 12

día *m.* day 1

diario *m.* daily, newspaper, diary 6

diciembre December 3

diecinueve nineteen 2

dieciocho eighteen 2

dieciséis sixteen 2

diecisiete seventeen 2

dientes *m.* teeth 6

diez ten 2

difícil *adj.* difficult 2

dinero *m.* money 2

dioses *m.* gods 9

disco compacto *m.* compact disc 2

diseñar *v.* to design 11

disfrutar *v.* to enjoy 12

disgustos *m.* dislikes 7

distribuidor *m.* distributor 10

divertirse (e → ie, i) *v.* to have fun 7

divorciado *adj.* divorced 4

doble *adj.* double 13

doce twelve 2

doctor(a) *m., f.* doctor 1

dolencia *f.* disease, ache 14

doler (o → ue) *v.* to hurt 14

dolor *m.* pain, ache 14

dolor de cabeza *m.* headache 14

dolor de garganta *m.* sore throat 14

dolor de muelas *m.* toothache 14

dolor de oídos *m.* earache 14

domingo Sunday 3

dominicano(a) *m., f.* Dominican 1

¿Dónde? Where? 1

dormir (o → ue, u) *v.* to sleep 5

dormirse (o → ue, u) *v.* to fall asleep 6

dormitorio *m.* bedroom 2

dos two 2

dos veces twice 4

drogas ilegales *f.* illegal drugs 15

ducha *f.* shower 13

ducharse *v.* to take a shower 6

duda *f.* doubt 3

dudar *v.* to doubt 13

dueño(a) *m., f.* owner 10

dulce *adj.* sweet 7

dulces *m.* candies 7

durante *adv.* during 7

durazno *m.* peach 10

duro *adj.* hard, difficult 5

E

ecología *f.* ecology 2

economía *f.* economy 2

económico *adj.* inexpensive 13

ecuatoriano(a) *m., f.* Ecuadorian LP

edificios históricos *m.* historic buildings 13

educación sin fronteras *f.* learning without borders 15

educar *v.* to educate 15

él he 1

ella she 1

ellos(as) they 1

El gusto es mío. My pleasure. 1

el (la) más + *adjective* the most_____, the _____-est 10

el lunes on Monday 3

el mejor the best 5

el segundo second 4

el, la, los, las *art.* the LP

electricidad *f.* electricity 15

eliminar *v.* to eliminate 15

emilio *m.* e-mail 5

emocionante *adj.* exciting 7

empeño *m.* determination 10

empresa *f.* company 10

en casa at home 2

en caso (de) que *conj.* in case (of) 13

en punto *adv.* on the dot 3

¿En qué fecha? On what date? 3

¿En qué puedo servirle / ayudarle? How may I help you? 10

Encantado(a). Nice to meet you. 1

encontrar (o → ue) *v.* to find 5

encontrarse (o → ue) *v.* to find each other 6

energía *f.* energy 15

enero January 3

enfermarse *v.* to get sick 14

enfermedad *f.* illness, disease 14

enfermedades graves *f.* serious illnesses 15

enfermero(a) *m., f.* nurse 5

enfermo *adj.* sick, ill 4

enojado *adj.* angry 4

ensalada *f.* salad 8

enseñanza *f.* teaching 15

enseñar *v.* to teach 2

entonces *adv.* then 5

entre *prep.* between 11

entrevista *f.* interview 3

entusiasmado *adj.* excited 13

epifanía *f.* epiphany 9

equipo *m.* team, equipment 7/9

equipo de sonido *m.* CD, radio, cassette, and speakers 9

equipo deportivo *m.* sports equipment 9

equivale equivalent to 10

es importante it's important 12

es la una de la mañana it's one in the morning 3

Es una lástima. It's too bad. It's a shame. 12

escaleras *f.* stairs 4

escasez de recursos naturales *f.* shortage of natural resources 15

esclavo *m., f.* slave 9

escoger *v.* to choose 4

escribir *v.* to write LP

escritor(a) *m., f.* writer 3

escritorio *m.* desk 2

escuchar *v.* to listen LP

escuela *f.* school 4

escurrir *v.* to drain 10

eso that 3

español(a) *m., f.* Spanish 1

espejo *m.* mirror 13

esperar *v.* to hope 12

espinaca *f.* spinach 10

esposa *f.* wife 1

esposo *m.* husband 1

esquiar *v.* to ski 7

¿Está bien? Is it okay? 3

está despejado it's clear 6

está lloviendo it's raining 6

está nevando it's snowing 6

esta noche tonight 3

está nublado it's cloudy 6

esta película this movie 3

estadística *f.* statistics 2

Estados Unidos *m.* United States LP

estadounidense *m., f.* U.S. citizen LP

estampilla *f.* stamp 12

están conversando they are talking 5

¡Están en su casa! Make yourselves at home! 4

están financiadas are financed 5

estante de libros *m.* bookshelf 2

estar *v.* to be 4

estar a su servicio to be at your service 13

estar de acuerdo to agree 8

estar en onda to be fashionable 8

estar listo to be ready 11

estar sorprendida to be surprised 11

este *m.* east LP

este fin de semana *m.* this weekend 3

estéreo *m.* stereo 2

esto this 3

estómago *m.* stomach 14

estoy de acuerdo I agree 8

estrella *f.* star 13

estudiante *m., f.* student 1

estudiar *v.* to study 2

examen *m.* exam 2
examinar *v.* to examine 14
exquisito *adj.* exquisite 10
extinción de animales *f.* species extinction 15
extranjero(a) *m., f.* foreigner 2
extranjero, al abroad 13

F

fábrica *f.* factory 5
fabuloso *adj.* fabulous 7
fácil *adj.* easy 2
falda *f.* skirt 11
fama *f.* fame 10
familia *f.* family 1
febrero February 3
fecha *f.* date 3
feliz *adj.* happy 9
¡Feliz Navidad! Merry Christmas! 9
feo *adj.* ugly 1
ferrocarril *m.* railroad 12
fibra *f.* fiber 10
fiebre *f.* fever 14
fiesta *f.* party 3
fijo fixed 8
firmar *v.* to sign (*one's name*) 12
flor *f.* flower 9
florería *f.* flower shop 9
fondo del mar *m.* bottom of the sea 7
formulario *m.* form 13
francés(a) *adj.* French 1
fresa *f.* strawberry 10
fresco *adj.* fresh 10
frijoles *m.* beans 10
frijoles negros *m.* black beans 5
frito *adj.* fried 8
fruta *f.* fruit 8
fuerte *adj.* strong 15
futbolista *m., f.* soccer player 7

G

gambas al ajillo *f.* fried shrimp flavoured with garlic 8
ganancia *f.* profit 10

ganar *v.* to earn 5
garganta *f.* throat 14
gaseosa *f.* soft drink 10
gastar *v.* to spend (*money*) 5
gastos *m.* expenses 12
gato *m.* cat 2
generoso *adj.* generous 1
gerente *m., f.* manager 5
gesto *m.* gesture 3
gobierno *m.* government 15
gordo *adj.* fat 1
grabadora *f.* tape recorder 2
Gracias por pensar en mí. Thanks for thinking of me. 15
grande *adj.* big, large 1
granja *f.* farm 10
gratuito *adj.* for free 13
gratuitamente *adv.* for free 13
grave *adj.* serious (*e.g., situation*) 14
griego(a) Greek LP
grifo *m.* tap, faucet 14
gripe *f.* flu 14
gris *adj.* grey 2
guante *m.* glove 11
guapo *adj.* good-looking, handsome 1
guatemalteco(a) *m., f.* Guatemalan LP
guerra *f.* war 7
guía turística *m., f.* tourist guide 5
guiar *v.* to guide 10
guineo(a) ecuatorial *adj.* Equatorial Guinean LP
guisado *m.* stew 8
guitarra *f.* guitar 7
gustos *m.* likes 7

H

haber *v.* to have (*as an auxiliary*) 13
habitación doble *f.* double room 13
habitación sencilla *f.* single room 13
hablar *v.* to speak 2

Hace (buen/mal) tiempo. It's (nice/bad) weather. 6
Hace calor. It's hot. 6
hace dos semanas two weeks ago 6
Hace fresco. It's cool. 6
Hace frío. It's cold. 6
Hace sol. It's sunny. 6
Hace viento. It's windy. 6
hacer *v.* to do, to make 3
hacer ejercicio *v.* to exercise 7
hacer esnorquel *v.* to snorkel 9
hacer la reservación to make a reservation 13
hacer submarinismo to scuba dive 7
hacer un pedido to place an order 10
hacerse rico to become rich 12
hacienda *f.* plantation, farm 12
hasta *prep.* to (*a place*) 14
¡Hasta luego! See you later! 1
¡Hasta mañana! See you tomorrow! 1
hasta que *conj.* until 13
hecho made 11
helado *m.* ice cream 7
hermana *f.* sister 2
hermanastra *f.* stepsister 4
hermanastro *m.* stepbrother 4
hermano *m.* brother 2
hermoso *adj.* beautiful 13
hervir (e → ie, i) *v.* to boil 14
hielo *m.* ice 8
hierro *m.* iron 10
hija *f.* daughter 1
hijo *m.* son 1
hispano *adj.* Hispanic 10
hogar *m.* home 9
¡Hola! Hello! LP
holandés(a) *m., f.* Dutch LP
hombre *m.* man 4
hondureño(a) *m., f.* Honduran LP
honrar *v.* to honour 4
hora *f.* hour 2
horario *m.* schedule 3
hoy *adv.* today 3

huella *f.* footstep 13
hueso *m.* bone 10

I

idioma *m.* language 4
impresora *f.* printer 2
incapacitado(a) *adj., m., f.* disabled 15
incluir *v.* to include 4
ingeniería *f.* engineering 2
ingeniero(a) *m., f.* engineer 5
inglés *m.* English (*language*) 2
inglés(a) *m., f.* English (*nationality*) LP
ingreso *m.* earnings 12
inmaculada concepción *f.* immaculate conception 9
inodoro *m.* toilet 13
insistir (en) *v.* to insist (on) 12
instalaciones *f.* facilities 13
inteligente *adj.* intelligent 5
internado *m.* internship 3
interno(a) *m., f.* intern 3
interrumpir *v.* to interrupt 5
inventar *v.* to invent 12
invertir (e → ie, i) *v.* to invest 12
investigador(a) *m., f.* researcher 5
invierno *m.* winter 6
invitado(a) *m., f.* guest 7
invitar *v.* to invite 3
ir *v.* to go 2
ir a medias to go halves 11
ir de compras *v.* to go shopping 7
ir de marcha *v.* to party, to go out (*Spain*) 13
iraní *m., f.* Iranian LP
iraquí *m., f.* Iraqi LP
isla *f.* island 7
israelí *m., f.* Israeli LP
izquierda, a la to (on) the left 13

J

jabón *m.* soap 13

jamón *m.* ham 8
japonés(a) *adj.* Japanese LP
joven *adj.* young 1
joyas *f.* jewellery 9
joyería *f.* jewellery store 9
juego *m.* game 7
juego de vídeo *m.* video game 9
jueves Thursday 3
jugar (u → ue) *v.* to play 4
jugar a las cartas *v.* to play cards 7
jugar fútbol *v.* to play soccer 7
jugo *m.* juice 6
juguete *m.* toy 9
julio July 3
junio June 3
juntos together 9
juvenil *adj.* youthful 11

L

la her, you (*formal*), it (*f.*) 8
la semana pasada last week 5
lámpara *f.* lamp 2
lápiz *m.* pencil 2
las you (*formal*), them (*f.*) 8
lavabo *m.* sink 13
lavar(se) *v.* to wash (up) 6
leche *f.* milk 8
lechuga *f.* lettuce 10
leer *v.* to read LP
lejos *adv.* far 14
lengua *f.* language, tongue 2/14
lento *adj.* slow 9
letras *f.* humanities, letters 2
levantarse *v.* to stand up LP
libanés (libanesa) *m., f.* Lebanese LP
librería *f.* bookstore 9
ligero *adj.* light (*in weight*) 8
limón *m.* lemon 8
limpio *adj.* clean 13
limpiar (la nieve) *v.* to shovel (snow) 6
llamada telefónica *f.* telephone call 13
llave *f.* key 13

llegar *v.* to arrive 2
llevar *v.* to take, to wear (*clothing*) 5/9
llover (o → ue) *v.* to rain 6
lluvia *f.* rain 6
lluvia ácida *f.* acid rain 15
lo him, you (*formal*), it (*m.*) 8
lo pasamos muy bien we had a great time 9
¡Lo pasé muy bien! I had a good time! 7
lo siento (mucho) I'm (very) sorry 3, 13
lógico *adj.* logical 12
los you (*formal*), them (*m.*) 8
luego then 4
lugar *m.* place 4
lunes Monday 3
luz *f.* light LP

M

madrastra *f.* stepmother 4
madre *f.* mother 2
madrina *f.* godmother 4
magnífico *adj.* magnificent 10
mal *adj.* not well LP
maleta *f.* suitcase 13
malo *adj.* bad 1
malo, peor, el (la) / los (las) peor(es) bad, worse, the worst 10
mandar *v.* to send 9
manejar *v.* to drive 13
mano *f.* hand 1
mano de obra barata *f.* cheap labour force 15
mantener *v.* to maintain 5
mantequilla *f.* butter 8
manzana *f.* apple 10
mañana *adv.* tomorrow 3
maquillarse *v.* to put on makeup 6
máquina contestadora *f.* answering machine 13
máquina de afeitar *f.* electric razor 9

máquina de escribir *f.* typewriter 9

máquina de fax *f.* fax machine 9

marginación *f.* close to the lower limit of quality 15

mariscos *m.* seafood 8

marrón *adj.* brown 2

martes Tuesday 3

marzo March 3

más antiguo *adj.* older 13

más o menos so-so LP

más tarde later 3

más / menos que more / less than 10

matemáticas *f.* mathematics 2

mayo May 3

mayor *adj.* older 4

me duele el estómago I have a stomachache 14

me gustaría I would like 3

Me llamo... My name is . . . LP

me parece increíble it seems incredible to me 9

me parece estupendo it's wonderful 13

me / te gusta I / you like 2

medianoche *f.* midnight 3

medias *f.* stockings 11

medicina *f.* medicine 14

médico(a) *m., f.* doctor 5

medidas *f.* means 15

medio ambiente *m.* environment 3

medio kilo half a kilo 10

Medio orientales *n.* Middle Easterners LP

mejoría *f.* improvement in health 14

menor *adj.* younger 4

mentiroso(a) *m., f.* liar 1

mercado *m.* market 8

mercadotecnia *f.* marketing 2

merienda *f.* snack 5

mermelada *f.* jam 8

mesa *f.* table 13

metro *m.* subway 12

mexicano(a) *m., f.* Mexican LP

mí me 5

mi(s) my 1

microcomputadora *f.* laptop 2

miembro *m.* member 4

mientras tanto meanwhile 5

miércoles Wednesday 3

mirar *v.* to watch, to look LP

misa de aguinaldo early morning Mass 9

mochila *f.* backpack 2

molestar *v.* to bother 12

moneda *f.* currency 10

montar a caballo *v.* to go horseback riding 7

morado *adj.* purple 2

moreno *adj.* dark-skinned 2

morirse (o → ue) *v.* to die 13

mortalidad infantil *f.* infant mortality 15

mostrador *f.* counter 12

mover (o → ue) *v.* to move (*something*) 12

muchas veces very often 4

mucho much, a lot 2

Mucho gusto. Nice to meet you. 1

muebles *m.* furniture 13

mujer *f.* woman 4

multar (poner una multa) *v.* to fine 15

mundo *m.* world LP

museo *m.* museum 7

músico(a) *m., f.* musician 5

muy very 1

N

nacer *v.* to be born 4

nacimiento *m.* birth, nativity 9

nada nothing, nothing . . . at all 5

nadador(a) *m., f.* swimmer 14

nadar *v.* to swim 7

nadie nobody, no one, not anyone 5

naranja *f.* orange 8

nariz *f.* nose 14

natación *f.* swimming 14

naturaleza *f.* nature 4

navegar *v.* to navigate 6

Navidad *f.* Christmas 9

necesitar *v.* to need 2

negocios *m.* business 1

negro *adj.* black 2

nevar (e → ie) *v.* to snow 6

ni... ni neither . . . nor 9

nicaragüense *m., f.* Nicaraguan LP

nieta *f.* granddaughter 4

nieto *m.* grandson 4

nieve *f.* snow 6

ningún no, none, not any 9

ninguno no, none, not any 9

nivel *m.* level 10

no fumar no smoking 8

no importa it doesn't matter 6

nochebuena *f.* Christmas Eve

norte *m.* north LP

norteamericano(a) *m., f.* North American LP

nos us 8

nos gustaría we would like 4

nos interesa it's interesting to us 5

nosotros(as) we 1

notar *v.* to notice 9

noticias *f.* news 12

noventa ninety 2

novia *f.* girlfriend 2

noviembre November 3

novio *m.* boyfriend 2

nuera *f.* daughter-in-law 4

nuestro our, ours 1

nueve nine 2

nuevo *adj.* new 1

número *m.* shoe size 11

nunca never, not ever 4

O

o... o either . . . or 9

observar *v.* to observe 6

ochenta eighty 2

ocho eight 2

octubre October 3

ocupado *adj.* busy 4

oeste *m.* west LP
ofender *v.* to offend 8
oficina de correos *f.* post office 12
oficinista *m., f.* office worker 5
oír *v.* to hear 6
Ojalá (que) + *subjunctive* Let's hope (that) 12
ojo *m.* eye 14
olvidar *v.* to forget 13
once eleven 2
ONG non-government organization 15
óptimo *adj.* great 15
oreja *f.* ear (outer) 14
organizado *adj.* organized 13
oro *m.* gold 9
os you (*informal plural*) 8
oscuro *adj.* dark 2
otoño *m.* fall 6
¿Otra cosa? Anything else? 10
otra vez again 4
oye listen 2

P

paciente *m., f.* patient 14
padrastro *m.* stepfather 4
padre *m.* father 2
padres *m.* parents 2
padrino *m.* godfather 4
pagar *v.* to pay (for) 11
país *m.* country LP
palafitos *m.* houses on stilts 9
palomitas de maíz *f.* popcorn 7
pan *m.* bread 8
pan tostado *m.* toast 8
panameño(a) *m., f.* Panamanian LP
pantalones *m.* pants 11
pañuelo *m.* handkerchief 11
papas *f.* potatoes 8
papas fritas *f.* french fries 7
papel *m.* paper 8
papel higiénico *m.* toilet paper 13
papel para cartas *m.* stationery 9

papelera *f.* wastepaper basket 2
papelería *f.* stationery store 9
para *prep.* for, in order to 2
para (que) *conj.* so (that) 13
paraguas *m.* umbrella 11
paraguayo(a) *m., f., adj.* Paraguayan LP
parar *v.* to stop 13
pardo *adj.* brown 2
parque *m.* park 7
parrilla *f.* grill, BBQ 8
partido *m.* game, match 7
partido político *m.* political party 7
pasar *v.* to spend (*time*) 9
pasear *v.* to take a walk 7
pastel (torta) *m. (f.)* pastry 8
pastelería *f.* pastry shop 9
pastilla *f.* pill 14
patinar *v.* to skate 7
patología *f.* pathology (*the conditions of a particular disease*) 14
paz *f.* peace 7
pedazo *m.* piece 8
pedir (e → i, i) *v.* to ask for, to order 5
pedir prestado (e → i, i) *v.* to borrow 12
peinarse *v.* to comb one's hair 6
pelar *v.* to peel 14
película de vídeo *f.* video movie 3
peligro *m.* danger 3
peluquería *f.* hair salon 11
pensar (e → ie) *v.* to think, to intend 4
pensión *f.* boardinghouse 5
pequeño *adj.* small 1
pera *f.* pear 10
perder (e → ie) to lose 10
pérdida *f.* loss 15
perezoso *adj.* lazy 1
perfumería *f.* perfume shop 9
periódico *m.* newspaper 3
periodismo *m.* journalism 2
periodista *m., f.* journalist 5
perjudicar *v.* to damage 15

permiso de trabajo *m.* working permit 15
permitir *v.* to permit 12
pero but 2
perro *m.* dog 2
peruano(a) *m., f.* Peruvian LP
pescado *m.* fish (*caught*) 8
pie *m.* foot 14
pierna *f.* leg 14
pijama *f.* pyjamas 6
pimentón (pimiento) *m.* pepper 10
pintura *f.* painting 2
piña *f.* pineapple 10
pipa *f.* gourd 10
piscina *f.* swimming pool 7
plan de estudios *m.* curriculum 5
planificar *v.* to plan 12
plantar *v.* to plant 15
plata *f.* silver 9
plátano *m.* banana, plantain 10
plátano dulce *m.* sweet plantain 6
playa *f.* beach 6
pobre *adj.* poor 15
pobreza *f.* poverty 15
pocos few 2
poder *v.* to be able to 3
policía *m., f.* police officer 5
política *f.* politics 15
pollo *m.* chicken 8
poner *v.* to put, to turn on, to play (*e.g., stereo*) 4/9
ponerse *v.* to put on 6
por *prep.* for, on 2
por cierto by the way 15
por eso that's why 2
por la mañana in the morning 3
por la noche at night 2
por la tarde in the afternoon 2
por lo menos at least 12
¿Por qué? Why? 3
por teléfono by phone 2
porque because 3
portugués(a) Portuguese LP
posada *f.* inn 9

practicar *v.* to practise 3
precio *m.* price 10
preferir (e → ie, i) *v.* to prefer 5
pregunta *f.* question 2
prejuicio *m.* prejudice 15
premio *m.* prize 10
prenda de vestir *f.* clothing article 11
preocupación *f.* problem 15
preocupado *adj.* worried 4
preocuparse (de), (por) *v.* to worry (about) 5
preparar *v.* to prepare 6
presentar *v.* to introduce (*somebody to someone*) 7
prestar *v.* to lend 12
presupuesto *m.* budget 12
prevenir (e → ie, i) *v.* to prevent 15
prima *f.* female cousin 4
primaria *f.* primary school 5
primavera *f.* spring 6
primera vez *f.* first time 4
primero *adj.* first 3
primo *m.* male cousin 4
privado *adj.* private 13
probar (o → ue) *v.* to try 8
probarse (o → ue) *v.* to try on 11
problema *m.* problem 15
producir *v.* to produce 15
producto *m.* product 15
profesor(a) *m., f.* instructor, teacher, professor 1
programador(a) *m., f.* computer programmer 5
prohibir *v.* to forbid 12
pronto soon 6
propina *f.* tip 8
propio *adj.* own, proper 9
proteger *v.* to protect 15
provincia *f.* province LP
próximo *adj.* next 9
proyecto *m.* project 3
psicología *f.* psychology 2
público *m.* public 15
puerta *f.* door 2

puertorriqueño(a) *m., f.* Puerto Rican 1
pues *adv.* well 2
puesto *m.* stand 10
pulsera *f.* bracelet 9
¡Pura vida! Excellent! Amazing! Fabulous! 5

Q

¿Qué? What? LP
¡Qué alegría! How wonderful! 4
¿Qué carrera sigues? What career are you pursuing? 5
¡Qué chevere! How great! 11
¿Qué hora es? What time is it? 3
¡Qué lindo! How beautiful! 9
¿Qué más? What else? 10
¡Qué padre! Amazing! Wonderful! (*Mexico*) 3
¿Qué piensas? What do you think? 10
¡Qué rico! How delicious! 3
¿Qué significa…? What's the meaning of . . . ? LP
¿Qué tal? How's everything? What's going on? 1/6
¿Qué tiempo hace? What's the weather like? 6
¿Qué tiene usted? What's the problem? 14
quedarle *v.* to fit (*clothing*) 11
quejarse (de) *v.* to complain (about) 12
querer (e → ie) *v.* to want, to love 3
querido dear (*term of affection*) 8
queso *m.* cheese 8
¿Quién? Who? 1
¿Quieres ir al cine? Do you want to go to the movies? 3
¿Quieres…? Do you want . . . ? 2
Quiero presentarte a… I want you to meet… 1
química *f.* chemistry 2
quince fifteen 2
quitarse *v.* to take off 6

R

radiograbadora *f.* boom box 9
rápidamente *adv.* fast, rapidly, quickly 2
rato *m.* while 14
recepción *f.* front desk 13
recado *m.* message 4
recibir *v.* to receive 3
recibo *m.* receipt 10
reciclar *v.* to recycle 15
recoger *v.* to pick up 3
recomendar (e → ie) *v.* to recommend 12
recopilación *f.* compilation 13
recordar (o → ue) *v.* to remember 8
recursos *m.* resources 12
recursos naturales no renovables *m.* non-renewable resources 15
recursos naturales renovables *m.* renewable resources 15
reducir *v.* to reduce 15
refinado *adj.* refined 11
refresco *m.* soft drink 3/10
regalar *v.* to give (*as a gift*) 9
regalo *m.* gift, present 3
regatear *v.* to bargain 10
religión cristiana *f.* Christianity 9
relleno *adj.* filled 10
reloj *m.* watch 9
relojería *f.* clock shop 9
remojar *v.* soak 10
resfriado *m.* cold 10
residencias estudiantiles *f.* student residences 5
resolver (o → ue) *v.* to solve 15
responsable *adj.* responsible 15
resto *m.* rest, remainder 6/13
reunión *f.* meeting, reunion 4
reunirse *v.* to get together 15
revista *f.* magazine 12
revista de modas *f.* fashion magazine 11
Reyes magos *m.* Wise Kings 9

ridículo *adj.* ridiculous 12

río *m.* river 6

rogar (o → ue) *v.* to beg, implore 12

rojo *adj.* red 2

ropa *f.* clothes, clothing 6

rosado *adj.* pink 2

ruido *m.* noise 13

ruso(a) *m., f.* Russian LP

rutina *f.* routine 6

S

sábado Saturday 3

saber *v.* to know (how) 4

sacar *v.* to take out, to withdraw (*money*), to stick out (*e.g., one's tongue*) 10/12/14

sacar fotos to take pictures 7

salir *v.* to go out, to leave 3

salirse de la rutina *v.* to change your daily routine 12

salón *m.* living room 4

salud *f.* health 10

¡Salud! Cheers! 8

salvadoreño(a) *m., f.* Salvadorian LP

sandalias *f.* sandals 11

sangre *f.* blood 10

santo(a) *m., f.* saint 4

santo patrón *m.* patron saint 9

se abrevian *v.* they are shortened 4

se colará (colarse) *v.* it will get inside (to get inside) 15

se cuentan *v.* they are counted 3

se desliza (deslizarse) *v.* it slides, it glides (to slide, glide) 14

se marchitan they wither, wilt, fade 15

se transforma *v.* it is transformed 4

se usa *v.* it is used 3

secador de pelo *m.* hair dryer 9

secarse *v.* to dry off 6

secundaria *f.* high school 5

seguir (e → i, i) *v.* to pursue 5

según according to 4

seguro *adj. m.* certain, sure; insurance 10/14

seis six 2

sencillo *adj.* single 13

sentarse (e → ie) *v.* to sit down LP

sentir (e → ie) *v.* to regret 12

sentirse (e → ie) *v.* to feel 14

señor (Sr.) *m.* Mr., Sir 1

señora (Sra.) *f.* Mrs., Ma'am 1

señorita (Srta.) *f.* Miss 1

septiembre September 3

ser *v.* to be 1

ser recompensado *v.* to be rewarded 10

servicio de comida *m.* room service 13

servir (e → i) *v.* to serve, to be of use 5

sesenta sixty 2

setenta seventy 2

siempre *adv.* always 4

siete seven 2

siglo *m.* century 13

silla *f.* chair 2

sillón *m.* armchair 13

simpático *adj.* nice 1

sin embargo *conj.* nevertheless 13

sin escolarizar *v.* without schooling 15

sin problema without any problem 5

sin que *conj.* without 13

sobre *prep.; m.* about; envelope 4/9

sobrenombre *m.* nickname 4

sobrepoblación *f.* overpopulation 15

sobrina *f.* niece 4

sobrino *m.* nephew 4

socio(a) *m., f.* business partner 10

soltero *adj.* single 4

solucionar *v.* to solve 3

sombrero *m.* hat 11

son las dos de la tarde it is two in the afternoon 3

son las ocho de la noche it is eight in the evening 3

sopa *f.* soup 8

Soy de... I am from . . . LP

su(s) his, hers, its, their 2

sucesor(a) successor 11

sucio *adj.* dirty 13

suegra *f.* mother-in-law 4

suegro *m.* father-in-law 4

sueldo *m.* salary 5

suéter *m.* sweater 6

sugerir (e → ie) *v.* to suggest 11

sur *m.* south LP

T

tacaño *adj.* stingy 3

tal vez *adv.* maybe, perhaps 11

talla *f.* size (*clothing*) 11

tamaño *m.* size 12

también also, too 2

tampoco neither, not . . . either 9

tan pronto como *conj.* as soon as 13

tan... como as . . . as 10

tanto / tanta... como as much . . . as 10

tantos / tantas... como as many . . . as 10

tarde *adv.* late 6

tarea *f.* homework 4

tarjeta *f.* card 9

tarjeta postal *f.* postcard 9

tasa de alfabetización *f.* literacy rate 15

taza *f.* cup 8

te you (*informal*) 8

té *m.* tea 8

¿Te gusta...? Do you like . . . ? 2

¿Te gustaron...? Did you like them? 7

té helado *m.* iced tea 8

techo *m.* roof 2

tecnología *f.* technology 15

teléfono *m.* telephone 2

televisor a colores *m.* colour television 2

temporada corta *f.* short time 12

temprano *adj.* early 6

tener *v.* to have 2

tener calor to be hot 6

tener éxito to be successful 10

tener frío to be cold 6

tener ganas de + *infinitive* to feel like (*doing something*) 7

tener hambre to be hungry 6

tener náuseas to feel nauseated 14

tener que to have to 4

tener razón to be right 6

tener sed to be thirsty 6

tener sueño to be sleepy 6

tener una idea to have an idea 11

terminar *v.* to finish 4

territorio *m.* territory LP

tía *f.* aunt 4

tiempo *m.* time 4

tienda *f.* grocery store 10

tinto (vino) *adj.* red 8

tintorería *f.* dry cleaners 11

tío *m.* uncle 4

tipo *m.* type, kind 7

tipo de cambio o tasa *m.* rate of exchange 12

título *m.* university degree 5/14

toalla *f.* towel 13

tocar *v.* to play an instrument, to touch 6

todavía *adv.* yet, still 5

todo everything 4

todo el mundo everybody 8

todo lo posible all that is possible 13

tomar *v.* to take, to drink 2

tomar el sol to sunbathe 7

tomate *m.* tomato 8

tome nota be aware 10

tortilla *f.* potato omelet (*Spain*) 8

tos *f.* cough 14

trabajador *adj.* hard-working 1

trabajador(a) social *m., f.* social worker 5

trabajar *v.* to work 2

traer *v.* to bring 4

traje de baño *m.* swimsuit 11

traje sastre *m.* suit 11

trece thirteen 2

treinta thirty 2

tremendo *adj.* tremendous 6

tres three 2

triste *adj.* sad 4

tú you 1

tu(s) your 2

tumba *f.* tomb 13

turrón *m.* almond candy 9

tuyo yours 1

U

último *adj.* last 9

un par de *m.* a pair of 11

un poco *adj.* a little 2

un, una *art.* a LP

unidad social *f.* social unit 4

unido *adj.* united 4

uno one 2

unos, unas some LP

uruguayo(a) *m., f.* Uruguayan LP

usar *v.* to use 5

usted(es) you 1

uva *f.* grape 10

V

¡Vale la pena! It's worth it! 11

vamos a ver let's see 12

vaqueros *m.* jeans 6

varón *m.* male 4

vaso *m.* glass 8

veinte twenty 2

velocidad *f.* speed 15

vendedor(a) *m., f.* salesperson 5

vender *v.* to sell 10

venezolano(a) *m., f.* Venezuelan LP

venir (e → i, i) *v.* to come 3

venta *f.* sale 10

ventana *f.* window 2

ver *v.* to see, to watch 3

ver un partido de fútbol to watch a soccer game 7

verano *m.* summer 6

verdad *f.* correct, right, truth 7

¿Verdad? Isn't that true? 2

verde *adj.* green 2

verduras *f.* vegetables 8

vestido *m.* dress 11

vestirse (e → i, i) *v.* to get dressed 6

viajar *v.* to travel 13

viaje *m.* trip 13

vida *f.* life 5

vídeo cámara *f.* video camera 9

vídeocasetera *f.* video cassette player/recorder 2/9

viejo *adj.* old 1

viernes Friday 3

vino blanco *m.* white wine 8

vino tinto *m.* red wine 8

viñedo *m.* vineyard 7

violeta *adj.* violet 2

visitar *v.* to visit 5

viudo *adj.* widowed 4

vivir *v.* to live 3

volver *v.* to return, to go back 5

vosotros(as) you 1

vuelo *m.* flight 13

vuestro(s) your 2

Y

y *conj.* and 1

¿Ya cenaste? Did you already eat supper? 6

yerno *m.* son-in-law 4

yo I 1

yogur *m.* yogurt 7

Z

zanahoria *f.* carrot 10

zapato *m.* shoe 10

GLOSARIO INGLÉS-ESPAÑOL

A

(At) what time? ¿A qué hora? 3
a un, una LP
a little un poco 2
a pair of *m.* un par de 11
about *prep.* sobre 4
abroad al extranjero 13
accept *v.* aceptar 6
according to según 4
accountant *m., f.* contador(a) 5
accounting *f.* contabilidad 1
acid rain *f.* lluvia acida 15
active *adj.* activo 5
advertisement *m.* anuncio 10
advise *v.* aconsejar 12
after *prep.* después de + *infinitive* 13
after *conj.* después (de) que 13
afterward *adj.* después 4
again *adv.* otra vez 4
against *adv.* contra 7
agreement *m.* acuerdo 3
agriculture *f.* agronomía 2
air conditioning *m.* aire acondicionado 13
air (water) pollution *f.* contaminación del aire (agua) 15
airplane *m.* avión 13
alarm clock *m.* despertador 13
all right! ¡buena onda! 7
all that is possible todo lo posible 13
almost casi 4
also, too también 2
although, even if *conj.* aunque 13
always *adv.* siempre 4
Amazing! Wonderful! (Mexican) ¡Qué padre! 3
and y 1
angry *adj.* enojado 4
answering machine *f.* máquina contestadora 13

any *adj.* cualquier 12
anything else? ¿desea algo más? ¿otra cosa? 10
apple *f.* manzana 10
April abril 3
Arabic *adj.* árabe LP
Argentine *m., f.* argentino(a) LP
arm *m.* brazo 14
armchair *m.* sillón 13
arrive *v.* llegar 2
articles *f.* prendas 11
as many . . . as tantos / tantas… como 10
as much . . . as tanto / tanta… como 10
as soon as *conj.* tan pronto como 13
as . . . as tan… como 10
ask for, to order *v.* pedir (e → i) 5
at home en casa 2
at least por lo menos 12
at night por la noche 2
at your service a su servicio 13
attend *v.* asistir a 13
August agosto 3
aunt *f.* tía 4
a while *m.* un rato 14

B

bad, worse, the worst *adj.* malo, peor, el (la) / los (las) peor(es) 1/10
banana *m.* banana 10
bank *m* banco 11
bathroom *m.* baño 6
be *v.* estar 4
be able to *v.* poder 3
be born *v.* nacer 6
be glad (about) *v.* alegrarse (de) 12
be ready estar listo 11

be rewarded ser recompensado 10
be successful tener éxito 10
be surprised estar sorprendido 11
beach *f.* playa 7
beans *m.* frijoles 10
beautiful *adj.* bonito, hermoso 5/13
because *conj.* porque 3
become rich hacerse rico 12
bed *f.* cama 13
bedroom *m.* dormitorio 2
beer *f.* cerveza 3
before *prep.* antes de + *infinitive* 13
before *conj.* antes de (que) 13
beg, implore *v.* rogar (o → ue) 12
believe, think *v.* creer 5
belt *m.* cinturón 11
between entre 11
bicycle *f.* bicicleta 2
big, large *adj.* gordo 1
bill *f.* cuenta 8
birthday *m.* cumpleaños 6
black *adj.* negro 2
blouse *f.* blusa 11
blue *adj.* azul 2
Bolivian boliviano(a) LP
bookshelf *m.* estante de libros 2
boom box *f.* radiograbadora 9
boots *f.* botas 11
bored *adj.* aburrido 5
borrow *v.* pedir prestado 12
bother *v.* molestar 12
boyfriend *m.* novio 2
bracelet *m., f.* brazalete, pulsera 9
bread *m.* pan 8
breakfast *m.* desayuno 8
bring *v.* traer 4
broccoli *m.* brécol, bróculi 10
brother *m.* hermano 2

brother-in-law *m.* cuñado 4

brown *adj.* marrón, pardo 2

brown (*eyes*), *adj.* café 2

brown (*hair and eyes*) *adj.* castaño 2

brush one's teeth *v.* cepillarse los dientes 6

budget *m.* presupuesto 12

business *m.* negocios 1

business partner *m., f.* socio(a) 10

business person *m., f.* comerciante 5

bustling about *adj.* ajetreo 13

busy *adj.* ocupado 4

but *conj.* pero 2

butter *f.* mantequilla 8

buy *v.* comprar 6

by phone por teléfono 2

by the way por cierto 15

bye chao LP

C

calculator *f.* calculadora 9

camera *f.* cámara 7

Canadian *m., f.* canadiense LP

candy *m.* dulces 9

card *f.* tarjeta 9

carrot *f.* zanahoria 10

cash (*a personal cheque*) *v.* cobrar 12

cash register *f.* caja registradora 11

castle *m.* castillo 13

cat *m.* gato 2

cauliflower *f.* coliflor 10

CD, radio, cassette and speakers equipo de sonido 9

celebrate *v.* celebrar 8

centre *m.* centro 2

certain, sure *adj.* seguro 13

chair *f.* silla 2

change *v.* cambiar 3

change (*money*), **to cash** (*a traveller's cheque*) *v.* cambiar 12

change your daily routine salirse de la rutina 12

cheers! ¡salud! 8

cheese *m.* queso 8

cheque book *f.* chequera 12

chequing account *f.* cuenta corriente 12

cherry *f.* cereza 10

chicken *m.* pollo 8

Chilean *m., f.* chileno(a) LP

chili pepper *m.* ají 10

Chinese *m., f.* chino(a) LP

chocolate bar *m.* chocolate 7

choose *v.* escoger 10

Christmas *f.* Navidad 9

class *f.* clase LP

classmate *m., f.* compañero(a) de clase 2

clean *adj.* limpio 13

clinic *f.* clínica 14

close *v.* cerrar LP

clothes, clothing *f.* ropa 6

coffee *m.* café 2

cold *m.* catarro 14

Colombian *m., f.* colombiano(a) LP

colour television *m.* televisor a colores 2

comb one's hair *v.* peinarse 6

come *v.* venir (e → ie) 3

comfortable *adj.* cómodo 11

comment *v.* comentar 10

community *f.* comunidad 3

compact disc *m.* disco compacto 2

company *f.* empresa 10

complain (about) *v.* quejarse (de) 12

computer *f.* computadora 2

computer programmer *m., f.* programador (a) 5

conserve *v.* conservar 15

consider *v.* considerar 9

control *v.* controlar 15

convince *v.* convencer 12

correct, right verdad 7

cost *v.* costar (o → ue) 9

Costa Rican *m., f.* costarricense LP

cough *f.* tos 14

country *m.* país LP

cream *f.* crema 8

crime *m.* crimen, *f.* delincuencia 15

crops *m.* cultivos 4

Cuban *m., f.* cubano(a) LP

cup *f.* taza 8

customs, habits *f.* costumbres 14

D

damage *v.* perjudicar 15

dance *v.* bailar 3

danger *m.* peligro 3

dark *adj.* oscuro 2

dark-skinned *adj.* moreno 2

date *f.* fecha 3

daughter *f.* hija 1

daughter-in-law *f.* nuera 4

day *m.* día LP

dear (term of affection) querido(a) 8

December diciembre 3

decide *v.* decidir 5

deforestation *f.* deforestación 15

department store *m.* tienda por departamentos 9

deposit (money) *v.* depositar 12

design *v.* diseñar 11

desire, wish *v.* desear 12

desk *m.* escritorio 2

despite *conj.* a pesar de 13

destroy *v.* destruir 15

destruction *f.* destrucción 15

determination *m.* empeño 10

development *m.* desarrollo 3

Did you like them? ¿Te gustaron...? 7

die *v.* morirse (o → ue) 13

difficult *adj.* difícil 2

dinner *f.* cena 3

dirty *adj.* sucio 13

divorced *adj.* divorciado 4

Do you like . . . ? ¿Te gusta...? 2

Do you want . . . ? ¿Quieres...? 2

do, make *v.* hacer 3

doctor *m., f.* doctor(a), médico(a) 1/5

dog *m.* perro 2

Dominican *m., f.* dominicano(a) LP

door *f.* puerta 2

double *adj.* doble 13

double room *f.* habitación doble 13

doubt *v.* dudar 13

dress *m.* vestido 11

drink *v.* beber 3

drink *f.* bebida 7

drive *v.* manejar 13

dry cleaners *f.* tintorería 11

dry off *v.* secarse 6

during *adv.* durante 7

Dutch *m., f.* holandés(a) LP

E

each, every cada 4

ear (outer) *f.* oreja 14

earache *m.* dolor de oídos 14

early *adj.* temprano 6

earnings *m.* ingresos 12

earphones *m.* audífonos 2

earrings *m.* aretes 9

east *m.* este LP

easy *adj.* fácil 2

eat *v.* comer 3

Ecuadorian *m., f.* ecuatoriano(a) LP

educate *v.* educar 15

eight ocho 2

eighteen dieciocho 2

eighty ochenta 2

either . . . or *conj.* o...o 9

elderly *adj.* anciano 1

electricity *f.* electricidad 15

elevator *m.* ascensor 13

eleven once 2

eliminate *v.* eliminar 15

e-mail *m.* emilio, correo electrónico 5

energy *f.* energía 15

engineer *m., f.* ingeniero(a) 5

English *m., f.* inglés(a) LP

enjoy *v.* disfrutar 12

envelope *m.* sobre 9

environment *m.* medio ambiente 3

environmental *adj.* ambiental 15

Equatorial Guinean *m., f.* guineo(a) ecuatorial LP

equipment *m.* equipo 9

everybody todo el mundo 8

everything todo 4

exam *m.* examen 2

examine *v.* examinar(se) 14

excellent, amazing *adj.* de película 9

Excellent! Amazing! Fabulous! ¡Pura vida! 5

excited *adj.* entusiasmado 13

exciting *adj.* emocionante 7

exercise *v.* hacer ejercicio 7

expenses *m.* gastos 12

expensive *adj.* caro 9

eyes *m.* ojos 14

F

face *f.* cara 6

factory *f.* fábrica 5

fall *m.* otoño 6

fall asleep *v.* dormirse (o → ue) 6

family *f.* familia LP

far *adv.* lejos 14

fashion magazine *f.* revista de modas 11

fast, rapidly, quickly *adv.* rápidamente 2

fat *adj.* gordo 1

father *m.* padre 2

father-in-law *m.* suegro 4

fax machine *f.* máquina de fax 9

February febrero 3

feel *v.* sentirse (e → ie, i) 14

female cousin *f.* prima 4

fever *f.* fiebre 14

few *adj.* pocos 2

fifteen quince 2

fifty cincuenta 2

find *v.* encontrar (o → ue) 5

find each other *v.* encontrarse 6

fine *v.* multar (poner una multa) 15

Fine. Thank you very much. Bien. Muchas gracias. 1

finger *m.* dedo 14

finish *v.* terminar 3

first *adj.* primero 3

first time primera vez 4

fish (*caught*) *m.* pescado 8

fit (*clothing*) *v.* quedarle 11

five cinco 2

flowers *f.* flores 9

flu *f.* gripe 14

food, meal *f.* comida 3

foot *m.* pie 14

for free *adj.; adv.* gratuito; gratuitamente 13

for, in order to *prep.* para 2

for, on *prep.* por 2

forbid *v.* prohibir 12

foreign *adj.* extranjero 13

foreigner *m., f.* extranjero(a) 2

forget *v.* olvidar 13

form *m.* formulario 13

forty cuarenta 2

four cuatro 2

fourteen catorce 2

French *m., f.* francés(a) LP

french fries papas fritas 7

fresh *adj.* fresco 10

Friday viernes 3

fried *adj.* frito 8

friend *m., f.* amigo(a) 2

from (a place) *adv.* desde 14

From where? ¿De dónde? 1

front desk *f.* recepción 13

fruit *f.* fruta 8

G

game *m.* juego 7

game, match *m.* partido 7

generous *adj.* generoso 1

German *m., f.* alemán(a) LP

get dressed *v.* vestirse (e → i) 6

get sick *v.* enfermarse 14

get together *v.* reunirse 15

get up *v.* levantarse 6

get, obtain *v.* conseguir
(e → i, i) 13

gift *m.* regalo 3

girlfriend *f.* novia 2

give *v.* dar 4

give (as a gift) *v.* regalar 9

glass *m.* vaso 8

global warming *m.* calentamiento del planeta 15

gloves *m.* guantes 11

go *v.* ir 2

go bicycling andar en bicicleta 7

go halves ir a medias 11

go horseback riding montar a caballo 7

go out, to leave *v.* salir 3

go shopping ir de compras 7

go to bed *v.* acostarse (o→ue) 6

godfather *m.* padrino 4

godmother *f.* madrina 4

gold *adj.* oro 9

good *m.* bien LP

good *adj.* bueno 1

good afternoon buenas tardes LP

good evening buenas noches LP

good morning buenos días LP

good, better, the best bueno,
mejor, el (la), los (las) mejores 10

good-bye adiós LP

good-looking, handsome *adj.*
guapo 1

government *m.* gobierno 15

granddaughter *f.* nieta 4

grandfather *m.* abuelo 4

grandmother *f.* abuela 4

grandson *m.* nieto 4

grapes *f.* uvas 10

great *adj.* óptimo 15

Greek *m., f.* griego(a) LP

green *adj.* verde 2

grey *adj.* gris 2

groceries *m.* abarrotes 10

Guatemalan guatemalteco(a) LP

guest *m., f.* invitado(a) 7

guitar *f.* guitarra 7

H

hair dryer *m.* secador de pelo 9

hair salon *f.* salón de belleza 11

ham *m.* jamón 8

hand *f.* mano LP

happy *adj.* contento, feliz 4/9

hard, difficult *adj.* duro, difícil
5

hard-working *adj.* trabajador(a)
1

hat *m.* sombrero 11

have *v.* tener 2

have (as an auxiliary) *v.* haber
13

have (eat) breakfast *v.*
desayunar 6

have (eat) lunch *v.* almorzar
(o → ue) 5

have (eat) supper *v.* cenar 6

Have a nice meal! ¡Buen
provecho! 8

have fun *v.* divertirse (e → ie, i)
7

have to tener que 4

he él 1

head *f.* cabeza 14

headache *m.* dolor de cabeza 14

health *f.* salud 14

hear *v.* oír 6

Hello! ¡Hola! LP

help *v.* ayudar 4

her, you (formal), it *f.* la 8

here *adj.* aquí 2

high *adj.* alto 10

high school *f.* secundaria 5

highways *f.* carreteras 13

him, you (formal), it *m.* lo 8

his, hers, its, their su(s) 2

historic buildings *m.* edificios
históricos 13

home *m.* hogar 9

homework *f.* tarea 4

Honduran *m., f.* hondureño(a)
LP

hope *v.* esperar 12

hot *adj.* caliente 8

hour *f.* hora 2

house *f.* casa 2

houses on stilts *m.* palafitos 9

How are things going? ¿Cómo
están las cosas? 4

How are you? (formal) ¿Cómo
está usted? 1

How are you? (informal)
¿Cómo estás? LP

How beautiful! ¡Qué lindo! 9

How delicious! ¡Qué rico! 3

How do you say . . . ? ¿Cómo
se dice...? LP

How great! ¡Qué chevere! 11

How many? ¿Cuántos? 2

How may I help you? ¿En qué
puedo servirle / ayudarle? 10

How much is / are . . . ?
¿Cuánto cuesta(n)...? 11

How old are you? ¿Cuántos
años tienes? 1

How wonderful! ¡Que alegría! 4

How? What? ¿Cómo? 1

How's everything? ¿Qué tal? 1

hurt *v.* doler (o → ue) 14

husband *m.* esposo 1

I

I yo 1

I am from . . . Soy de... LP

I do not have No tengo 1

I had a good time. Lo pasé muy
bien. 7

I have a stomachache. Me
duele el estómago. 14

I need to go to . . . Necesito ir
a... 2

I want you to meet . . . Quiero presentarte a… 1

I would like me gustaría 3

I / you like *v.* me / te gusta + *infinitive* 2

I'm (very) sorry. Lo siento (mucho). 13

I'm sorry! ¡Lo siento! 3

ice *m.* hielo 8

ice cream *m.* helado 7

iced tea *m.* té helado 8

illegal drugs *f.* drogas ilegales 15

illiteracy *m.* analfabetismo 15

in case (of) *conj.* en caso (de) que 13

in the afternoon por la tarde 2

in the morning por la manana 3

inexpensive *adj.* barato, económico 9/13

infant mortality *f.* mortalidad infantil 15

inform *v.* avisar 15

inn *m.* albergue 13

insist (on) *v.* insistir (en) 12

instructor, teacher, professor profesor(a) 1

intelligent *adj.* inteligente 5

intern *n.* interno(a) 3

internship *m.* internado 3

interrupt *v.* interrumpir 5

interview *f.* entrevista 3

introduce (*somebody to someone*) *v.* presentar 7

invent *v.* inventar 12

invest *v.* invertir (e → ie, i) 12

invite *v.* invitar 3

Iranian *m. f.* iraní LP

Iraqi *m., f.* iraquí LP

Is it okay? ¿Está bien? 3

island *f.* isla 7

Isn't that true? ¿Verdad? 2

Israeli *m., f.* israelí LP

it depends depende 11

it doesn't matter no importa 6

it is eight in the evening son las ocho de la noche 3

it is one in the morning es la una de la mañana 3

it is two in the afternoon son las dos de la tarde 3

it seems incredible to me me parece increíble 9

It's (nice / bad) weather. Hace (buen / mal) tiempo. 6

it's a pleasure con mucho gusto 12

it's clear está despejado 6

it's cloudy está nublado 6

it's cold hace frío 6

it's cool hace fresco 6

it's hot hace calor 6

it's important es importante 12

it's interesting to us nos interesa 5

it's raining está lloviendo 6

it's snowing está nevando 6

it's sunny hace sol 6

it's too bad, it's a shame que lástima 12

it's windy hace viento 6

it's wonderful me parece estupendo 13

It's worth it! ¡Vale la pena! 11

J

jacket *f.* chaqueta 11

jam *f.* mermelada 8

January enero 3

Japanese *m., f.* japonés(a) LP

jeans *m.* vaqueros, bluejeans, jeans 6

jewellery *f.* joyas 9

jog, run *v.* correr 7

journalist *m., f.* periodista 5

juice *m.* jugo 6

July julio 3

June junio 3

K

key *f.* llave 13

kind(s) *m.* tipo(s) 8

know (how) *v.* saber 4

know, to meet *v.* conocer 4

Korean *m., f.* coreano (a) LP

L

lamp *f.* lámpara 2

language *m.* idioma 4

laptop *f.* microcomputadora 2

last *adj.* último 9

last night anoche 5

last week la semana pasada 5

late *adv.* tarde 6

later *adv.* más tarde 6

lawyer, attorney *m., f.* abogado(a) 5

lazy *adj.* perezoso 1

learn *v.* aprender 3

Lebanese *m., f.* libanés (libanesa) LP

leg *f.* pierna 14

lemon *m.* limón 8

lend *v.* prestar 12

let's hope (that) ojalá (que) + *subjunctive* 12

let's see vamos a ver 12

letter *f.* carta 3

lettuce *f.* lechuga 10

library *f.* biblioteca 2

liar *m., f.* mentiroso (a) 1

lie down *v.* acostarse (o → ue) 14

life *f.* vida 5

light *f.* luz LP

like, as como 2

listen *v.* escuchar LP

listen *v.* oye 2

live *v.* vivir 3

living room *m.* salón 4

logical *adj.* lógico 12

look *v.* mirar 1

look for *v.* buscar 5

low *adj.* bajo 10

lunch *m.* almuerzo 8

M

made hecho 11

made up (*e.g., a hotel room*) *adj.* arreglado 13

magazine *f.* revista 12

maintain *v.* mantener 5

make a reservation *v.* hacer una reservación 13

Make yourselves at home! ¡Están en su casa! 4

male cousin *m.* primo 4

malnutrition *f.* desnutrición 15

man *m.* hombre 4

manager *m., f.* gerente 5

March marzo 3

market *m.* mercado 8

married (to) *adj.* casado (con) 4

marry, to get married *v.* casarse (con) 4

May mayo 3

maybe, perhaps tal vez 11

me mí, me 5/8

means *f.* medidas 15

meanwhile *conj.* mientras tanto 5

meat *f.* carne 8

medicine *f.* medicina 14

meeting, reunion *f.* reunión 4

Merry Christmas! ¡Feliz Navidad! 9

message *m.* recado 4

Mexican *m., f.* mexicano(a) LP

Middle Easterners Medio orientales LP

milk *f.* leche 8

mirror *m.* espejo 13

Miss *f.* señorita (Srta.) 1

Monday lunes 3

money *m.* dinero 2

more / less than más / menos que 10

mother *f.* madre 2

mother-in-law suegra 4

mouth *f.* boca 14

move something *v.* mover (o → ue) 12

movie theatre *m.* cine 3

Mr., sir señor (Sr.) 1

Mrs., ma'am *f.* señora (Sra.) 1

much, a lot mucho 2

museum *m.* museo 7

musician *m., f.* músico(a) 5

my mi(s) 1

my name is . . . me llamo… LP

my pleasure el gusto es mío 1

N

nature *f.* naturaleza 4

navigate *v.* navegar 6

near *adv.* cerca de 4

neck *m.* cuello 14

necktie *f.* corbata 11

need *v.* necesitar 2

neither, not . . . either tampoco 9

neither . . . nor ni… ni 9

nephew *m.* sobrino 4

never, not ever *adv.* nunca 4

new *adj.* nuevo 1

news *f.* noticias 12

newspaper *m.* periódico 3

next *adj.* próximo 9

Nicaraguan *m., f.* nicaragüense LP

nice *adj.* simpático, amable 1/9

Nice to meet you. Encantado., Mucho gusto. 1

niece *f.* sobrina 4

nine nueve 2

nineteen diecinueve 2

ninety noventa 2

no, none, not any ningún, ninguno 9

nobody, no one, not anyone nadie 5

noise *m.* ruido 13

nonrenewable resources *m.* recursos naturales no renovables 15

north *m.* norte LP

North American *m., f.* norteamericano(a) LP

nose *f.* nariz 14

not well *adj.* mal LP

nothing, not . . . at all nada 5

November noviembre 3

now *adj.* ahora 2

nuclear arms *f.* armas nucleares 15

nurse *m., f.* enfermero(a) 5

O

observe *v.* observar 6

October octubre 3

of / about what? ¿de qué? 3

of course cómo no 13

Of course! ¡Claro que sí! 3

offend *v.* ofender 8

office worker *m., f.* oficinista 5

old *adj.* viejo 1

older *adj.* mayor 4

olive *f.* aceituna 10

on Monday el lunes 3

On what date? ¿En qué fecha? 3

one uno 2

one-half kilo medio kilo 10

onion *f.* cebolla 10

open *v.* abrir LP

orange *f.* naranja 8

orange *adj.* naranja 2

orange (colour) *adj.* anaranjado 2

organized *adj.* organizado 13

ought (should) *v.* deber 3

our(s) nuestro(s) 1

overcoat *m.* abrigo 11

overpopulation *f.* sobrepoblación 15

owner *m., f.* dueño(a) 10

ozone (depletion of) *m.* agotamiento del ozono 15

P

painting *m.* cuadro 13

Panamanian *m., f.* panameño(a) LP

pants *m.* pantalones 11

Paraguayan *m., f.* paraguayo(a) LP

parents *m.* padres 2

park *m.* parque 7

party *f.* fiesta 3

party, to go out (Spain) ir de marcha 13

pastry *m.; f.* pastel; torta 8

patient *m., f.* paciente 14

pay (for) *v.* pagar 11

peach *m.* durazno 10

pear *f.* pera 10

pen *m.* bolígrafo 2

pencil *m.* lápiz 2

pepper *m.* pimentón, pimiento 10

per month, monthly al mes 6

permit *v.* permitir 12

Peruvian *m., f.* peruano(a) LP

photo album *m.* álbum para fotos 9

photo equipment *m.* equipo fotográfico 9

pick up *v.* recoger 3

pilgrims' refuge *m.* albergue de peregrinos 13

pill *f.* pastilla 14

pineapple *f.* piña 10

pink *adj.* rosado 2

place *m.* lugar 4

place an order *v.* hacer un pedido 10

plan *v.* planificar 12

plant *v.* plantar 15

plantation, farm *f.* hacienda 12

play *v.* jugar (u → ue) 4

play (*e.g., a stereo*) *v.* poner 9

play cards jugar a las cartas 7

play soccer jugar fútbol 7

police officer *m., f.* policía 5

politician *m., f.* político(a) 15

politics *f.* política 15

poor *adj.* pobre 15

popcorn palomitas de maíz 7

Portuguese *m., f.* portugués(a) LP

post office *f.* oficina de correos 12

postcard *f.* tarjeta postal 9

potato and chili stew *m.* ajiaco 13

potatoes *f.* papas 8

poverty *f.* pobreza 15

practise *v.* practicar 3

prefer *v.* preferir (e → ie, i) 5

prejudice *m.* prejuicio 15

prepare *v.* preparar 6

pretty *adj.* bonito 1

prevent *v.* prevenir (e → ie, i) 15

price *m.* precio 10

primary school *f.* primaria 5

printer *f.* impresora 2

private *adj.* privado 13

prizes *m.* premios 10

problem *f.* preocupación, problema 15

produce *v.* producir 15

product *m.* producto 15

profit *f.* ganancia 10

project *m.* proyecto 3

protect *v.* proteger 15

provided (that) *conj.* con tal (de) que 13

province *f.* provincia LP

public *m.* público 15

Puerto Rican *m., f.* puertorriqueño(a) LP

purple *adj.* morado 2

purse *f.* bolsa, cartera 11

pursue *v.* seguir (e → i, i) 5

put on *v.* ponerse 6

put on makeup *v.* maquillarse 6

put, turn on *v.* poner 4

pyjamas *f.* pijama 6

Q

quality *f.* calidad 10

question *f.* pregunta 2

R

rain *f.* lluvia 6

rain *v.* llover (o → ue) 6

raise *m.* aumento 12

raise *v.* aumentar 12

read *v.* leer LP

realize *v.* darse cuenta (de) 15

receive *v.* recibir 3

recommend *v.* recomendar (e → ie) 12

recycle *v.* reciclar 15

red *adj.* rojo 8/2

red wine *m.* vino tinto 8

reduce *v.* reducir 15

refined *adj.* refinado 11

regret *v.* sentir (e → ie, i) 12

remainder *m.* resto 13

remember *v.* recordar (o → eu) 8

renewable resources *m.* recursos naturales renovables 15

rent *v.* alquilar 13

rented *adj.* alquilado 6

request *v.* pedir (e → i, i) 12

researcher *m., f.* investigador(a) 5

resource *m.* recurso 15

responsible *adj.* responsable 15

rest *v.* descansar 2

return, go back *v.* volver (o → ue) 5

rice *m.* arroz 8

ridiculous *adj.* ridículo 12

right *m.* derecho 13

right now *adj.* ahora mismo 14

ring *m.* anillo 9

river *m.* río 6

roof *m.* techo 2

room (*Latin America*) *m.* cuarto 6

room service *m.* servicio de comida 13

roommate *m., f.* compañero(a) de cuarto 2

Russian *m., f.* ruso(a) LP

S

sad *adj.* triste 4

salad *f.* ensalada 8

salary *m.* sueldo 5

sale *f.* venta 10

salesperson *m., f.* vendedor(a) 5

Salvadorian *m., f.* salvadoreño(a) LP

sandals *f.* sandalias 11

Saturday sábado 3

save (*money, time*) *v.* ahorrar 12

savings *m.* ahorros 15

savings account *f.* cuenta de ahorros 12

say, to tell *v.* decir (e → i) 5

scarf *m.* bufanda 11

school *f.* escuela 4

scientist *m., f.* científico(a) 5

scuba dive bucear 7

seafood *m.* mariscos 8

See you later! ¡Hasta luego! 1

See you tomorrow! ¡Hasta mañana! 1

see, watch *v.* ver 3

sell *v* vender 10

send *v.* mandar 9

September septiembre 3

serious (*e.g., situation*) *adj.* grave 14

serious illnesses *f.* enfermedades graves 15

serve, to be of use *v.* servir (e → i, i) 5

seven siete 2

seventeen diecisiete 2

seventy setenta 2

share *v.* compartir 12

shave *v.* afeitarse 6

shaver *f.* máquina de afeitar 9

she ella 1

shirt *f.* camisa 11

shoe size *m.* número 11

short *adj.* corto 13

short (*in height*) *adj.* bajo 1

shortage of natural resources *f.* escasez de recursos naturales 15

shower *f.* ducha 13

sick, ill *adj.* enfermo 4

silver *f.* plata 9

similar to, as al igual que 7

since then *conj.* desde entonces 11

sing *v.* cantar 7

singer *m., f.* cantante 7

single *adj.* soltero, sencillo 4/13

single room *f.* habitación sencilla 13

sink *m.* lavabo 13

sister *f.* hermana 2

sister-in-law *f.* cuñada 4

sit down *v.* sentarse (e → ie) LP

six seis 2

sixteen dieciséis 2

sixty sesenta 2

size (*clothing*) *f.* talla 11

skate *v.* patinar 7

ski *v.* esquiar 7

skirt *f.* falda 11

sleep *v.* dormir (o → ue) 5

small *adj.* pequeño 1

snack *f.* merienda 5

snorkel *v.* hacer esnórquel 9

snow *f.* nieve 6

snow *v.* nevar (e → ie) 6

so (that) *conj.* para (que) 13

soap *m.* jabón 13

social worker trabajador(a) social 5

socks *m.* calcetines 11

soft drink *m.* refresco 3/10

soft drink *f.* gaseosa 10

solve *v.* solucionar, resolver (o → ue) 3/15

some unos, unas LP

some, any algún, alguno(s) 9

somebody, someone, anyone alguien 9

something for the home algo para el hogar 9

something, anything algo 8

sometimes a veces 4

son *m.* hijo 1

son-in-law *m.* yerno 4

soon *adv.* pronto 6

sore throat *m.* dolor de garganta 14

so-so más o menos LP

soup *f.* sopa 8

south *m.* sur LP

Spanish (*language*) español LP

Spanish (*nationality*) *m., f.* español(a) LP

speak *v.* hablar 2

species extinction *f.* extinción de animales 15

spend (*money*) *v.* gastar 5

spend (*time*) *v.* pasar 9

spinach *f.* espinacas 10

sports equipment *m.* equipo deportivo 9

spring *f.* primavera 6

stairs *f.* escaleras 4

stamp *f.* estampilla 12

stand up *v.* levantarse LP

stars *f.* estrellas 13

start, begin *v.* comenzar (e → ie) 5

stationery *m.* papel para cartas 9

steak *m.* bistec 8

stepbrother *m.* hermanastro 4

stepfather *m.* padrastro 4

stepmother *f.* madrastra 4

stepsister *f.* hermanastra 4

stereo *m.* estéreo 2

stew *m.* guisado 8

stick out (*e.g., one's tongue*) *v.* sacar 14

stockings *f.* pantimedias 11

stomach *m.* estómago 14

strawberry *f.* fresa 10

street *f.* calle 13

strong *adj.* fuerte 15

student *m., f.* estudiante 1

study *v.* estudiar 2

successor sucesor(a) 11

sugar *m.* azúcar 8

suggest *v.* sugerir (e → ie, i) 11

suit *m.* traje sastre 11

suitcase *f.* maleta 13

summer *m.* verano 6

sunbathe tomar el sol 7

Sunday domingo 3

sunglasses *m.* anteojos de sol 11

sure *adj.* seguro 10

sweet *adj.* cariñoso, dulce 7

swim *v.* nadar 7

swimming pool *f.* piscina, alberca 7

swimsuit *m.* traje de baño 11

T

T-shirt *f.* camiseta 11

table *f.* mesa 13

take *v.* llevar 5

take a bath *v.* bañarse 6

take a shower *v.* ducharse 6

take a walk *v.* pasear 7

take care *v.* cuidarse 14

take off *v.* quitarse 6

take pictures *v.* sacar fotos 7

take, to drink *v.* tomar 2

take, to wear *(clothing)* *v.* llevar 9

tall *adj.* alto 1

tape (recording) *f.* cinta 7

tape recorder *f.* grabadora 2

tea *m.* té 8

teach *v.* enseñar 2

team *m.* equipo 7

technology *f.* tecnología 15

teeth *m.* dientes 6

telephone *m.* teléfono 2

telephone call *f.* llamada telefónica 13

television *m.* televisor 13

ten diez 2

territory *m.* territorio LP

Thanks for thinking of me. Gracias por pensar en mí. 15

that eso 3

that's why por eso 2

the el, la, los, las LP

the best *adj.* el mejor 9

the most_____, the _____-est el (la) más + *adjective* 10

the sooner the better cuanto antes mejor 12

then luego, entonces 4/5

there allí 4

these movies estas películas 3

these newspapers estos periódicos 3

they ellos(as) 1

thin *adj.* delgado 1

think, to intend *v.* pensar (e → ie) 4

thirteen trece 2

thirty treinta 2

this esto 3

three tres 2

throat *f.* garganta 14

Thursday jueves 3

ticket *m.* boleto 13

time *m.* tiempo 4

tip *f.* propina 8

tired *adj.* cansado 4

to (a place) *prep.* hasta 14

to (on) the left a la izquierda 13

to (on) the right a la derecha 13

to agree estar de acuerdo 8

to be ser 1

to be cold tener frío 6

to be fashionable estar en onda 8

to be hot tener calor 6

to be hungry tener hambre 6

to be right tener razón 6

to be sleepy tener sueño 6

to be thirsty tener sed 6

to face the street dar a la calle 13

to feel like *(doing something)* tener ganas de + *infinitive* 7

to feel nauseated tener náuseas 14

to have an idea tener una idea 11

to have just *(done something)* acabar de + *infinitive* 8

to play (an instrument), to touch *v.* tocar 6

two weeks ago hace dos semanas 6

toast *m.* brindis 8

toast, a piece of *m.* pan tostado 8

toast *v.* brindar 8

today *adv.* hoy 3

together *adv.* juntos 9

toilet *m.* inodoro 13

toilet paper *m.* papel higiénico 13

tomato *m.* tomate 8

tomorrow *adv.* mañana 3

tongue *f.* lengua 14

tonight *adv.* esta noche 3

too much *adj.* demasiado 12

toothache *m.* dolor de muelas 14

tourist guide guía turística 5

towel *f.* toalla 13

toxic wastes *m.* desechos tóxicos 15

toys *m.* juguetes 9

travel *v.* viajar 13

travel agent *m., f.* agente de viajes 5

traveller's cheque *m.* cheque de viajero 12

tree *m.* árbol 15

tremendous *adj.* tremendo 6

trip *m.* viaje 13

try *v.* probar (o → ue) 8

try on *v.* probarse (o → ue) 11

Tuesday martes 3

twelve doce 2

twenty veinte 2

twice dos veces 4

two dos 2

typewriter *f.* máquina de escribir 9

U

ugly *adj.* feo 1

umbrella *m.* paraguas 11

uncle tío 4

understand *v.* comprender 3

United States *m.* Estados Unidos LP

university degree *m.* título 14

unless *conj.* a menos que 13

unpleasant *adj.* antipático 1

until *conj.* hasta que 13

Uruguayan *m., f.* uruguayo(a) LP

us nos 8

use *v.* usar 5

V

vegetables *f.* verduras 8

Venezuelan *m., f.* venezolano(a) LP

very muy 1

very often muchas veces 4

video camera *f.* vídeo cámara 9

video cassette player/recorder *f.* vídeocasetera 2

video game *m.* juego de vídeo 9

video movie *f.* película de vídeo 3

vineyard *m.* viñedo 7

violet *adj.* violeta 2

visit *v.* visitar 5

W

wake up *v.* despertarse (e → ie) 6

walk *v.* caminar, andar 2/13

want, love *v.* querer (e → ie) 3

wash (up) *v.* lavar(se) 6

wastebasket *f.* papelera 2

watch *m.* reloj 9

watch a soccer game ver un partido de fútbol 7

watch, look *v.* mirar 3

water *m.* agua 8

we nosotros(as) 1

we had a great time lo pasamos muy bien 9

we would like nos gustaría 4

weak *adj.* débil 15

wedding *f.* boda 9

Wednesday miércoles 3

welcome bienvenido 1

well bien, pues 1/2

west *m.* oeste LP

What? ¿Qué? LP

What career are you pursuing? ¿Qué carrera sigues? 5

What do you think? ¿Qué piensas? 10

What else? ¿Qué más? 10

What is your address? ¿Cuál es tu dirección? 2

What is your telephone number? ¿Cuál es tu número de teléfono? 2

What time is it? ¿Qué hora es? 3

What's the exchange rate? ¿A cómo está el cambio? 12

What's the meaning of . . . ? ¿Qué significa...? LP

What's the problem? ¿Qué tiene usted? 14

What's the temperature? ¿A cuánto está la temperatura? 6

What's the weather like? ¿Qué tiempo hace? 6

What's your name? (*informal*) ¿Cómo te llamas? LP

What's your name? (*formal*) ¿Cómo se llama usted? 1

When? ¿Cuándo? 3

Where? ¿Dónde? LP

Where are you from? ¿De dónde eres? LP

Where to? ¿Adónde? 3

white *adj.* blanco 2

white wine *m.* vino blanco 8

Who? ¿Quién? 1

Why? ¿Por qué? 3

widowed *adj.* viudo 4

wife *f.* esposa 1

window *f.* ventana 2

winter *m.* invierno 6

with con 1

with me conmigo 3

With whom? ¿Con quién? 3

with you contigo 12

withdraw (*money*) *v.* sacar 12

without *conj.* sin que 13

woman *f.* mujer 4

work *v.* trabajar 2

working permit *m.* permiso de trabajo 15

world *m.* mundo LP

worried *adj.* preocupado 4

worry (about) *v.* preocuparse (de), (por) 5/12

write *v.* escribir 1

writer *m., f.* escritor(a) 3

Y

yellow *adj.* amarillo 2

yesterday ayer 5

yet, still todavía 5

yogurt *m.* yogur 7, 8

you tú, usted(es), vosotros(as) 1

you (*formal*), them los(as) 8

you (*informal*) te, os 8

You are welcome! ¡De nada! 3

young *adj.* joven 1

younger *adj.* menor 4

yours el tuyo, tu(s), vuestro(s) 1/2

youth hostel *m.* albergue de la juventud 13

youthful *adj.* juvenil 11

Z

zero cero 2

ÍNDICE

TEXT/PHOTO CREDITS

TEXT CREDITS

p. 92: The Canadian Trade Commission Service. www.infoexport.gc.ca/ie-en/DisplayDocument.jsp?did=41672; **p. 135:** Cortsesia Sommerus S.A. Fundación Universitaria San Martin, Santa Fé de Bogotá, D.C.; **p. 324:** *Clara, mensual con mil ideas*, No. 58, julio de 1997. Barcelona, España; **p. 341:** *Clara, mensual con mil ideas*, No. 48, septiembre de 1996. Barcelona, España.

PHOTO CREDITS

p. 3: © Photick/Index Stock Imagery; **p. 8 Left:** CP Picture Archive/Fred Chartrand, **Right:** CP Picture Archive/Javier Casella; **p. 11:** © Walter Bibikow/Index Stock Imagery; **p. 23 Left:** Heinle, **Right:** © Peter Chartrands/DDB Stock Photo; **p. 29 Top:** Heinle, **Bottom:** © Robert Frerck/Odyssey; **p. 36:** Heinle; **p. 46:** Heinle; **p. 47:** © Corbis RF; **p. 82:** Heinle; **p. 83:** Heinle; **p. 90:** Heinle; **p. 91:** Philippa Lhidolm; **p. 93:** CP Picture Archive/Pat Sullivan; **p. 97 Top Left:** © Barry Winiker/Index Stock Imagery, **Top Right:** Rubberball Productions/Getty Images, **Bottom:** © Robert Houser/Index Stock Imagery; **p. 105:** © Mitch Diamond/Index Stock Imagery; **p. 148:** Marco Ugarte/Associated Press; **p. 161:** © Corbis RF, **Inset:** Heinle; **p. 163:** Dick Hemingway; **p. 164:** © Corbis RF; **p. 165:** © Corbis RF; **p. 167 Top Left:** Mark Harvey/DDB Stock Photo, **Top Right:** © Hubert Stadler/Corbis, **Centre:** Larry Dale Gordon/Getty Images, **Bottom:** © Dave B. Houser/Corbis; **p. 181:** AP Photo/World Wide Photos; **p. 198:** Heinle; **p. 204:** © ROSMI/TimePix; **p. 223:** © Peter Menzel/Stock Boston; **p. 231:** A.G.E. Foto Stock/firstlight.ca; **p. 233:** © Buddy Mays/Corbis, **Inset:** © Walter Bibikow/Index Stock Imagery; **p. 234:** CP Picture Archive/Enrique Aracena; **p. 235 Top:** Courtesy of Luis Torres, **Centre:** Photo by David Gray, **Bottom:** Courtesy of Osvaldo Reyes; **p. 237 Top:** © Carl & Ann Purcell/Corbis, **Centre Left:** © Robert Frerck/Odyssey/Chicago, **Centre Right:** © Robert Frerck/Odyssey/Chicago, **Bottom:** © DDB Stock Photo; **p. 240:** Heinle; **p. 243:** © Danny Lehman/Corbis; **p. 244:** © Inga Spence/Index Stock Imagery; **p. 262 Left:** Heinle, **Right:** Heinle; **p. 265:** © Reuters New Media Inc./Corbis; **p. 267:** © Powerstock - ZEFA/Index Stock Imagery; **p. 277:** Heinle; **p. 278:** © Robert Frerck/Odyssey/Chicago; **p. 279:** © RO-MA Stock/Index Stock Imagery; **p. 288 Left:** © Reuters/Corbis, **Right:** © Diego Lezama Orezzoli/Corbis; **p. 294:** A.G.E. Foto Stock/firstlight.ca; **p. 295 Top:** Ian Davies, The Sunfest-London Committee for Cross Cultural Arts Inc., **Bottom:** Canadian Petroleum Institute; **p. 296:** "Parque Nacional del Café" Reprinted with the permission of Jorge Ivan Bedoya C.; **p. 298:** © Robert Frerck/Odyssey/Chicago; **p. 299 Top Left:** © Angelo Cavalli/Index Stock Imagery, **Top Right:** © Fabrik Studios/Index Stock Imagery, **Bottom:** © Nik Wheeler/Corbis; **p. 302:** © Robert Frerck/Odyssey/Chicago; **p. 304 Left:** Heinle, **Right:** Heinle; **p. 320:** © Angelo Cavalli/Index Stock Imagery; **p. 322:** Heinle; **p. 324:** Jupiter Images; **p. 354 Top:** Courtesy of Pablo Rodriguez, **Bottom:** Alan Creighton-Kelly; **p. 355 Top:** Courtesy of Dirección de Publicaciones e Impresos (DPI. CONCULTURA), **Centre:** © Bassouls Sophie/Corbis Sygma, **Bottom:** Courtesy of Adolfo J. de Bold; **p. 356 Top:** Courtesy of Carlos A. Ventin, **Centre:** Courtesy of Marilú Mallet, **Bottom:** Niagara Parks.

España

MAR CANTÁBRICO

FRANCIA

Santiago de Compostela

La Coruña

Avilés · Gijón

Oviedo

Santander

Bilbao

San Sebastián

PRINCIPADO DE ASTURIAS

CANTABRIA

PAÍS VASCO

Pamplona

PIRINEOS

ANDORRA

GALICIA

Lugo

Cordillera Cantábrica

León

COM. FORAL DE NAVARRA

Pontevedra

Palencia

Burgos

LA RIOJA

ARAGÓN

CATALUÑA

Vigo

CASTILLA Y LEÓN

Zamora

R. Due

Valladolid

Sistema Ibérico

R. Ebro

Zaragoza

Lérida

Braga

Salamanca

Sierra de Guadarrama

Segovia

COMUNIDAD DE MADRID

Ávila

Madrid

Tarragona

Barcelona

MAR MEDITERRÁNEO

Oporto

PORTUGAL

Coimbra

R Tajo

Toledo

MENORCA

Cáceres

EXTREMADURA

Mérida

R. Guadian

Badajoz

CASTILLA-LA MANCHA

Almadén

Ciudad Real

R. Júcar

Albacete

Valencia

COMUNIDAD VALENCIANA

ISLAS BALEARES

MALLORCA

Palma de Mallorca

EIVISSA (IBIZA)

FORMENTERA

Lisboa

Setúbal

R. Guadalquivir

Sierra Morena

Linares

Córdoba

Jaén

Alicante

Murcia

REGIÓN DE MURCIA

Cartagena

Sevilla

ANDALUCÍA

Huelva

Jerez de la Frontera

Cádiz

Granada

Sierra Nevada

Málaga

Almería

OCÉANO ATLÁNTICO

Algeciras

Tánger

Estrecho de Gibraltar

Ceuta (Esp.)

Melilla (Esp.)

MARRUECOS

ISLAS CANARIAS

LANZAROTE
Arrecife

Santa Cruz de la Palma

Santa Cruz de Tenerife

FUERTEVENTURA

LA PALMA

Puerto del Rosario

GOMERA

TENERIFE

Las Palmas

GRAN CANARIA

Malabo

GUINEA ECUATORIAL

CAMERÚN

ÁFRICA

GABÓN

```
0      50     100    150 millas
0   50   100   150   250 kilómetros
```